KB182538

2024

물류 트렌드
Logistics Trends

물류 트렌드 2024

1판 1쇄 발행 | 2023년 11월 22일

엮은이 | 한국해양수산개발원, 미래물류기술포럼
펴낸이 | 이언경, 김철민
기 획 | 물류 트렌드 편찬위원회, 박예나
디자인 | 홀리데이북스
펴낸곳 | 비욘드엑스

출판등록 | 2021년 3월 29일 제333-2021-000020호
주 소 | 서울시 서초구 강남대로 311 드림플러스 728호
전 화 | 070-7776-3235
홈페이지 | www.beyondx.ai
이메일 | cs@beyondx.ai

ISBN | 979-11-976790-5-6 (04320)

값 25,000원

2024

물류 트렌드

The convergence of logistics and ICT,
competition and collaboration

물류와 ICT, 경쟁과 협업이 만드는 융합의 시대

엮음
한국해양수산개발원
미래물류기술포럼

저자
김종덕·김성진·이언경·송상화·정구민·김철민·김요한
홍요섭·이승엽·김엄지·박혜리·황현철·김기형·최봉준
최대건·김재은·김정민·이태호·김동주

BEYOND X

개방형 혁신만이
'빅블러' 시대를 주도할 수 있다

김종덕 한국해양수산개발원 원장

디지털 대전환은 전 산업분야에 '빅블러(Big Blur)' 현상을 촉발하고 있다. 빅블러는 생산자-소비자, 소기업-대기업, 온라인-오프라인, 제품-서비스 간 경계가 흐려지는 현상으로, 이는 업계 및 업종 간 경계가 빠르게 사라짐을 의미한다.

빅블러 현상의 핵심은 기업이 업(業)을 확장하는 데 있다. 예를 들어 아마존은 세계 최대 전자상거래 업체로 시작해 클라우드 기업, 물류 기업으로 성장하면서 경계를 넓혀가고 있고, 스타벅스는 모바일 결제와 핀테크 기술을 도입하여 기존의 금융 및 유통 업계에 도전하고 있다.

이처럼 경계가 무너지고 게임의 룰이 변하는 빅블러 시대에서 기업들이 가져야 할 전략은 개방형 혁신에 주목하는 것이다. 이를 위해서는 열린 마음으로 새로운 협업 기회를 모색하고 파트너와의 상생을 추구하는 마음가짐이 중요하다.

5

물류 산업도 빅블러 현상에 영향을 받고 있다. 이커머스 기업이 물류 업체로, ICT 기업이 화물 운송 업체로 진출하는 등 산업 간 경계가 빠르게 사라지고 있다. 이에 대응하여 한국해양수산개발원과 미래물류기술포럼에서는 『물류 트렌드』라는 이름으로 국내 유일무이한 단행본을 3년째 출간하고 있다. 이 책은 물류 분야의 전문가들과 IT, 제조, 유통, 모빌리티, 엔터테인먼트, 스타트업 등 다양한 산업 전문가들이 참여하여 물류 산업을 다양한 시각에서 조망하는 특징을 가지고 있다.

『물류 트렌드』는 분야별 전문가들의 참여를 통해 물류 산업의 다양한 영역을 아우르는 내용을 제공하며, 독자들은 전통적인 물류 서비스부터 현대 사회에서 급부상하는 다양한 물류 트렌드까지 폭넓은 지식을 얻을 수 있다. 특히 다양한 시각에서의 참여는 물류에 대한 포괄적인 이해를 가능케 하며, 독자들에게 현대 물류 산업의 복잡성과 다양성을 명확하게 전달할 것이다.

이 책은 물류와 타 산업 간의 끊임없는 연결성을 다루기 위한 목적으로 기획되었다. 특히 올해의 『물류 트렌드』에서는 전통 물류 기업과 IT 기업 간의 변화와 협업의 중요성에 초점을 맞추었다. 이를 통한 물류 기술 고도화와 서비스 다양화로 이종 산업 간의 새로운 기회와 도전을 제시하고자 했다.

과거에는 물류 기업들이 주로 물류와 운송에 중점을 두었지만, 현대에는 디지털 경제의 진전과 소비자 요구의 증가로 IT 서비스에 대한 수요가 크게 늘어나고 있다. 전통 물류 기업들은 물류 체인 각 단계에서 효율성을 높이기 위해 다양한 IT 기술을 도입하고 있다. 실시간 추적 시스템, 빅데이터 분석, 인공지능 기술을 활용하여 물류 경로 최적화, 재고 관리, 예측 분석 등을 통해 고객 서비스를 향상시키고 비용을 절감하고자 노력하고 있으며, 클라우드 기술을 활용하여 실시간 협업이 가능한 플랫폼을 구축하고 있다.

IT 기업들도 화물 운송 플랫폼, 이커머스 물류, 로보틱스, 자율 주행 등의 물류 모빌리티 분야로 진출하여 시장에서의 경쟁을 가열하고 있다. 생성형 AI, 빅데이터, 클라우드 등의 첨단 기술을 활용하여 물류 시스템의 혁신을 추구하고 있으며, 물류 데이터를 분석하여 예측 모델을 개발하고, 이를 통해 재고 최적화, 공급망 효율화, 주문 처리 등에서 성과를 내고 있다. 또한 IT 기업들은 파트너십을 적극적으로 추구하며 전통 물류 기업들과의 협력을 강화하고 있다. 클라우드 기술을 기반으로 한 협업 도구, 블록체인을 활용한 안전한 거래 및 정보 공유 등을 통해 전통 물류 기업과의 파트너십을 강화하고 있다.

이러한 시장 동향으로 인해 물류와 IT 기업 간의 경계가 모호해지며 협업과 혁신이 필수적인 요소로 떠오르고 있다. 전통 물류 기업과 IT 기업은 각자의 강점을 살려 협력함으로써 보다 효과적인 물류 체인을 구축하고, 소비자들에게 더 나은 서비스를 제공할 수 있을 것으로 전망된다. 이는 미래 물류 산업이 고도화되고 지능화됨에 따라 물류와 IT 기술이 긴밀하게 융합되어 가는 흐름을 반영하고 있다.

해운·물류 시장은 전통적으로 많은 서류 작업과 전화, 팩스, 이메일 등의 복잡한 업무 절차가 일반적이었으며, 화물 운송 시 환경 오염 물질을 배출해 왔다. 그러나 최근에는 IMO가 2050년 국제해운 넷제로

(Net-Zero)를 선언하면서 물류의 디지털 전환과 친환경 선박 및 자율 운항 선박의 도입을 가속화하고 있다. 또한 빅데이터와 인공지능을 통한 혁신, 친환경 선박 및 자율주행 기술의 도입 등도 물류산업에서 주목받고 있다.

이 책을 통해 물류와 타 산업의 경계가 사라지는 빅블러 시대를 맞이해 독자들이 물류 생태계를 연결하는 다양한 관계와 협업에 있어 물류인의 열린 자세와 산업 간 융합과 혁신이 한층 더 강화되고 있는 현장을 체험할 수 있기를 기대한다. 마지막으로 산업 각계에서 시간을 내 소중한 경험과 인사이트를 공유해 준 필진들과 제작을 담당해 준 KMI 연구진, 비욘드엑스 관계자에게 감사의 인사를 전한다.

경쟁자와 협업하는 '자리이타(自利利他)'적 물류 시대가 시작됐다

김성진 미래물류기술포럼 의장

물류의 사전적 의미는 '물(物)과 서비스의 효과적 흐름'을 의미한다. 즉, 원료와 다양한 중간재를 생산 과정에 투입하여 완제품을 생산, 최종 소비자에게 공급하는 전 과정을 이르는 말이다. 물류의 개념은 군사과학의 한 분야인 병참술(logistics)에서 비롯된 각종 노하우(know how)가 기업 활동에 도입된 것으로 알려져 있다. 경제 사회 발전에 따라 물류의 개념도 단순한 유통 분야를 넘어서 조달, 생산, 회수 분야까지 확장되고 과거 단순히 공급망 관리(Supply Chain Management: SCM)에서 보다 넓은 물류 흐름의 전 과정을 관리(Logistics Flow Management)하는 것으로 진화하고 있다.

필자는 '미래물류기술포럼'을 출발할 때부터 "이제 물류는 경제 활동의 종합적 전 과정을 포괄하는 핵심 개념으로 발전하고 있다"고 강조하였다. 따라서 앞으로 시장 안팎에서 물류의 경쟁력은 가장 중요한 요소 중 하나로 대두될 것이며, 경쟁력의 원천 또한 기술에 있으므로 물

9

류 기술 개발과 분야 간 기술 융합의 중요성을 확산하는데 포럼 설립의 목표를 설정하였다. 무한 경쟁의 세계화 시대에 경제 발전을 지속하기 위해서는 기술혁신을 통한 경제적 효율 향상이 경쟁력 강화의 원천이라는 사실은 아무도 부인할 수 없을 것이다. 즉, E=B/C에서 비용을 줄이고 편익을 늘리는 방법은 기술 개발과 기술 융합의 길밖에 없으며 여기에는 Hard & Soft 두 가지 기술 모두를 담고 있다. 금전적 비용뿐만 아니라 시간의 단축, 편의성 증진 같은 현대적 의미의 비용과 편익 요소도 당연히 포함된다.

이번에 발행된『물류 트렌드』는 현대 물류 산업에서 떠오르는 기술혁신과 변화 트렌드를 다루는 풍부한 내용을 담은 책으로, 새로운 시대의 도래와 함께 기술의 진보와 산업의 변화가 어떻게 상호작용하며 미래의 경제 생태계를 형성해 나갈지에 대한 기대와 호기심을 자극한다.

올해 IT 업계에서 가장 주목받는 '메가트렌드'는 인공지능(AI)이며, 그중에서도 생성형(Generative) AI가 특히 강조되었다. 국내 대표 포털 네이버와 삼성SDS는 이미 생성형 AI를 활용한 서비스 시범 모델을 선보였다. 네이버는 이를 새로운 전환의 축으로 규정하며 검색, 모바일, 이커머스, 그리고 풀필먼트 등 물류 서비스에도 '생성형 AI'로의 진화를 선보였으며, 삼성SDS는 지난 'REAL 서밋2023'에서 생성형 AI를 주요 주제로 채택하며 디지털 포워딩 등 수출입 물류 분야에 혁신적인 AI 서비스를 선보였다. 생성형 AI는 모빌리티 분야에서도 큰 파급력이 예상된다. 카카오모빌리티는 테크 콘퍼런스에서 '사람의 이동(여객)'뿐만 아니라 '화물의 이동(물류)'에도 생성형 AI 기술을 도입한 모빌리티 생태계의 미래를 발표했는데, 이는 물류 모빌리티 분야에서도 AI의 창의적 활용이 가능함을 시사하며 화물운송 등 미들 마일 영역에서 디지털 혁신의 바람을 일으키고 있다.

한편, 코로나19 이후의 국내외 물류 시장은 인건비 상승과 자율주행 기술의 발전으로 큰 변화를 맞이하고 있다. 트럭 운전자 부족, 물류량 증가, 그리고 전통 물류의 스마트화 방향 등이 물류 모빌리티를 재편시키고 있으며, 자율주행 트럭 기술은 미국과 중국을 중심으로 2025년에는 상용화가 예상되어 물류 시장을 더욱 혁신시킬 것으로 전망된다. 선박 역시 디지털 기술과 정보통신 기술(ICT)의 발전으로 스마트선박과 자율운항선박의 패러다임이 변화하고 있다. ICT의 발달은 선박, 해운, 항만, 물류 분야의 디지털화를 가속화하고, 이에 대한 새로운 도전과 해결방안이 제시되고 있다.

스마트 물류 솔루션 또한 중요한 주제 중 하나다. 제조업과 물류의 자동화 투자가 늘어나고 있지만, 도입 배경과 투자 규모에 따라 각기 다르게 설계되어야 하는 상황에서 국내외의 자동화 소프트웨어, 하드웨어, 로봇 기술들이 분석되고 있다. 최적의 스마트 물류 솔루션을 설계하고 활용하는 방안이 제시되며, 이를 통해 물류 및 유통 분야의 효율성을 향상하는 데 기여할 것으로 보인다. 또 생활 물류와 달리 B2B 기업물류의 전통적인 물류 회사들은 디지털 전환이 상대적으로 느리게 진행되었던 게 사실이다. 이러한 대규모 물류기업은 가벼운 규모의 물류 스타트업과는 다르게 속도는 조금 느리지만 전략적으로 디지털 전환을 추진하고 있다. 한편 주변에 흔히 볼 수 있는 빛이 바랜 주유소를 도심 속 드론 이착륙 공간으로 변화시키거나 이케아의 물류허브로 재탄생시키는 등 전통산업과 물류 분야의 협업 아이디어는 매우 흥미로울뿐만 아니라 혁신적이다.

특히, 이 책에서는 물류와 유통이라는 분야에 한정되지 않고, IT 수출입 통관, 통신사의 물류 사업 확장, 도심물류(MFC, UAM)의 변화, 디지털 유통과 이커머스의 연관성, 무탄소 항로를 통한 환경친화적인 물류, 그리고 아이돌 굿즈 등 콘텐츠 유통물류 시장에 대한 다양한 주제들이 포함되어 있어 독자들에게는 물류 및 유통 분야에서의 최신 동향 및 기술 전개에 대한 폭넓은 시야를 제공할 것이다. 뿐만 아니라 무탄소 항로를 통한 환경친화적인 물류, 스마트 물류 솔루션의 도입 등의 사례를 담고 있는 등 친환경 물류 및 ESG(환경, 사회, 지배구조) 활동이 기업의 중요한 책임으로 인식되고 있음을 보여준다.

물류 산업이 지속가능하고 효율적으로 발전하기 위해서는 다양한 이해관계자들과의 협업 및 환경친화적인 물류 서비스 제공이 필수적임을 시사한다. 물류와 IT 등 이종 산업 간의 협업은 기술 융합이라는 필연의 과정을 거쳐 물류 산업을 더욱 미래지향적으로 만들어 나가는 열쇠 중 하나로 인식되고 있다. 기업의 사회적 책임이 물류 산업의 발전에 큰 영향을 미치고 있는데, 이는 지속 가능한 미래를 위한 모든 산업의 노력을 요구하고 있다.

이러한 급변하는 기술발전과 분야와 영역의 경계를 쉽게 넘어서는 물류 환경 속에서 『물류 트렌드』는 물류 산업과 이와 연계된 다양한 분야의 독자에게 시대의 변천과 물류 흐름의 현실에 관한 풍부한 정보와 통찰력을 제공하고, 지속 가능한 물류 산업의 방향을 제시하는 데 크게 기여할 것으로 기대된다.

이 책이 전통적인 물류기업과 IT 및 신종 콘텐츠 등 이종 산업 간 물류 시장에서의 교류와 협업, 통섭의 실현을 통해 물류의 흐름과 공급망의 안정적 관리를 한 단계 도약시키는 중요한 변곡점을 찍는 데 크게 보탬이 되길 바란다. 더불어 시장 참여자 모두가 상생협력의 정신으로 Win-Win하는 자리이타(自利利他)의 선순환 흐름이 자리 잡을 수 있는 날이 빨리 오리라 기대한다.

끝으로 이 책이 나올 때까지 수고해주신 물류 트렌드 편찬위원회와 비욘드엑스 관계자분들께 깊은 감사의 말씀을 전한다.

CONTENTS

2부 - 시장변화

3부 - 물류에서 ICT로

CONTENTS

들어가면서

404 Not found:
업의 경계를 찾지 못했습니다

테크를 품은 물류, 물류를 품은 테크,
그리고 둘 다 품은 라이프스타일

이언경

한국해양수산개발원 물류·해사산업연구본부 본부장

고려대학교에서 공급망관리 분야로 박사학위를 받았다. 서울시정
개발연구원과 한국과학기술연구원의 연구원, LG CNS 엔트루컨설
팅을 거쳐 한국해양수산개발원에서 물류·해사산업연구본부 본부
장으로 재직중이다. 약 20년간 스마트항만물류, 콜드체인 및 공급
망 혁신, 수출입물류 위기관리 플랫폼, 미래 신기술 적용 R&D 등을
수행하고 있다. 현재 해양수산부 중앙항만정책심의회, 부산시와 경
상남도 물류정책위원회 위원으로 활동하고 있다.

1. 일상생활에 기술이 파고드는 속도가 빨라진다.

약 120년전 프랑스 예술가들이 상상한 2000년의 모습은 어떠했
을까? 1899년, 1900년, 1901년, 1910년에 장 마크 코테(Jean-Marc Côté)와 다
른 프랑스 예술가들이 미래 2000년의 삶이 어떠한 모습일지를 종이카
드에 그렸다. 이를 미국의 과학소설가 아이작 아시모프(Isaac Asimov)가
우연히 발견해 1986년에 '미래: 19세기가 본 2000년의 모습(Futuredays: A
Nineteenth Century Vision of the Year 2000)'에 소개했고, 이를 2015년 10월 워
싱턴포스트지에 발표함으로써 일반인들에게 널리 알려졌다. 당시 1900
년대 예술가들은 2000년이 되면 로봇 등이 인간이 하는 일을 대신할 것
으로 예측했는데, 많은 부분에서 현실화되었다.

〈그림 1〉에서 로봇청소기, 캠핑카, 학교 원격 및 영상 수업은 누
구나 쉽게 접하고 있는 기술이 되었다. 다만 날아다니는 소방관은 모습
은 다르지만 현재 드론이 불을 끄고 있어 일부는 실현되었다고 볼 수 있

로봇청소기

캠핑카

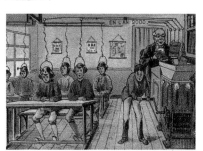
학교 원격 및 영상 수업

드론 소방관

[그림 1] 1900년대 화가가 그린 2000년대 모습
(출처:https://publicdomainreview.org/collection/a-19th-century-vision-of-the-year-2000/ 기반
저자 작성, 검색: 2023.10.15)

다. 화가들이 그린 상상의 기술이 현실화되는데는 약 100년 정도의 시간
이 소요되었다.

한편 한국의 이정문 화백이 1965년에 그린 '서기 2000년대 생활
의 이모저모'를 살펴보면 TV도 귀했던 시절임에도 불구하고 전기자동
차, 원격진료, 스마트폰 등 현재 모습을 거의 유사하게 묘사했다는 것이
신기하다. 〈그림 2〉에서 달나라 수학여행을 제외하고는 상상한 시점 기
준으로 35년만에 우리가 생활하고 있는 2000년대의 현재 모습과 유사한
세상이 된 것이다.

지금은 어떠할까? 2016년 1월 20일 스위스 다보스에서 열린 세계
경제포럼(WEF)에서 사물인터넷(IoT), 빅데이터(Big Data), 인공지능(AI), 드

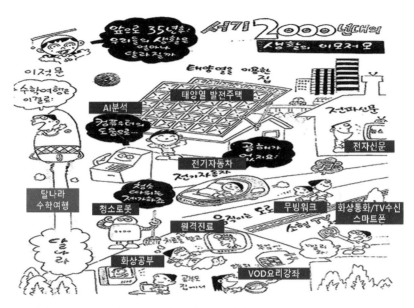

[그림 2] 이정문 화백이 1965년에 그린 2000년대 모습
(출처: https://www.100ssd.co.kr/news/articleView.html?idxno=67711 기반 저자 작성)

론(Drone) 등 4차산업혁명 기술이 제시되었을 때 사람들은 궁금증을 가졌다. 해당 기술이 어떤 것이고 이러한 기술이 세상을 어떻게 바꾸게 될 것인가에 대해서 엄청난 관심이 쏟아진 것이다. 이때는 특별한 사람들이 다루는 새로운 기술이라고 생각했지 사람들이 일상생활에 사용하게 될 것이라는 상상을 하지 못했다.

하지만 4차산업혁명 기술이 발표된 지 10년이 지나지 않아 지금은 제조, 유통, 물류산업에서 빅데이터, 인공지능, 드론 등 로보틱스 기술을 활용하는 것은 너무나도 당연하게 받아들여지고 있다. 이들 기술을 활용하고 있는 마이크로소프트(실시간 공급망 가시성), 존슨앤존슨(공급망 전체 디지털 컨트롤타워), 펩시코(제조분야 디지털트윈 및 AI 도입)와 같은 기업이 2023년 가트너 공급망 상위 25위 기업에 선정되는 등 경쟁력을 확

보하게 되었다.[1]

　몇 년 전만 해도 드론은 고가의 정밀장비로 인식되어 군사 기밀 혹은 위험한 공사 현장에 투입되었다. 그러나 이제는 아이들이 마트에서 장난감 드론을 구매해서 날리는 세상이 되었다. 고성능 카메라와 센서를 장착한 드론이 영화 촬영장을 날아다니고, 건설 및 물류 작업 현장, 재난 인명구조 시에는 고해상도의 실시간 데이터를 수집·제공하여 작업자가 신속한 의사결정을 할 수 있도록 도와주고 있다. 새로운 이름의 기술이 수없이 등장하고 소멸하는데, 이 중에 성공한 기술은 사람들이 해당 기술을 더 이상 특별하다고 생각하지 않고 당연하게 사용하는 기술이다. 전기, 세탁기, 인터넷이 처음 보급되었을 때 사람들은 4차산업혁명 기술을 맞이했을 때와 같이 놀랍게 생각했지만, 지금은 가정마다 필수적으로 보급되어 있는 일상용품이 되었다.[2]

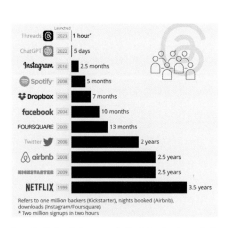

기술의 등장과 발전 속도가 예전과는 다르게 급속도로 진행되고 있고, 사람들을 통해 확산되는 속도도 빨라지고 있다. 예를 들면 ChatGPT가 2022년 11월말 출시되었을 때 기술을 모르는 일반인들도 인공지능의 놀라움에 열광했다. 이를 반영하듯 ChatGPT가 100만 사용자를 확보하는데 단 5

[그림 3] 출시 후 100만명 사용자 기록 시간
(출처: statista, 검색: 2023.10.15)

1) Gartner, Gartner Supply Chain Top 25 for 2023.
2) 마이클 마이클 E. 포터 외, 「하버드 머스트 리드 AI 경영」, Harvard Business Review & 매일경제신문사, 2019. 기반 저자 작성

일 밖에 걸리지 않았다. 한편 더 놀라운 것은 트위터 경쟁자로 꼽히는 텍스트기반 소셜 앱인 스레드(Threads)다. 메타(Meta)의 인스타그램팀이 만든 스레드는 2023년 7월 출시한 후 2시간 만에 200만 명의 사용자를 등록했다.

이러한 기술발전과 확산속도를 고려할 때 현재 우리가 생각하는 것보다 더 빨리 물류의 변화를 맞이할 것으로 예상된다.

2. 기술 발전으로 물류에는 어떤 변화가 일어나고 있을까?

2022년 말 발간한 『물류 트렌드 2023』에서는 공급망 혼란과 물류 대란의 시대에 퍼스트부터 미들, 라스트마일까지 디지털로 다시 연결하라는 주제하에 전문가들이 2023년의 물류시장을 전망했다. 『물류 트렌드 2023』에서는 ①스마트기술을 탑재한 물류 강자들이 등장하고, ②물류장비의 자동화 및 자율화가 본격화되며, ③디지털 공급망을 활용한 다품종 소량 제품을 신속하게 배송하기 위한 고객 맞춤형 솔루션 및 ④ 도심형 물류거점이 중요해지고, ⑤지속가능한 성장을 위한 ESG 경영이 화두가 될 것이라 전망했다.

젊은 세대, 그리고 코로나19로 인한 언택트 쇼핑의 증가로 소비자의 상품정보 획득 및 구매 형태의 변화가 물류를 변화시키고 있다. 향후 소비를 주도할 젊은 세대뿐만 아니라 언택트 쇼핑이 익숙해진 소비자들은 스마트폰을 이용하여 모바일 환경에서 소량의 제품을 필요할 때마다 선택, 구매, 결재, 반품 등을 한 번에 처리하고, 인스타그램을 통해 사람들과 구매 경험을 공유하고 있다. 그들은 주문한 상품의 배송 현황을 모바일 폰에서 추적관리하기를 원한다. 특히 3D 게임환경에 익숙한 젊은 세대들은 가상·증강현실(VR/AR)이 포함된 메타버스 환경에서 아바타를 이용한 쇼핑을 시도한다. 경제적으로 여유로운 나이대는 아니기 때문에 구매 시 비용 대비 가격 적정성을 따지고, 미래 사회에 대한 책임의식으로 환경 등 지속가능성에 대한 관심도 많은 편이다.[3]

이러한 고객에 대응하기 위한 물류의 변화를 살펴보면 다음과 같다. 첫째, 스마트기술을 탑재하여 온·오프라인 구매 시 소비자의 쇼핑 패턴(구매주기, 상품 등) 데이터를 수집, 분석, 대응해야 한다. 예를 들면, 오프라인 매장에서는 블루투스 기반의 무선통신을 하는 비콘(Beacon)과 IoT 센서 등 스마트기술을 탑재하고, 소비자의 과거 구매 패턴 데이터 등을 실시간으로 분석하여 소비자의 이동 동선에 따라 짧은 마케팅 영상인 스낵 컬처(Snack Culture)를 스마트폰에 제공하거나 소리로 간단한 상품설명을 제공하여 쇼핑이 구매로 연결되도록 한다. 예를 들면 CJ올리브영은 2023년 2월 MZ세대를 위한 스낵컬처를 모아 잡지처럼 볼 수 있도록 하는 매거진관을 신설했다.

둘째, 데이터 기반 인공지능 분석을 통해 맞춤형 상품을 고객에게 제공하는 유통·물류 플랫폼을 구축해야 한다. 쇼핑 시 고객이 주로 구매하거나 구매할 가능성이 있는 제품 중 최적 가격의 제품을 고객에

24

제페토 내 현대백화점면세점   롯데면세점 메타버스(CES 2023)

[그림 4] 메타버스 플랫폼 내 쇼핑환경
(출처: Bizwatch, 세계비즈 기반 저자 작성, 검색: 2023.10.15)

---

3) 황지영, 리테일의 미래, 인플루엔설, 2019, p.194기반 저자 작성

게 맞춤으로 제안하기 위해 빅데이터와 인공지능, 메타버스 기술을 활용한다. 2023년 1월 미국 라스베이거스에서 개최된 CES 2023에서 롯데정보통신의 자회사인 칼리버스는 '롯데 메타버스(가칭)'를 소개했는데, 롯데 메타버스는 디지털트윈과 인터랙티브 쇼핑어시스트 등의 기술이 탑재되어 롯데면세점, 세븐일레븐 등 가상 상점에서 원하는 상품 구매를 체험할 수 있도록 했다.

셋째, 매장 내 다품종 소량 제품을 신속하게 분류하고 배송하기 위해서는 자동화 및 자율주행 로봇이 필요하다. 고객이 상품 구매와 결제를 진행하면 매장 및 창고 내 로봇이 물건을 소비자별로 분류하고 자율주행차와 인간형 배송 로봇(휴머노이드, Humanoid)이 집까지 당일 혹은 익일에 배달한다. 물건이 마음이 들지 않거나 손상이 있을 경우 반품 버튼을 누르면 반품 전용 자율주행차와 로봇이 집을 방문하여 반품물건을

25

물건을 상자에 담는 이브

창문여는 이브

요가하는 옵티머스

이족보행 및 무릎을 구부리는 네오

[그림 5] ChatGPT와 결합된 휴머노이드 로봇(출처: tech42 기반 저자 작성, 검색: 2023.10.15)

회수해 간다. 최근 개발되고 있는 휴머노이드 로봇은 ChatGPT와 결합한 노르웨이 로봇업체 원엑스(1X)의 최초 휴머노이드 로봇 이브(Eve)와 2족 보행로봇 네오(NEO), 테슬라의 옵티머스가 있다. 이들 로봇은 스스로 길을 탐색하고, 하체를 구부리고 손가락으로 창문을 열고, 색깔을 구분하고 물건을 집고, 인간의 말을 이해할 수 있도록 발전하고 있다. 현재 원엑스의 이브는 제조공장에서 경비원으로 감시와 보안업무를 수행하고 있다. 테슬라의 옵티머스는 팔과 다리를 스스로 컨트롤 해 요가 자세를 취하는 등 인간의 유연성을 확보하여 힘든 물류 작업에 사람대신 투입이 가능할 것으로 판단된다.

넷째, 당일 및 익일 배송을 위한 도심형 풀필먼트 센터가 필요하다. 모바일 쇼핑 시장의 확대로 도시 외곽의 대형 물류센터가 유연하고, 자동화된 소규모 풀필먼트 센터로 바뀌어 고객이 많은 도심으로 이동해 소비자에게 당일배송, 새벽배송 등의 서비스를 제공한다. 예를 들면 이스라엘의 커먼센스 로보틱스(CommonSense Robotics)는 세계 최초로 2019년 도심 고층빌딩 지하 주차장에 풀필먼트 센터를 구축했는데, 이렇듯 다양한 형태의 도심형 풀필먼트 센터가 증가하는 추세다.

다섯째, 2050년에 국제해운은 넷제로(Net-Zero)를, EU는 공급망 전체에 대해 2030년까지 1990년 대비 총량기준 55% 절감하는 Fit for 55 등을 실현해야 하므로 물류기업의 ESG 경영이 더욱 중요해질 것으로 예상된다. 국제해사기구(IMO)가 2023년 7월 IMO MEPC 80차에서 2030년, 2040년, 2050년까지의 선박 온실가스 감축목표를 발표했다. 2050년 넷제로를 목표로 2030년까지는 2008년 온실가스 총배출량 대비 최소 20%(30%까지 노력), 2040년까지 최소 70%(80%까지 노력) 감축 목표를 설정했다. 또한 2030년까지 국제해운이 사용하는 에너지 총량의 최소 5%를 저/무배출 연료로 전환하고 10%까지 사용하기 위해 노력하기로 합의했

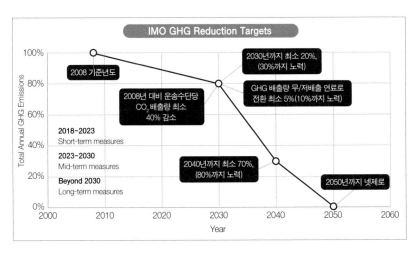

[그림 6] IMO의 국재해운 GHG 감축 목표
(출처: ABS, News Brief MEPC 80, 2023.7. p.5 기반 저자 작성, 검색: 2023.10.15)

다. 이러한 움직임은 해운기업뿐만 아니라 전체 물류기업에까지 확산될 것이라고 판단된다.

3. 2024년 물류 트렌드의 핵심 키워드와 전망은?

코로나19, 러시아-우크라이나전쟁, 미중 무역전쟁 등으로 인한 공급망 단절과 고객의 언택트 소비가 강해짐으로써 ICT 기술이 각 산업에 급속도로 접목되어 새로운 형태의 산업이 등장·발전하는 빅블러(Big Blur) 시대가 도래했다. 2024년은 산업간 경계가 점차 흐려지면서, 이전에 각각 분리되어 있던 산업이 서로 교차하고 융합되는 빅블러 현상이 강화될 것으로 예상된다. 이로 인해 현재 보다 더 많은 산업간 융합을 통한 새로운 비즈니스 모델과 혁신적인 서비스가 나타날 것으로 보인다.

기술의 발전으로 인해 전통적으로 분리되어 있던 물류산업과 ICT 산업 간 경계가 사라지고, 새로운 기술과 서비스가 다양한 분야에서 통합되고 있다. 예를 들어, 해운산업 및 자동차산업과 ICT 기술의 융합으로 자율운항선박, 자율주행차량 등 '스마트 모빌리티'가 상용화되고 있다. 또한 로봇산업과 ChatGPT와 같은 인공지능 기술이 결합하여 물류센터와 배송업무를 담당할 수 있는 '휴머노이드 로봇'이 현장에 투입되고 있다. 이러한 융합은 산업 간 협력과 혁신을 촉진하며, 물류 분야에서 새로운 가치 창출과 비즈니스 기회를 제공하고 있다.

2024년 물류 트렌드의 변화를 예상해보면 다음과 같다. 첫째, 4차 산업혁명 기술 도입 후 공급망 교란과 언택트 물류 시대를 거치면서 디지털 기술이 폭발적으로 발전한다. 둘째, 이러한 기술 발전으로 인하여 전통물류산업은 ICT 기술을 접목하여 운영 효율화를 꾀한다. 셋째, ICT 등 타 산업 분야는 물류까지 사업 영역을 확장한다. 마지막으로 우리가 알고 있던 물류가 아닌 시장변화로 인하여 새로운 형태의 물류가 등장한다.

〈그림 7〉에서도 볼 수 있듯이 ICT 분야의 기술 발전으로 인하여 물류와 ICT 영역의 파괴가 일어나는 빅블러 시대로 접어들며 점차 산업

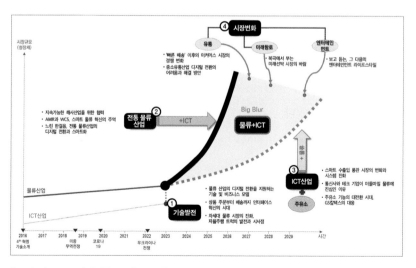

[그림 7] 2024년 물류 트렌드 4대 키워드 개념도

경계는 융합되고 시장규모는 더욱 확장될 것으로 예상된다.

1. 기술이 일상화되면 물류가 어떤 모습으로 진화할지 예측하는 것이 중요하다.

땅 위에 있던 전봇대와 전선, 노천에 노출된 상하수도, 지상을 다니던 전차, 휴대폰의 키패드 등 기술이 발전하고 널리 퍼지면 어느덧 눈에 보이지 않는 공간으로 사라진다. 자율주행차량과 자율주행트럭이 사람과 화물을 이동시키는 것이 너무나 당연한 세상이 되면 이동 동선을 분리하기 위해 이들 차량은 SF영화에서 본 것과 같이 전용 지하 터널로 사라질 것이다.[4]

지하로 다니는 초고속 기차(캡슐)인 하이퍼루프(Hyperloop)가 항만-도시, 도시간 화물 이송을 담당하면 기존 육상운송을 담당하던 물류기업은 어떤 방식으로 변모할지 고민해야 한다. 또한 지하에서의 통신, 최적 라우팅, 군집주행, 지진 및 홍수 시 사고 방지 방법 등을 연구하는 기업이 급부상할 수 있다.

자율주행트럭이 일반화되면 라스트마일에서 도로 및 지하로 주행하고, 도착 후에는 휴머노이드 로봇 혹은 드론이 문 앞까지 상품을 배송하는 것이 필요하다. 자율주행트럭이 사람이 운전하는 것보다 안전하고 효율적으로 주행한다면 시장이 더욱 커질 것이고 그렇게 되면 드론이나 로봇의 활용도가 높아져 이들 기술도 같이 발전할 것으로 예상된다.

카카오모빌리티는 창고없이 차량간 통신으로 물건을 이동시키는 기술을 고려하고 있다. 이러한 기술이 발전되면 대형 물류 허브가 사라

---

4) 유현준, 공간의 미래, 을유문화사, 2023., p.188. 기반 저자 작성

지고 차량간에 물건을 연결하는 공간과 차량간 자동 하역장비가 발달할 수 있다.

이에 물류기업이 기술 발전의 혜택을 받기 위해서는 기술이 어떤 방식으로 발전하게 되는지를 선제적으로 고민하고 예측해야 한다.

2. 고객맞춤형 물류서비스를 위해 개별 기업에 맞춘 생성형 AI가 발전한다.

생성형 AI인 ChatGPT의 등장으로 인해 AI 연구자들은 좀 더 정확한 답을 찾기 위해 대량의 원시 데이터를 가지고 비지도학습(Unsupervised Learning)을 하는 파운데이션 모델(Foundation Model)을 개발하는 경쟁에 돌입했고, 일반인들은 ChatGPT를 활용하여 업무를 수행하고 있다.

생성형 AI는 네이버의 유통·물류와 만나 소비자에게는 고객 맞춤형 제품을 제안하고, 자주 구매한 식품의 레시피를 알려주며, 판매자에게는 마케팅 메시지와 TV쇼핑 판매 대본도 작성해준다.

이러한 기술 발전 속도를 보면 고객이 AI가 제안한 상품을 스마트폰에서 구매하고, 구매한 상품이 출고되어 고객에게 배송될 때까지 전 과정을 디지털 플랫폼에서 통합관리하고, 자율주행트럭과 로봇이 주문한 고객에게 물건을 직접 갖다 주는 날이 멀지 않아 보인다. 기술개발이 완성된 시점은 해당 기술이 일반인들에게 특별해 보이지 않는 순간이라는 말이 생각난다. 그때까지 생성형 AI기술, 디지털 공급망 플랫폼, 자율주행트럭과 휴머노이드 로봇 기술을 우리나라 업체가 주도할 수 있도록 노력해야 할 것이다. 생성형 AI인 ChatGPT보다 한국어를 더 잘 해석하고 최신 정보를 제공하는 네이버의 CLOVA-X를 개발한 저력을 볼 때 분명 가능성이 있는 것으로 판단된다.

3. 성공한 기업을 따라하지 않고 틈새시장을 공략한 기업이 살아
남는다.

쿠팡의 익일배송, CJ올리브영의 오늘드림 서비스는 빠른배송의
정석으로 인식되었고, 타업체의 신규 진출이 어려울 정도로 경쟁력 측
면에서 매우 우수하다. 스타트업 혹은 중소 물류업체가 쿠팡과 CJ올리
브영과 같은 모델을 가지고 경쟁한다면 자금력과 시스템을 갖춘 이런
공룡기업을 이기기 쉽지 않다. 그러므로 빠름을 재해석한 틈새 시장 공
략이 필요하다. 주문 후 수산물을 어획하여 바로 소비자의 식탁에 제공
하는 파도상자는 어획부터 배송까지의 시간이 총 리드타임으로 볼 때
가장 빠르고 신선하여 고객의 재구매율이 높다. IT와 물류센터, 전문인
력으로 무장한 가구 전문 물류서비스 업체인 하우저는 B2B대상 보관,
운송, 설치, A/S 제공으로 이커머스 1~3위 업체 모두와 거래하고 있다.
즉, 중소물류업체나 스타트업이 시장에서 살아남기 위해서는 틈새시장
을 발굴하고 가격경쟁력으로 고객을 모집하고, 규모의 경제를 통해 수
익을 실현하는 모델을 찾아야 한다.

4. 글로벌 디지털 통합 물류 서비스(end-to-end)를 제공하는
기업이 시장을 주도한다.

2022년까지는 공급망 교란으로 많은 물류기업들이 수요와 공급
을 맞추지 못해 어려움을 겪었다. 최근에는 잘나가는 기업들을 중심으
로 AI분석을 통해 가격협상을 하고, 최적 경로를 찾고, 공급망 전체를 디
지털로 통합관리하는 모습이 보이고 있다. Amazon은 글로벌 통합 디지
털 물류 서비스를 제공하는 Supply Chain by Amazon을 공개했고, UPS

는 경로최적화(ORION), 물류 운영 최적화(EDGE), 실시간 이상 상황 대응을 위한 UPS Supply Chain Symphony 포털을 운영하고 있다.

대기업은 오래된 IT 인프라, 업무 관행, 내부 조직의 복잡성 등으로 인하여 디지털 전환이 쉽지 않다. 하지만 우리나라 대부분의 물류 대기업들은 ICT 기술을 사업에 접목하는 중이다. 현대글로비스는 AI, 로보틱스 등 스마트 물류솔루션을 적용하고, CJ대한통운은 화물 중개 플랫폼을 활용하고 있다. 삼성SDS는 첼로스퀘어를 통해 글로벌 공급망 내 데이터 가시성을 높이기 위해 노력하고 있으며, 한진은 공간정보 유통 플랫폼과 도로정보 데이터베이스 사업을 추진하고 있고, 포스코플로우는 스마트물류시스템과 친환경 솔루션 기반 성장을 꾀하고 있다.

Uber Freight는 공급망내 정보를 디지털화하고 화주-차주 매칭을 통해 트럭이 공차로 운행되지 않도록 하고 정시성, 가시성을 제공하기 위해 클라우드 기반 엔드 투 엔드(End-to-End) 물류플랫폼을 구상 중이다.

세계적으로 지속가능한 성장 요구와 다품종 소량의 글로벌 이커머스 주문을 처리하는데 노하우가 있는 사람만을 투입하는 물류로는 대응하는데 한계가 있다. 시장에서 살아남으려는 물류기업들은 느리지만 천천히 디지털, 스마트 기술을 전통적인 업무에 적용시키고 있다. 코로나19 팬데믹을 겪으면서 늘어난 주문량을 유연하게 대응하기 위해서는 디지털 공급망 플랫폼뿐만 아니라 작업을 돕는 창고관리시스템(WMS)과 자율이동로봇(AMR)을 통합 운영하는 체계가 필요하다. 많은 인력이 필요했던 쿠팡과 CJ 대한통운 풀필먼트 센터는 주문량 분석, 작업 현황 모니터링, 작업지시 등을 위해 WMS를 도입하고 처리 물동량에 따라 AMR 투입대수를 조정하여 기존보다 보다 효율적으로 창고를 운영하고 있다. 공급망의 디지털 전환 가속화와 자동화 기술이 대기업의 경쟁력을 강화하고 있다.

5. 물류와 융합할 새로운 빅블러를 찾은 기업이 성공한다.

팬데믹의 영향으로 소비자들이 오프라인에서 온라인 쇼핑을 즐기게 됨으로써 해외 직구, 역직구가 증가하는 추세다. 물류기업의 디지털화, 로봇 도입 등의 스마트 기술 접목으로 상품 출고, 운송 등이 빨라지더라도 통관이 늦어지면 아무 소용이 없다. HS CODE 6자리 세번 분류가 되어야 수입품의 관세율에 따라 관세가 책정되는데, 수천만건의 수입품목을 수작업으로 분류하는 데는 많은 시간이 소요될 뿐만 아니라 오류 발생률도 높다. 이를 해결하기 위해 AI를 기반으로 한 세번분류 시스템을 수출입 통관에 도입했다. API기반으로 적하목록의 상태 값을 일정시간 간격으로 확인하고 관세청에 자동 송수신 하여 업무처리속도 또한 개선되었다. 이는 물류와 통관의 디지털 융합으로 업무 효율성이 향상된 경우다.

GS칼텍스는 수익이 악화되고 있는 주유소를 어떻게 변화시킬지 고민하다가, 도심에 있는 주유소를 도심형 물류 허브로 활용하는 것이 어떨까 하는 아이디어를 내 주유소와 물류를 융합했다. IKEA에서 구매한 상품을 고객 인근 주유소에서 찾아가는 GS칼텍스 픽업센터는 2021년 시범사업으로 시작한 것이 호응이 좋아 2023년 3월 전국으로 확대됐다. 주유소는 드론 물류 거점으로도 활용되는데, 2020년에 제주도, 여수에서 실증 사업을 진행했고, 성공리에 마쳤다. 주유소가 물류의 새로운 파트너가 됨으로써 주유소는 수익 악화 문제에서 벗어나고, 물류는 도심 허브를 갖게 되는 등 상호 시너지 효과가 발생할 수 있는 것이다.

오징어게임, BTS 등 K-콘텐츠가 각광받음으로써 관련 의류, 마스크, 화장품, 음반 등의 매출도 증가하고 있다. 이러한 상품들을 해외에 수출하기 위해서는 물류가 필요하다. 전혀 상관없어 보이는 엔터테인먼트 산업이 새로운 물동량을 창출하고 있다. 또한 스타마케팅의 하나로 현대백화점에서 열린 '레고 BTS 다이너마이트' 행사로 인해 해외 관광객이 국내에 방문했을 뿐만 아니라 해외에서는 'BTS 레고' 품절 대란까지 일어났다. 즉 엔터테인먼트가 물류와 만나 관련된 화물과 사람을 운송하고 있는 것이다. 물류와 ICT뿐만 아니라 새로운 산업과의 융합은 파괴적 혁신을 불러 일으키고, 이러한 노력이 바로 빅블러 시대의 성공 방법이다.

6. 기후변화로 물류기업의 ESG 경영이 더 중요해진다.

IMO가 2050년 국제 해운 온실가스 배출량을 제로화 시키는 넷제로(Net-Zero) 전략을 발표했고, 유럽은 공급망 전체에 배출량을 1990년 수준 대비 총량 기준 55% 감축하는 Fit for 55를 발표하는 등 전세계가 기후변화 대응을 위해 지속가능한 성장을 강조하고 있다. 특히 해운업체는 IMO가 전세계 5,000톤 이상 선박에 대하여 2023년 운항실적을 바탕으로 계산된 CII(탄소집약도지수, Carbon Intensity Index)에 따라 2024년부터 현존선에 대해 A부터 E등급을 부여하고 등급 이하 선박에 대해서는 퇴출하겠다고 밝혔다. 이러한 상황에 해운산업의 지속가능성을 위해서는 디지털 기술을 접목한 스마트선박을 도입하여 실시간 데이터 분석을 통해 배출량을 측정, 관리하는 것이 필요하다.

이러한 강력한 환경조치에 대응하기 위해서는 선박의 친환경 연료유 종류와 운항패턴에 따른 배출량을 측정할 뿐만 아니라 기화율(BOR, Boil Off Rate)과 운송비용을 고려한 최적항로를 탐색해야 한다. 온도가 낮은 액화수소(-252.8℃) 운송 시 북극항로의 경우 극저온 상태에서 운항할 수 있어 운송화물의 기화율을 낮출 수 있을 뿐만 아니라 기존항

로보다 운송거리가 짧고 운송기간이 단축되어 운송비가 더 저렴해진다. 또한 스마트기술을 접목한 자율운항선박을 이용할 경우 선박에 선원을 승선시키지 않으므로 운영비용과 운항과실을 낮출 수 있고, 외부 환경에 따라 최적 경로, 최적 속도로 운항하기 때문에 에너지 효율성 제고 또한 가능하다. 선박/비행기-항만/공항-내륙물류로 이어지는 공급망에 속해 있는 대형, 중소형 물류기업 전체가 ESG(Environment, Social, Governance) 경영이 가능하도록 노력해야 한다.

본 책은 국내 최고 전문가들이 깊이 있는 분석을 통해 2024년 물류 산업을 4개의 키워드(기술변화, 시장변화, 물류에서 ICT로, ICT에서 물류로)를 기반으로 전망하고 혁신하고자 하는 방향성을 제시했다. 물류 트렌드를 전망한 결과 물류와 기술은 원래 한 몸인 것 같이 움직이며 성장하는 경향이 강해지고 있었다. 시장에서 살아남기 위해서는 공급망 차원의 ICT 기반 데이터 관리가 필수적이며, 매출과 영업이익을 높이려면 다양한 산업에 성장하는 물류산업을 접목시켜야 한다. 멈추지 않고 변화하는 시장을 항상 주목하는 것도 필요하다. 이 책이 빅블러 시대 새로운 돌파구를 찾아 물류를 발전시키고 경제 부흥을 위해 노력하고 있는 물류인들에게 도움이 되길 희망한다.

35

참고 문헌

ABS, News Brief MEPC 80, 2023. 7.

Gartner, Gartner Supply Chain Top 25 for 2023.

마이클 마이클 E. 포터 외, 「하버드 머스트 리드 AI 경영」, Harvard Business Review & 매
　　일경제신문사.

유현준, 공간의 미래, 을유문화사, 2023.

황지영, 리테일의 미래, 인플루엔셜, 2019.

https://publicdomainreview.org/collection/a-19th-century-vision-of-the-year-2000

https://www.100ssd.co.kr/news/articleView.html?idxno=67711

https://www.statista.com/chart/29174/time-to-one-million-users/

기술변화

1부

물류 산업의 디지털 전환을 지원하는 기술 및 비즈니스 모델

송상화

인천대학교 동북아물류대학원 교수, songsh@inu.ac.kr

KAIST에서 박사학위를 받고, IBM 비즈니스컨설팅서비스를 거쳐 인천대학교에서 SCM과 물류, 유통, 디지털 혁신 분야 교육 및 연구에 힘쓰고 있다. 현재 인천대학교 동북아물류대학원 원장, 교육부 4단계 BK21 사업 교육연구팀장, 네이버 쇼핑 자문교수, KOTRA 디지털혁신위원을 맡고 있다.

1. 물류 디지털 전환이 추구하는 목표

물류 산업은 재고를 통해 수요와 공급 간 불균형을 일정 부분 완화할 수 있는 제조 산업과 달리 수요와 공급의 동기화가 어려운 대표적 산업이다. 화물 운송, 이커머스 풀필먼트, 포워딩 서비스 등 물류 서비스들은 사전에 충분한 물류 인프라를 확보한 후 고객 수요에 맞춰 서비스를 제공해야 한다. 이 과정에서 고객 수요에 대한 예측이 정확하지 않다면 화물운송 차량을 급하게 배차하거나 파트타임 인력, 컨테이너 선복 등을 비싼 가격에 추가로 확보해야 할 수 있다. 반면 수익성을 확보하기 위해 선제적으로 물류 인프라를 대규모로 확보하면 수요 감소에 따라 해당 물류 인프라를 운영하는 데 어려움을 겪을 수도 있다. 따라서, 물류 산업은 차별화 및 전문화된 물류 서비스를 제공하는 것과 함께 고객 수요에 적절한 수준으로 물류 인프라를 미리 확보하여 자산 운영 효율성을 최대화할 수 있는 역량이 핵심 경쟁력이 된다.

경영 환경이 변화함에 따라 물류 서비스 수요 변동성 역시 큰 폭으로 증가하고 있다. 재고가 다단계 네트워크에 분산되어 있던 전통적 공급망과 달리 이커머스를 중심으로 제조 및 유통 기업들이 최종소비자에게 상품을 직접 공급하기 시작하면서 수요 변동을 다단계 네트워크가 흡수하기 어려워졌다. 온라인으로 상품을 최종소비자에게 직접 판매하게 되면서 소량 다빈도 판매가 일반화되기 시작하였으며, 프로모션 등 마케팅 활동은 주문량을 수십에서 수백배 이상 변화시키게 되었다. 수요의 급격한 변동은 물류에도 악영향을 미쳐 화물 운송 트럭, 풀필먼트 센터, 컨테이너 선복 등 물류 인프라를 사전에 확보하는데 있어 적정 수준을 판단하는데 어려움이 가중되고 있다.

더욱이 서비스 품질 경쟁으로 인하여 주문 납기가 짧아짐에 따라 수요 변동 시 물류 인프라를 추가로 확보하기 위한 시간에도 제약이 발생하기 시작했다. 재고가 미리 확보되어 있다 하더라도 물류 서비스를 위한 트럭이나 풀필먼트 센터에 여유가 없다면 대응이 어려울 뿐 아니라 긴급히 추가 자원을 확보하려 해도 짧아진 주문 납기로 대응에 어려움이 있는 것이다. 새벽 배송, 당일 배송, 1시간 내 배송과 같이 신속한 배송을 보장하는 물류 서비스의 경우 수요 변동으로 인한 수요-공급 불균형으로 서비스 품질이 저하될 때 고객 불만으로 연결되어 기업 경쟁력에 큰 문제를 일으키게 된다.

물류 서비스의 특성상 수요와 공급의 동기화에 어려움이 크다. 이러한 상황에서 주문 변동성 증가 및 서비스 리드타임 감소는 물류 기업의 서비스 경쟁력 확보에 큰 문제로 작용한다. 수요의 변동이 커질수록 자체 물류 투자를 최소화하고 외부 자원에 의존하는 유연한 물류 인프라 운영 전략을 도입하지만, 다양한 기업과의 협력 과정에서 관리의 복잡성이 증가하고 일관된 서비스 제공이 어려워질 가능성이 크다. 또한, 서비스 제공 기업을 찾는 과정에서도 해당 기업의 서비스 제공 역량을 파악하기 힘들고, 서비스 제공이 가능한 기업 리스트 확보도 어렵다.

복잡하고 다단계로 구성된 물류 산업에서 수요에 맞춰 적합한 서비스 제공 기업을 확보하고 적절한 수준의 서비스 공급 용량을 결정하는 것이 어려워짐에 따라 기업들은 디지털 전환에 관심을 가지기 시작했다. 디지털 전환을 통해 수요 및 공급 프로세스에서의 다양한 데이터를 확보하고 이를 효율적으로 분석함으로써 물류 수요 변화에 능동적으로 대응할 수 있는 물류 체계 구축이 가능할 것으로 기대하는 것이다. 또한, 화주 기업으로서도 다양한 물류 기업들을 손쉽게 파악하고, 디지털 시스템에 기반하여 효과적으로 서비스를 관리할 수 있게 된다. 물류 기업은 디지털 전환을 통해 자체 물류 투자와 함께 다양한 기업의 물류 인프라를 복합적으로 활용하여 서비스를 유연하게 제공할 수 있고, 화주 기업으로서는 적절한 물류 기업을 필요에 따라 활용할 수 있게 되면서 비용 절감 및 서비스 품질 제고가 가능하다.

본 원고에서는 화주 기업이 물류 기업과 아웃소싱 관계를 형성하는 물류 서비스 거래 측면에서 물류 산업 내 디지털 전환의 현 수준을 분석하고, 수요 예측에서 서비스 제공까지 향후 디지털 물류 서비스의 변화 방향에 대해 살펴보고자 한다.

2. 서비스 거래 단계별 디지털 물류 현황

물류 서비스 거래는 화주 기업이 특정 물류 서비스에 대해 서비스 제공 후보 기업을 파악하고 역량을 평가한 다음 협상 및 계약을 통해 거래 관계를 구축한 이후 해당 기업과의 서비스 거래를 모니터링하는 전체 과정을 의미한다.

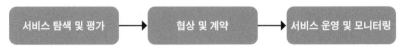

[그림 1] 서비스 거래 단계

과거에는 트럭운송 요금, 컨테이너 운송 요금, 풀필먼트 서비스 단가와 같이 물류 서비스에 대해 지불하는 직접 비용만을 물류 서비스 비용으로 인식하였으나, 저렴한 물류 서비스 비용을 제시하는 기업과 서비스 관계를 구축하였다가 낮은 서비스 품질로 고생하거나 서비스 수준에 비해 과다하게 책정된 서비스 비용으로 운영 효율성이 저하되는 문제가 발생하기도 하였다. 이에 따라 목표로 하는 서비스 품질을 달성하는 기업에 적정 단가를 지불하는 것이 화주 기업의 중요한 의사결정이 되기 시작했다. 직접적인 서비스 단가와 함께 눈에 보이지 않는 거래 과정에서의 비용을 함께 고려하게 되는 것이다. 그러나, 거래 과정에서의 비용은 정확히 파악하기 어렵고 그 결과가 오랜 기간에 걸쳐 나타나기 때문에 서비스 거래에 있어 큰 장애로 작용하였다. 디지털 전환은 물류 서비스 거래에서 전체 거래비용을 최소하는데 도움을 줄 수 있다.

1) 서비스 탐색 및 평가 단계

물류 서비스 거래의 첫 단계인 서비스 제공 기업 탐색 및 평가 측면에서 살펴보자. 디지털 물류 서비스는 오프라인에서 이루어지던 전통적 물류 서비스 거래 프로세스를 온라인으로 전환하는 데 초점을 맞추고 있는 것으로 평가된다. 디지털 물류 서비스를 목표로 하는 기업들이 대규모 투자를 유치하고 디지털 기술 개발 역량을 바탕으로 모바일 및 PC 등 다양한 온라인 환경에서의 물류 서비스를 운영하고 있다.

탐색 및 평가 단계에서는 서비스 제공 기업을 손쉽게 검색하고 해당 기업의 정보를 파악하는 데 디지털 기술이 활용되고 있다. 구글, 네이버와 같은 검색 엔진이 이커머스 셀러의 상품 및 가격 정보를 손쉽게 비교 검색할 수 있게 지원하면서 소비자의 상품 구매 채널이 오프라인에서 온라인으로 이동한 것처럼 디지털 물류 기업들 역시 디지털 플랫폼 등 다양한 형태의 비즈니스 모델을 통해 물류 기업과 화주 기업을 연결하는 일을 담당하고 있다.

디지털 플랫폼을 통해 화주 기업은 물류 기업들에 대한 정보를 파악하고 견적 요청 및 평가를 효율적으로 진행할 수 있게 되었다. 물류 기업 역시 복잡한 마케팅 활동 없이 디지털 플랫폼을 통해 화주 기업에 대한 견적 제공 및 서비스 마케팅을 수행할 수 있다. 디지털 플랫폼을 통해 서비스 기업과 화주 기업 간 비즈니스 매칭을 지원하는 비즈니스 모델은 코로나19 이후 비대면 서비스가 확산하면서 대규모 투자를 유치하였고 수익성도 좋아지고 있다. 대표적 화물운송 중개 플랫폼인 Uber Freight의 경우 2022년까지 이익률이 개선되며 비즈니스 모델의 성장 가능성에 긍정적 신호를 보여줬다. Uber Freight는 저렴한 수수료로 화주 기업을 유치하고 신속한 정산을 통해 운송 기업에 혜택을 제공하여 디지털 플랫폼의 화주 및 운송 관련 참여 기업 수를 크게 늘리고 있다.

서비스 탐색 및 평가 단계에서 디지털 플랫폼 모델이 발전하며 다양한 형태의 혁신이 진행되고 있다. Uber Freight의 경우 SAP, Oracle 등 ERP 기업과 협력하여 화주 기업 내 ERP에서 Uber Freight 내 화물 운송 기업을 검색하고 가격 비교 후 서비스 의뢰가 가능한 구조를 2020년부터 순차적으로 도입하기 시작했다. API(Application Programmable Interface)를 통해 Uber Freight에 등록된 운송 기업 및 가격 정보 등을 실시간으로 화주 기업의 ERP에 연계함으로써 화주기업은 별도의 서비스를 설

43

치할 필요 없이 효율적으로 서비스 정보 파악 및 평가할 수 있는 구조가 마련된 것이다. Uber Freight는 모바일앱 등 자체 서비스 뿐 아니라 다양한 ERP에 통합됨으로써 고객 확보 채널을 다양화하고 있다.

인공지능 관련 기술의 도입도 다양한 형태로 진행되고 있다. 화주와 물류 기업 간 비즈니스 매칭에 있어 인공지능 기술을 활용하려는 시도가 디지털 물류 서비스 도입 초기부터 진행되고 있다. 화주 및 물류 기업 양쪽에 적합한 기업을 매칭하는 작업은 디지털 물류 서비스에 참여하는 기업이 증가함에 따라 더욱 복잡하고 어려운 일이 될 수 있다. 인공지능 기술 스타트업 nexocode, 디지털 물류 플랫폼 Transmetric 등 디지털 기반의 기업들은 화주 기업이 원하는 서비스를 제공할 수 있는 물류 기업을 인공지능 기술에 기반하여 탐색한 후 최적 후보를 추천해주는 기능을 제공하고 있으며, 글로벌 물류기업 Kuehne+Nagel 역시 2019년 인공지능 기술에 기반한 화물운송 중개 플랫폼 eTrucknow.com을 출시하고 태국을 시작으로 아시아 지역에 서비스를 확대하고 있다. 디지털 물류 서비스를 제공하는 과정에서 데이터가 충분히 확보될 경우 화주 및 물류 기업간 서비스 매칭에서 복잡도를 제거하고 적합한 소수의 후보 그룹을 추천할 수 있을 것으로 기대되고 있다.

2022년 11월 OpenAI의 생성형 인공지능 서비스 ChatGPT가 공개된 이후 생성형 AI의 자연어 처리 및 논리 추론 역량을 활용하여 물류 서비스 기업 탐색 및 정보 파악 단계를 효율화하려는 노력도 활발해지고

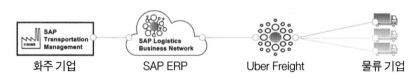

| 화주 기업 | SAP ERP | Uber Freight | 물류 기업 |

[그림 2] SAP ERP와 Uber Freight 연계 (출처: SAP)

있다. Uber Freight는 2023년 9월 화주 및 운송기업 간 비즈니스 매칭을 지원하는 'Uber Freight Exchange' 서비스를 발표하였으며, 해당 서비스에서 Uber Freight는 기존 거래 데이터를 분석하여 서비스 참여 기업들에 시장 정보를 제공하는 Insights AI라는 생성형 AI 서비스를 발표하였다. Insights AI는 고객들이 자연어로 질문하는 내역에 대해 생성형 AI 기술을 활용하여 분석 결과를 제공하며, 시장 동향에 대한 분석, 미래 가격 예측까지 챗봇 대화 형태로 지원하는 것으로 알려져 있다.

국내의 경우 글로벌 포워딩 플랫폼 첼로스퀘어(Cello Square)를 운영하는 삼성SDS에서 2023년 9월 포워딩 서비스 관련 즉시 견적 조회, 화물 정보 트래킹 등을 생성형 AI 기술을 기반으로 제공하는 업데이트를 발표하였다. OpenAI의 ChatGPT 플러그인을 제공하여 삼성SDS의 첼로스퀘어를 플러그인으로 선택해 ChatGPT 서비스에서 컨테이너 운송 관련 질문을 하면 첼로스퀘어를 활용하여 실시간 가격 견적 및 서비스 요청이 가능하도록 구성하였다. ChatGPT 등장 이후 인공지능 기술은 디지털 물류 서비스의 인터페이스를 크게 바꾸고 있으며, 이는 사용자 경험 전반의 변화로 연결되고 있어 데이터 분석에 기반한 비즈니스 매칭 분야의 인공지능보다 디지털 물류 서비스 혁신에 더 광범위한 영향을 미칠 것으로 예상된다.

2) 협상 및 계약 단계

화주 기업이 서비스 탐색 및 평가 단계에서 물류 기업들을 평가하고 자신의 서비스 요구에 가장 적합한 서비스 기업을 선택하게 되면, 이후 단계는 선택된 물류 기업과의 협상 및 계약 과정이 진행된다. 제품이 표준화되고 디자인 및 성능 등이 명확하게 정의된 제조 산업에서는 가격 협상 및 계약 과정이 상대적으로 용이하지만, 기업간 서비스 계약의 경우 서비스 품질을 사전에 명확히 알 수 없고 서비스 자체가 주관적인 성격이 많아 협상 및 계약 과정이 상대적으로 복잡하고 계약까지 오랜 시간이 걸릴 가능성이 높다.

기업 간 B2B 서비스 특성상 물류 산업에서는 화주 및 물류 기업 간 협상 과정에서 계약 형태 및 구조, 서비스 가격 및 정산 체계 등이 확정되는 방식이 일반적이었다. 만약 선택된 물류 기업이 자체 인프라와 함께 외부 협력업체 물류 인프라까지 활용하여 서비스를 제공하게 되면 협력업체와의 협상까지 고려해야 하므로 목표 서비스 품질을 설정하고 가격을 책정하는 과정에 더 많은 시간이 필요하다. 이에 따라 디지털 기술 및 비즈니스 모델 변화를 통해 협상 및 계약 단계를 단순화하려는 노력이 활발해지고 있다.

풀필먼트 서비스의 경우 기존 물류창고 계약 방식과 달리 서비스를 표준화하고 표준화된 서비스별 단가를 홈페이지에 공개하는 등 계약 투명성 및 가시성을 크게 높이고 있다. 풀필먼트 서비스는 이커머스 셀러가 화주가 되어 상품 보관, 주문에 따른 상품 피킹 및 포장, 발송 등의 서비스를 대행하게 되는데, 전통적 물류창고와 달리 다수의 이커머스 셀러와 동시에 계약을 체결함에 따라 협상 및 계약 과정에서 시간이 소요되면 서비스 효율성이 떨어질 가능성이 크다.

이를 해결하기 위하여 풀필먼트 서비스 기업의 경우 주문 처리비용과 보관 비용으로 서비스 계약 구조를 단순화하고, 월 처리 규모에 따른 단가 할인 등 단순화된 가격 체계를 도입하여 협상 및 계약 단계를 효율화하고 있다. 국내의 주요 풀필먼트 서비스 기업인 마이창고, 파스토, 위킵, 아워박스, 콜로세움 등의 서비스 계약 방식 역시 홈페이지를 통한 견적 신청 및 계약 가능한 구조를 만들어두고 있으며, 서비스 단가는 입고 작업비, 보관비, 출고 작업비, 포장재 등 물류 활동별 단가 체계로 단순화되어 있다.

그러나, 가격 체계 및 계약 구조를 단순화한 풀필먼트 서비스라고 하더라도 실제 물류 서비스를 이행하는 과정에서 화주별 서비스 수익에 차이가 발생할 수밖에 없다. 상품 특성상 부가적인 서비스가 필요하거나, 수요 변동성 및 불확실성, 주문 납기 등에 차이가 있으면 같은 물류 인프라를 활용하여 서비스를 제공하더라도 화주별 서비스에 실제 투입되는 비용이 달라지는 것이다. 대규모 화주와의 거래가 주를 이루는 물류 대기업의 경우에는 이러한 서비스 특성을 반영하여 여전히 협상에 따라 서비스 환경에 적합한 계약 구조를 설정하는 방식을 유지하고 있다. 주요 물류 대기업의 풀필먼트 서비스는 홈페이지에 가격 및 서비스 구조가 공개되지 않고 영업사원 등 오프라인 채널을 활용한 협상이 일반적이며, 중소규모 화주 대상 서비스는 별도의 플랫폼 혹은 자회사를 만드는 방식을 활용하기도 한다.

미국 UPS의 경우 대규모 화주와 중소규모 화주를 분리하여 서비스를 제공하는 방식을 도입하였다. 대규모 화주에 대해서는 기존 방식을 유지하고, 중소규모 화주를 적극적으로 유치하기 위해 ware2go라는 자회사를 만드는 방식이다. UPS는 2018년 디지털 물류 혁신을 추진하기 위하여 글로벌 컨설팅 기업 BCG와 협력하였고, 그 결과 중 하나로 ware2go 플랫폼을 만들었다. ware2go는 UPS의 자회사로 UPS의 물류 인프라를 최대한 활용하되 서비스 제공 방식은 온라인에서 이루어지도록 설계되었다. 이를 통해 대규모 화주는 UPS를 통해 서비스하고 중소규모 화주는 ware2go를 통해 온라인으로 표준화된 형태의 견적 및 계약을 서비스하는 전략을 도입하였다. ware2go는 중소규모 화주에 특화된 형태의 서비스 구조를 도입하기 위하여 서비스 계약 구조를 단순화하고 온라인으로 모든 서비스가 처리될 수 있도록 서비스를 고도화하였고, 풀필먼트 네트워크 분석 및 설계를 위한 온라인 서비스인 NetworkVu를 도입하는 등 중소규모 화주가 손쉽게 풀필먼트 서비스를 받을 수 있도록 지원하고 있다. 국내의 경우 CJ대한통운이 CIC(Company in Company) 형태로 디지털 물류 플랫폼 더운반을 출시하여 중소규모 화주에 대한 서비스 역량을 강화하고 있다.

화주 기업의 서비스 견적 요청 후 물류기업을 매칭하는 형태의 디지털 플랫폼 모델을 고도화하여 정기 운송 계약으로 서비스를 확대하려는 노력도 활발하다. Convoy의 경우 기존 비즈니스 매칭 서비스에 더해 고정 노선에 대한 입찰 프로세스 및 이를 고도화한 'Dedicated on Demand' 서비스를 2023년 2월 시작하였다. Convoy는 고정 노선에 대한 입찰 프로세스를 통해 특정 서비스 노선에서 정기 화물 운송을 진행할 물류 기업을 선정하는 입찰 서비스를 운영하고 있으며, Dedicated on Demand 서비스는 실시간 견적 및 고정 노선 입찰 서비스 성격을 혼합한 형태로 제공된다. 화주 기업은 특정 기간 필요한 운송 서비스를 제공받을 수 있으며 서비스 환경에 따라 다양한 형태로 서비스 제공 기간을 설정할 수 있다.

국내의 경우 화물운송 플랫폼 화물맨이 긴급한 화물 운송 요청에 대한 용차 서비스 중개에 더해 고정 노선에 대한 입찰 서비스를 2023년 하반기 출시한다는 소식을 발표하였다. 기존 화물운송 시장은 정기적이고 예측가능한 물량의 경우 운임 기반의 장기 운송 계약으로 처리되고, 갑작스런 수요 변동에 따른 운송 요청의 경우 화물운송정보망을 통해 처리되는 것이 일반적이었다. 이에 따라 화물맨의 기존 서비스는 긴급한 화물 운송 요청에 대해 물류 기업을 매칭하는 형태로 진행되었는데, 고정노선 입찰 서비스를 통해 월간 혹은 연간 단위의 계약을 디지털 플랫폼에서 관리할 수 있도록 지원하게 된 것이다.

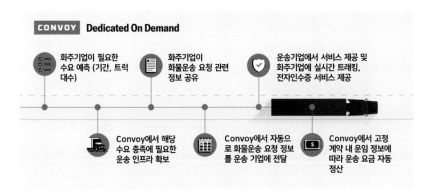

[그림 3] Convoy의 Dedicated On Demand 서비스 개념도 (출처: Convoy)

　　최근에는 인공지능 기술을 활용하여 계약 및 협상 방식을 고도화
하려는 노력도 활발해지고 있다. 미국 화물운송 중개 플랫폼 Convoy는
과거 운송 실적 데이터를 인공지능으로 분석하여 실시간 요금 예측 정확
도를 높였고, 이를 바탕으로 Convoy Guaranteed Primary라는 즉시 견적
서비스를 2020년부터 제공하기 시작했다. 인공지능을 통해 특정 서비스
구간에 대한 운송 요금을 예측할 수 있게 됨에 따라 화주의 운송 서비스
견적 요청이 들어올 때 여러 운송기업에 견적 요청을 전달하는 방식이
아니라 실시간 운송 요금 예측 결과에 따라 화주에게 운송 요금을 먼저
제시하고 화주가 승인하면 운송기업에 견적을 요청하는 방식으로 프로
세스를 변경한 것이다. 실시간 즉시 견적에 따라 실제 견적과 차이가 발
생하는 경우 이를 Convoy에서 책임져야 하는 리스크가 있으나, 인공지
능 기술의 예측 정확도가 올라갈 경우 견적 시간 단축에 따른 화주 편의
성 향상으로 매출 확대 및 화주-물류 기업 확보가 용이해질 것으로 기대
된다. Convoy에 따르면 CGP(Convoy Guaranteed Primary) 서비스를 이용하
는 화주의 경우 운송 비용을 19%까지 절감할 수 있다고 분석되었다.
　　협상 과정에 인공지능 기술을 도입한 사례도 발표되고 있다. 월

49

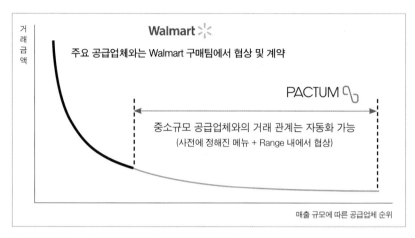

[그림 4] Walmart의 상품 공급 계약 방식 개념도

마트의 경우 협상 전문 인공지능 기업 Pactum과 협력하여 납품업체와의 협상 과정을 자동화하는 파일럿 프로젝트를 진행하였다. 월마트의 구매팀은 매년 매우 많은 수의 납품업체와 협상을 진행해야 하지만 구매팀이 직접 협상가능한 업체의 수는 제한되어 협상 프로세스에 대한 자동화가 시급한 상황이었다. 월마트는 연간 구매 물량이 매우 많은 대규모 협상업체를 제외하고 구매 물량이 많지 않은 2,000여 중소 협력업체와의 협상 프로세스를 Pactum의 인공지능 서비스를 통해 진행하였다. 그 결과 협상에 참여한 협력업체의 75%가 사람보다 Pactum의 인공지능 챗봇과의 협상을 더 선호하였고, 몇주에서 몇 달까지 소요되던 협상 시간을 며칠 이내로 단축하고 성사된 거래의 68%에서 3% 내외의 비용 절감 효과를 달성한 것으로 발표되었다.

3) 서비스 운영 및 모니터링 단계

화주 및 물류 기업 간 협상 및 계약 단계가 진행되고 나면 서비스 운영 및 모니터링 단계가 진행된다. 운영 단계에서는 수요 예측, 재고 및 운송 관리 등 물류 서비스 전반에 걸쳐 데이터 분석, 인공지능, 최적화 기술 등이 널리 활용되고 있다. 디지털 물류에 특화된 기업들 뿐 아니라 전통적 물류기업들 역시 관련 기술 고도화에 대규모 투자를 진행해 왔다.

UPS의 경우 서비스 운영에 필요한 다양한 분야에 데이터 분석 및 최적화 기법을 2000년대 초반부터 자체적으로 개발하여 현장에 적용해 왔다. 배송 네트워크 설계를 최적화하기 위하여 NPT(Network Planning Tool) 시스템을 자체 개발하였고, 배송 차량의 실시간 경로 최적화를 위하여 ORION(On-Road Integrated Optimization and Navigation) 시스템, 물류 시설 내에서의 프로세스 운영 최적화를 위해 EDGE(Enhanced Dynamic Global Execution) 시스템을 도입하였다. 이에 따라 UPS는 배송 네트워크의 운영 효율성을 최대화하고 실시간으로 발생하는 이상 상황에 즉각 대응하는 체계를 구축하고 있는 것으로 평가받고 있다. 또한, 물류 및 공급망 내 다양한 데이터를 통합하여 제공하는 UPS Supply Chain Symphony 포털을 2020년 개발하여 화주 기업이 실시간으로 물류 및 공급망 내에서 발생하는 이상 상황을 즉시 파악할 수 있도록 지원하고 있다.

미국 계약 물류 서비스 시장의 선도 기업인 XPO의 경우 물류 데이터를 통합하여 화주에게 제공하는 XPO Connect 플랫폼을 2018년 도입하였고, 2022년에는 디지털 물류 서비스 플랫폼 XPO Assist 플랫폼을 자체 개발하여 운영하고 있다. XPO Assist 플랫폼은 고객의 견적 요청, 서비스 관련 문의 사항 등을 자동으로 처리하여 화주 기업의 불필요한 업무 부하를 최소화하는 데 활용된다. 자체 컨설팅 및 개발 인력을 보유하고 대규모 물량을 위탁하는 대형 고객에 대해서는 맞춤형 디지털 서비스를 제공하고 있다.

이처럼 물류 분야 대기업의 경우 자체적으로 서비스 운영을 위한 데이터 분석에서 최적화, 인공지능 기법 활용까지 진행하고 있으며, 이를 통해 화주 기업에 효율적 물류 서비스를 제공하는 데 긍정적 역할을 하고 있다. 그러나, 일정 규모 이상의 화주 및 물류 기업과 달리 중소규모의 영세 화주 및 물류 기업의 경우에는 자체 역량으로 물류 서비스 운영을 위한 디지털 기술 활용에 어려움을 겪고 있다. 이 부분에 주목하여 주요 유통 및 IT 기업들은 클라우드 기반의 디지털 서비스를 화주 및 물류 기업에 SaaS(Software-as-a-Service) 형태로 제공하기 시작했다.

대표적 물류 및 SCM 분야 SaaS 기업은 Amazon과 Google, Microsoft 등의 기업이 있다. Amazon의 경우 직매입 기반의 자체 이커머스 서비스 운영 및 이커머스 셀러에 대한 풀필먼트 서비스인 FBA(Fulfillment By Amazon)를 제공하기 위하여 수요 예측 및 재고 발주, 납품업체와의 협력, 물류창고 및 운송 서비스 운영 등 물류 및 공급망 관리를 자체적으로 진행하고 있다. 이를 통해 개발한 시스템 노하우를 바탕으로 Amazon은 2022년 11월 공급망 관리 솔루션을 클라우드 컴퓨팅을 통해 화주 및 물류기업에 SaaS 형태로 솔루션을 제공하기 시작하였다.

Amazon과 클라우드 컴퓨팅 분야에서 치열하게 경쟁하고 있는

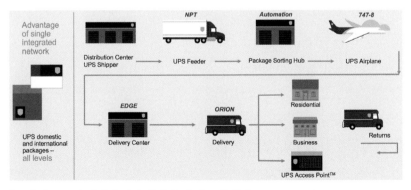

[그림 5] UPS의 데이터 기반 최적 운영 시스템 개념도 (출처: UPS Investor Presentation)

Google 및 Microsoft도 클라우드 기반의 물류 및 공급망 관리 솔루션을 SaaS 형태로 제공하고 있다. Google은 수요 예측, 재고관리, 공급업체 관리, 공급망 리스크관리, 지속가능 한 구매, 물류 및 공급망 가시성 확보를 위해 데이터 분석 및 인공지능, 최적화 기법을 적용한 솔루션을 개발하여 서비스로 제공하고 있으며, Altana, Flock Freight, Motive, SCANDIT 등 관련 기업에 대한 지분 투자, SAP, Kinaxis, XPO 등 IT 및 물류 기업과의 전략적 제휴 등을 통해 Google 클라우드 생태계를 확대하고 있다. Azure 클라우드 서비스를 운영하는 Microsoft 역시 기존 ERP 솔루션 Dynamics 365에 공급망 관리 기능을 고도화한 Microsoft Supply Chain Center를 도입하였고, 데이터 분석 및 인공지능 기술에 더해 OpenAI의 ChatGPT 관련 기술을 접목한 챗봇 대화 기능도 추가함으로써 화주 및 물류기업이 손쉽게 데이터를 공유하고 의사결정 과정에서 협력할 수 있게 지원하고 있다.

53

국내의 경우 네이버가 쇼핑 검색, 스마트스토어, 도착보장 배송 서비스 운영을 통해 이머커스 셀러의 상품 판매 전체 과정의 운영을 지원하면서 확보한 노하우를 바탕으로 이커머스 셀러에 대한 디지털 물류 서비스를 제공하고 있다. 상품 판매에서 도착까지 걸리는 배송 시간에 대한 데이터베이스를 바탕으로 네이버는 상품별 판매량 및 배송 예정 시간을 예측할 수 있고, 이를 디지털 서비스로 개발하여 이커머스 셀러는 스마트스토어의 부가 서비스로 클로바 포캐스트 AI를 2021년부터 서비스하고 있다. 또한 외부 파트너들의 디지털 서비스를 스마트스토어 셀러에게 제공하는 커머스솔루션마켓을 2022년부터 운영하여 이커머스 셀러들이 마케팅, 수요예측 및 재고관리, 배송 등에 활용 가능한 디지털 서비스를 공급하고 있다.

물류 및 공급망 운영 환경이 복잡하고 리스크가 증가함에 따라 물류 서비스 운영 과정에서 발생하는 이상 상황을 실시간으로 감지하

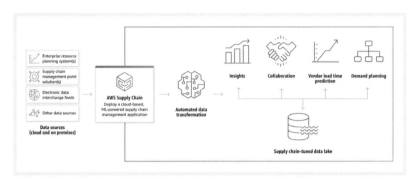

[그림 6] AWS Supply Chain 솔루션 개념도 (출처: Amazon Web Services 홈페이지)

고 즉시 대응하는 체계를 구축하는 것은 서비스 운영 및 모니터링 과정에서 핵심 기능으로 주목받고 있다. 그러나 하나의 기업이 전체 물류 네트워크를 운영하는 것이 아니라 다수의 기업이 협력하여 물류 서비스를 구축하는 물류 산업 특성상 출발지에서 목적지까지의 전체 물류 프로세스에서의 데이터를 수집하고 공유하는 것은 쉽지 않은 일이다. 이에 따라 다양한 물류 기업들이 데이터를 쉽게 공유할 수 있는 데이터 표준 구축에 대한 노력이 최근 활발히 이루어지고 있다.

Uber Freight, Convoy, J.B. Hunt Transport, Coyote Logistics, DHL 등 물류기업, Blue Yonder, e2Open, Oracle 등 IT 기업은 화물 운송 스케줄 데이터를 기업 간에 효율적으로 공유하기 위한 표준화 컨소시엄 SSC(Scheduling Standards Consortium)를 2022년 후반에 설립하였다. SSC 컨소시엄 구축 후 참여 기업들은 데이터 표준을 정하고 API를 통해 데이터를 공유하는 표준화 활동을 진행하고 있다. SSC 컨소시엄의 목표는 2023년 말까지 최소 하나 이상의 운송관리시스템 TMS(Transportation Management System)에 SSC API를 활용하여 화물운송 스케줄을 공유하는 테스트를 진행하는 것이며, 2023년 10월 API 1차 표준을 발표하며 데이터 표준화 노력을 가속화하고 있다.

[그림 7] 네이버 커머스솔루션마켓 예시

해상운송 분야의 경우 컨테이너 선사들이 활용 가능한 전자선하증권 eBL(electronic Bill of Lading) 도입을 목표로 글로벌 컨테이너 선사 Maersk, MSC, CMA CGM, Hapag-Lloyd, ONE, Evergreen Line, HMM, Yang Ming, ZIM 등이 참여한 DCSA(Digital Container Shipping Association)가 2019년 설립되었으며, 중국의 COSCO Shipping을 중심으로 Hapag-Lloyd, Hutchinson Port, OOCL, PSA 등 주요 선사 및 항만 운영 기업이 참여하는 컨테이너 운송 정보 표준화 협력기구인 GSBN(Global Shipping Business Network)이 2018년 구축되었다. DCSA 및 GSBN 등은 블록체인 기반의 데이터 공유 플랫폼에 대한 관심이 높던 2018~2019년에 최초로 설립되었기에 초반에는 블록체인 기반 시스템 구축에 초점을 맞추었으나, 이후 블록체인 기술 자체 보다는 데이터 공유 부분에 초점을 맞추어 데이터 표준화 및 데이터 공유 실증에 노력하고 있는 것으로 판단된다.

실제 데이터 공유 측면에서 블록체인 기술이 분산화된 시스템 관리의 장점으로 많은 사람의 관심을 끌었고, IBM과 Maersk의 2018년 컨테이너 운송 분야 블록체인 파일럿 프로젝트 이후 비트코인을 중심으로 하는 암호화폐의 폭발적 성장과 맞물려 블록체인과 물류의 접목을 통한 디지털 물류 시스템 구축에 다수의 기업이 뛰어들어 다양한 형태의 프로젝트가 진행되기도 하였다.

그러나, 암호화폐 시장이 침체하고 각국의 암호화폐에 대한 규제가 본격화되며 블록체인에 관한 관심이 낮아지는 환경 변화 및 기술 자체의 한계로 인하여 블록체인 기반 개방형 물류 데이터 공유 서비스에 대한 투자 및 혁신 사례가 감소하고 있다. 더욱이 2023년 2월 블록체인 기반 물류 시스템 구축으로 목표로 설립된 IBM과 Maersk의 조인트 벤처였던 TradeLens가 서비스 중단을 알리며 물류 분야에서 블록체인 기술을 접목하려는 시도에 부정적 영향을 미치게 되었다.

3. 디지털 물류 서비스 시사점

디지털 물류 서비스 관련 기술 개발 및 비즈니스 모델 혁신 사례에 대한 물류 서비스 거래 측면에서의 분석 결과 현재 추진되고 있는 물류 산업의 디지털 전환에 대한 시사점을 도출할 수 있다.

1) 디지털 물류 서비스는 직접적 서비스 단가 최소화가 아닌 간접적 거래비용 최소화에 초점을 맞출 필요가 있다.

물류 산업의 디지털 전환에 대한 기존의 관점은 서비스 운영 측면에서 데이터 분석, 인공지능, 최적화, 물류 자동화 등에 대한 투자를 통해 수요 예측에서 물류 인프라 확보 및 서비스 운영으로 연계되는 서비스 운영 및 모니터링 단계에서의 디지털 기술 활용에 초점을 맞췄다. 하지만, 화주 기업으로서는 물류 기업에 대한 정보 파악 및 평가, 협상 및 계약 단계에서 정보의 비대칭으로 적절한 물류 기업을 선택하는 데 어려움을 겪고 있다. 여전히 폐쇄적인 물류 서비스 거래 환경으로 기업에 대한 정보 파악도 어렵고 견적 요청도 오랜 시간이 걸리고 있다는 점에서 서비스 운영 뿐 아니라 협력 관계를 구축하는 서비스 탐색에서 계약 단계까지 디지털 전환이 필요할 것으로 예상된다.

디지털 물류 서비스는 물류 기업에 대한 정보를 수집하고 데이터에 기반한 서비스 평가가 가능하여 서비스 탐색 및 평가, 협상 및 계약 단계에서 효율적인 서비스 제공이 가능할 것으로 기대된다. 이 과정에서 Uber Freight와 같이 기업 내부 정보시스템과 디지털 물류 서비스가 직접 연결되어 효율성을 올릴 수 있고, Uber Freight Exchange, 첼로스퀘어(Cello Square)의 생성형 인공지능 서비스를 활용한 서비스 인터페이스 혁신이 전체 프로세스 효율화에 긍정적 영향을 미칠 것으로 기대된다. 비교 가능한 직접적인 서비스 단가 경쟁뿐 아니라 서비스 거래 과정 전반의 거래비용을 최소화하는 데 있어 디지털 물류 서비스의 역할이 클 것으로 판단된다.

2) 디지털 물류 서비스는 중소규모 기업 간 협력에 효과가 있을 것으로 기대된다.

대형 물류기업 및 화주기업 간 서비스 거래의 경우 중장기 거래 관계 구축이 가능하고 충분한 서비스 노하우 및 인력 확보로 각각의 거래 유형별 맞춤형 디지털 시스템 구축이 용이하여 디지털 전환이 가속화되고 있으나, 중소규모 물류 및 화주기업 간 서비스 거래의 경우 개별 서비스에 맞춘 맞춤형 디지털 물류 서비스 구축이 어렵다는 점에서 이에 적합한 디지털 물류 서비스 개발이 필요할 것으로 예상된다.

　UPS의 Ware2go, CJ대한통운의 더운반 플랫폼과 같이 물류 대기업이 별도로 구축한 디지털 물류 서비스는 서비스 제공 방식을 중소규모 화주 기업에 적합한 형태로 구축하여 서비스 표준화 및 가격 체계 단순화를 통해 중소규모 화주 기업도 높은 품질의 서비스를 저렴한 가격에 제공받을 수 있을 것이다. 이 과정에서 디지털 물류 서비스는 관리 및 운영 인력 투입을 최소화하고 서비스 거래 대부분을 자동화함으로써 가격 경쟁력 제고에 이바지할 수 있다. 전략적 제휴를 통해 다수의 중소규모 물류 기업들을 네트워크로 연결하여 화주 기업에 제공하는 클라우드 형태의 파트너십 구축 역시 중소규모 기업간 서비스 협력에 도움이 될 것이다.

　UPS의 경우 2020년 Carol Tome 신임 최고경영자 취임 이후 인프라에 대한 대규모 투자 이후 확보한 규모의 경제를 바탕으로 대형 화주 기업을 유치하는 경쟁 전략을 디지털 물류 서비스 역량에 기반한 경쟁 전략인 "Better not Bigger"로 전환하였다. "Better not Bigger" 전략의 핵심은 중소 중견 규모의 화주기업에 대한 디지털 물류 서비스 제공을 통해 수익성을 확보하고 이를 통해 인프라 운영 효율성을 높이는 선순환 구조의 완성에 있다. 기존의 규모의 경제 전략은 물류 인프라에 대규모 투자 이후 운영 효율성을 높이기 위해 대형 화주기업에 저단가로 영업하는 과정에서 수익성이 하락하는 악순환 구조를 탈피하는 데 초점을 맞추고 있어야 한다. UPS는 "Better not Bigger" 전략을 고도화하여 2022년 "Better and Bolder" 전략을 발표하였으며, 디지털 물류 서비스를 통한 수익성 확보, 주요 카테고리에서의 특성화, 디지털 서비스를 기획하고 운영할 수 있는 인재 확보 과제들을 도출하였다. UPS의 이러한 횡보는 Amazon과 같은 대형 화주기업에 대한 과다한 의존으로 성장에 따른 리스크가 높아지는 상황에서 수익성을 확보하기 위한 전략으로 판단된다. 디지털 물류 서비스가 수익성 높은 중소 중견 규모 화주기업에 대한 접근성을 높여주고 인프라 운영 효율을 높이는데 기여하는 것이다.

3) 디지털 물류 서비스는 변동 및 불확실성에 대한 대응에 효과적이다.

화주 기업의 물류 수요가 안정적이고 변동이 크지 않으면 서비스 거래 관계 구축에 있어 효율성 중심의 서비스 구현이 가능하여 서비스 운영 측면에서 데이터 분석, 인공지능, 최적화 기술들을 적용하고 효율화가 가능할 것으로 예상된다. 반면 갑작스럽게 수요가 변화하고 변동 폭이 크면 이에 적합한 물류 기업을 탐색하고 빠르게 협상 및 계약하여 수요 변화에 대응하는 것은 어려운 작업이다. 이 부분은 전통적인 물류 서비스에서도 대응이 어려웠다는 점에서 디지털 물류 서비스 구축을 통해 성과를 높일 수 있는 분야로 판단된다. 특히, 디지털 물류 서비스 운영 과정에서 확보한 데이터는 수요 및 공급 변동, 불확실성을 계량화하는데 기반이 되어 인공지능 및 데이터 분석 기반의 서비스 효율화에 긍정적 역할을 할 것으로 기대된다. 이러한 맥락에서 디지털 물류 서비스 투자 및 기술 개발, 비즈니스 모델 혁신은 피크 수요, 불확실한 수요 변동에 대응하기 위한 유연한 물류 서비스 운영에 초점을 맞출 필요가 있다.

59

4) 통합된 형태의 디지털 물류 서비스 구축이 활발해질 것으로 예상된다.

서비스 거래 단계를 살펴보면 화주 기업이 물류 서비스를 받기 위해 서비스 탐색 및 정보 파악, 협상 및 계약, 서비스 운영 및 모니터링 과정에서 다수의 서비스를 복합적으로 활용해야 함을 알 수 있다. 이에 따라 주요 기업을 중심으로 통합된 디지털 물류 서비스를 제공하거나 컨소시엄을 통한 전략적 제휴가 활발해질 필요가 있다. 글로벌 상품 소싱에서 국제 화물 운송, 통관, 내륙 운송 및 풀필먼트 등 물류 프로세스 전반에 걸쳐 서비스를 제공하는 Amazon의 경우 2023년 9월 글로벌 통합 물류 서비스 Supply Chain by Amazon을 공개하며 이커머스 셀러가 Amazon의 디지털 물류 서비스를 통해 상품의 국제 운송에서 최종소비자에 대한 배송까지 전체 물류 프로세스를 하나의 서비스에서 통합 관리 가능한 서비스를 공개하였다.

디지털 포워딩 스타트업 Flexport 역시 2023년 9월 Flexport Revolution 서비스를 공개하며 Amazon의 Supply Chain by Amazon과 유사한 형태의 통합 물류 서비스를 제공한다고 발표하였다. 2013년 포워딩 비즈니스로 시작된 Flexport는 대규모 투자 유치 이후 서비스 영역을 확대했고, 특히 2021년 Shopify의 지분 투자 이후 이커머스 풀필먼트 분야에서 협력하며 글로벌 소싱에서 이커머스 배송까지 전체 서비스에 역량을 고도화했다. 2023년 Shopify가 디지털 풀필먼트 스타트업 Deliverr를 Flexport에 매각하며 Flexport는 이커머스 분야에서 end-to-end 서비스 제공이 가능한 인프라를 갖추게 되었고 이는 Flexport Revolution 서비스의 기반이 되었다.

[그림 8] Amazon의 통합 물류 서비스 Supply Chain by Amazon 개념도 (출처: Amazon)

5) 서비스 개발 및 운영 효율을 높이기 위한 기업 간 협력이 필요하다.

물류 산업은 다수의 영세한 기업들이 협력하여 전체 프로세스를 구성하게 됨에 따라 기업 간 거래 관계 구축 및 서비스 운영에 있어 관리 비용이 매우 높다는 한계가 있었다. 개별 물류기업은 자체 기술 개발 역량 확보가 어렵고, 디지털 기술 개발 역량을 갖춘 IT기업 역시 물류 기업이 영세하고 시장이 충분하지 않아 이에 특화된 디지털 물류 서비스 개발에 적극적으로 참여하기 어려운 환경이었다. 이에 따라 화주 및 물류 기업들이 활용 가능한 디지털 물류 서비스가 제한적이었고 서비스 특성에 맞는 맞춤형 서비스를 자체적으로 개발해야 하는 경우가 일반적이었다. 그러나, 이러한 자체 기술 및 서비스 개발 방식은 관련 분야 전문 인력을 확보하고 대규모 투자를 통해 진행되어야 하는 문제가 있다. 서비스의 안정적인 성장이 이루어지지 못할 경우 대규모 투자로 인한 수익성 압박이 기업의 존폐에 영향을 미칠 수도 있다.

디지털 물류 서비스 분야에서 혁신적인 기술 개발 및 비즈니스 모델 구축에 주목할만한 성과를 창출했던 Convoy의 경우 2015년 창업

61

이후 약 1조 2,000억 원 이상의 투자금을 유치하며 5조 원 이상의 기업 가치를 인정받았지만, 낮은 서비스 거래 수수료 및 대규모 기술 개발 투자로 인하여 수익성이 악화되어 2023년 10월 전체 서비스를 중단하게 되었다. 2022년 시리즈E 펀딩을 통해 10조 원 이상의 기업가치로 평가 받으며 2022년 한해에만 약 1조 3,000억 원을 투자받았던 Flexport 역시 Deliverr 인수 및 물류 인프라 투자, 서비스 범위 확대에 따른 수익성 악화로 2023년 전문경영인이 사임하고 창업자가 복귀하여 비용 통제 및 대규모 해고로 구조조정을 해야 하는 어려움을 겪었다.

이와 같이 아직 정답이 존재하지 않는 디지털 물류 서비스 분야는 대규모 투자에도 불구하고 수익을 확보하는데, 어려움을 겪을 가능성이 크다는 점에서 개별 기업이 전체 서비스를 직접 개발하는 방식보다 여러 기업이 협력하여 서비스를 구축하는 전략적 제휴 방식이 효과적일 것으로 판단된다. 물류 대기업의 IT 분야 기업 전략적 투자, IT, 물류, 유통 기업간 지분 교환 등을 통해 상호 협력 관계를 전략적 수준으로 구축하고, 서비스 기획에서 개발 및 운영까지 협력하는 과정을 통해 리스크를 줄이고 서비스 품질을 높이는 전략이 필요한 것이다.

차세대 물류 시장의 진화, 자율주행 트럭의 발전과 시사점

정구민

국민대학교 전자공학부 교수, gm1004@kookmin.ac.kr

㈜네오엠텔의 창업멤버였고, 이후 SK텔레콤에서 근무했으며, 현대
자동차 생산기술개발센터, LG전자 CTO부문, 삼성전자 소프트웨어
센터, 네이버 네이버랩스의 자문교수와 유비벨록스 사외이사를 역
임하는 등 업계와 학계를 두루 거친 전문가다. 현재 휴맥스 사외이
사, 현대오토에버 사외이사, 한국모빌리티학회 부회장, 한국정보전
자통신기술학회 부회장, 대한전기학회 정보및제어부문회 이사를
맡고 있다.

1. 물류 시장을 바꿀 자율주행 트럭

코로나19는 모빌리티 시장 전반에 큰 변화를 가져왔다. 특히, 사
람이 이동할 수 없는 상황에서 사물의 이동에 따른 물류 및 배송 시장을
크게 성장시켰다. 비대면을 위한 자동화 및 자율주행 기술의 발전을 이
끌기도 했다. 사람의 이동이 제한되던 코로나19가 끝난 이후에도 모빌
리티와 물류 시장의 변화는 계속되는 중이다. 앞으로도 인건비 상승과
자동화 기술의 발전으로 물류 시장의 변화가 계속될 것으로 예상되고
있다.

자율주행 트럭은 크게 고속도로 자율주행 트럭과 도심 자율주행
트럭으로 나눠서 생각해 볼 수 있다. 아직 자율주행 기술이 복잡한 도심
을 다니기에는 부족한 게 사실이나 이 때문에, 고속도로 자율주행 트럭
이 앞으로 물류 혁신의 주요 이슈가 될 전망이다. 미국과 중국 등에서는
대륙 횡단 트럭을 통한 물류 시장이 거대하므로 고속도로 자율주행 트

럭이 상용화되면 관련 시장의 변화가 매우 클 것으로 전망된다.

　　고속도로 자율주행 트럭이 필요한 이유에는 물류 증가 등 산업적인 요인과 함께 인구 고령화, 트럭 운전자 부족, 물류 증가, 인건비 상승 등 사회적인 요인도 중요하다.[1] 다만, 자율주행 트럭이 상용화될 경우 운전자가 부족한 부분만큼만 상용화되는 것이 아닌 시장 전반적인 변화를 가져올 수 있다. 일자리 문제와 맞물려서 사회적인 합의도 중요해지고 있는데, 최근 캘리포니아 자율주행 트럭 관련 법안에서도 기술적인 발전과 일자리 문제로 인한 갈등이 등장하고 있다.

　　주요 자율주행 트럭 업체는 빠르면 2024년 상용화를 목표로 하고 있다. 대략 2025년에는 많은 자율주행 트럭이 고속도로를 누빌 것으로 보인다. 자율주행 트럭에 따른 물류 시장의 변화, 관련 기술의 발전, 도심 자율주행, 로봇과 연계한 라스트 마일 배송 등 자율주행 트럭 기술과 물류 시장의 변화를 살펴보도록 한다.

2. 자율주행 트럭 시장 전망

　　거대한 물류 시장과 트럭 운전자 부족의 심화는 자율주행 트럭 상용화의 핵심 요인이 되고 있다. 2023년 7월 미국트럭협회(American Trucking Association, ATA) 보고서에 따르면, 2022년 미국 내 트럭 화물 매출은 총 9,408억 달러로 총 114.6억 톤의 화물을 운송했다. 미국의 트럭 화물 매출은 총 화물 운송 매출의 80.7%를 차지하는데, 이는 물류 운송의 핵심을 트럭 운송이 차지한다고 볼 수 있다.[2]

---

1) 정구민, 길을 비켜라! 자율주행 트럭이 나가신다, 현대글로비스 웹진, 2022.10 https://webzine.glovis.net/8412/
2) American Trucking Association, ATA American Trucking Trends 2023, 2023.07.

또한 2021년 보고서에서 ATA는 2021년 당시 약 8만명의 트럭 운전자가 부족한 데 비해서 2030년에는 트럭 운전자가 16만명 부족할 것으로 예상했다. IRU(International Road Transport Union)은 지난 2022년 보고서에서 전세계적으로 260만명 이상의 트럭 운전자가 부족하다고 발표했다.[3] 특히 중국에서는 운전자 약 180만명이 부족하다고 발표했다. 이처럼 거대한 물류 시장과 부족한 트럭 운전자로 인해서 자율주행 트럭 시장이 크게 성장할 것으로 예상된다.

시장 조사기관인 얼라이드 마켓 리서치는 자율주행 트럭 마켓 보고서에서 자율주행 트럭 시장 규모를 2025년 131억 달러에서 2035년 412억 달러로 성장할 것으로 전망했다.[4] 연평균 12.1%의 성장을 예상했는데, 얼라이드 마켓 리서치는 라이다, 레이더, 카메라와 같은 자율주행 센서와 함께, 자율주행 트럭을 위한 소프트웨어, 자율주행 트럭 기반 서비스 시장이 함께 성장할 것으로 보았다.

2021년 5월 자율 트럭 운송 회사 투심플(TuSimple)은 미국 애리조나주에서 오클라호마주까지 자율주행 트럭 배송 시범 테스트를 진행했다. 이 테스트에서 투심플은 사람이 운전하면 24시간 걸리던 운송시간을 14시간으로 단축했다고 발표했다. 이는 앞으로 자율주행 트럭이 물류 시장을 크게 혁신하게 될 것이라는 것을 보여주는 사례이다.

3. 물류 및 배송과 자율주행

물류 자동화를 위한 배송 단계는 대략 고속도로 구간, 도심 구간,

---

3) IRU, Driver Shortage Global Report, 2023.06.
4) Allied market research, Self-driving truck market, 2023.08.

라스트마일 구간으로 구성된다. 공장이나 항만, 생산지 등에서 물류 집하장까지의 이동, 물류 집하장이나 창고에서 아파트나 건물 앞까지의 이동, 건물 앞에서 문 앞까지의 이동으로 나눠볼 수 있다. 현재 주요 자율주행 트럭 업체들이 개발에 집중하고 있는 구간은 고속도로다. 운전자 없는 자율주행 트럭으로 인건비를 절약하는 것을 최종 목표로 현재는 주로 안전 운전자가 탑승한 고속도로 자율주행 트럭 개발이 주가 되고 있다.

도심 자율주행 배송 트럭도 일부에서 테스트 중이다. 도심 자율주행 배송 트럭은 주요 자동차사의 자율주행 기술이 고속도로에서 도심으로 진화하게 되면 다양하게 활성화될 것으로 예상된다. 자율주행 트럭은 자율주행 택시와는 달리 물건을 내려줄 필요가 있는데, 물건을 내리거나 건물 앞에서 문 앞까지의 이동을 위해 향후 로봇이나 휴머노이드(humanoid)의 도움도 필요할 것으로 보인다.

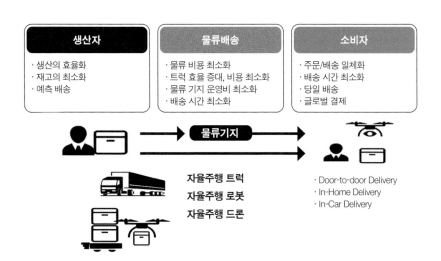

생산자	물류배송	소비자
·생산의 효율화 ·재고의 최소화 ·예측 배송	·물류 비용 최소화 ·트럭 효율 증대, 비용 최소화 ·물류 기지 운영비 최소화 ·배송 시간 최소화	·주문/배송 일체화 ·배송 시간 최소화 ·당일 배송 ·글로벌 결제

물류기지

자율주행 트럭
자율주행 로봇
자율주행 드론

· Door-to-door Delivery
· In-Home Delivery
· In-Car Delivery

[그림 1] 자율주행 배송의 효과

4. 고속도로 자율주행이 관심을 받는 이유

최근 고속도로 자율주행 트럭 시장이 활발해지는 이유로는 여러 가지 분석이 나오고 있다. 먼저, 물류 시장이라는 거대 시장이 뒷받침되어 충분한 시장성이 있다는 점이 핵심 이슈로 제시되고 있다. 사람을 나르는 자율주행차 시장은 손익분기점에 다다르려면 아직 많은 시간이 필요할 것으로 보이나, 자율주행 트럭은 많은 물품을 멀리 배송하기에 상대적으로 손익분기점이 빨리 올 것으로 보인다.

자율주행 트럭이 다니는 경로가 상대적으로 쉽고, 제도 상의 제약이 적다는 점도 장점으로 언급된다. 복잡한 기술이 필요한 도심 대신, 상대적으로 개발이 쉬운 고속도로만 운행하면 일반 자율주행 차량에 비해서 상대적으로 기술적인 제약이 줄어들 수 있다. 제도 상의 제약 문제도 중요한 이슈이다. 사람을 나르는 자율주행차량이 보험 및 법적 이슈가 있는데 비해, 사물을 나르는 자율주행 트럭은 상대적으로 제도적인 제약이 적은 점도 관심을 받는 이유이다. 다만, 자율주행 트럭은 크기가 크고 무거워 큰 사고로 이어질 위험성이 있다. 이 때문에 많은 센서와 제도적인 보완을 통해서 사고 방지를 위한 노력이 계속되고 있다.

5. 자율주행 트럭을 위한 센서 기술 및 시뮬레이션 기술

1) 안전성을 높이기 위한 자율주행 트럭 센서 기술 동향

현재 트럭의 자율주행 기술은 기존에 상용화된 승용차 자율주행 레벨 2 기술과 유사하게 구성되어 있다. 자율주행 트럭과 기존 자율주행 승용차의 가장 큰 차이점은 안전을 위한 많은 센서를 장착하고 있다는 것과 상대적으로 긴 제동거리를 고려한 장거리 센서를 장착하고 있다는 점이다. 무겁고 제동거리가 긴 트럭의 특성상 사고를 예방하기 위해서 장거리 센서를 이용한 선제적인 대응이 필수이기 때문이다. 대표적인 장거리 라이다 업체인 루미나는 임바크(Embark), 코디악(Kodiak) 등과 협력하고 있으며, 에이아이는 투심플과 협력하고 있다. 현재 운행 중인 자율주행 트럭에는 카메라, 라이다, 레이더 등 다양한 센서들을 장착하고 있다.

임바크는 자율주행 트럭의 센서 구성을 발표했다. 전면 지붕의 장거리 라이다와 측면의 중거리 라이다 등 여러 대의 라이다 센서를 장

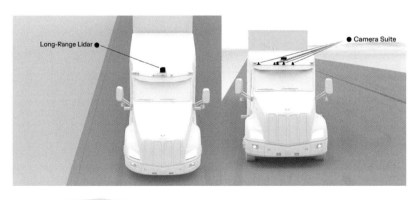

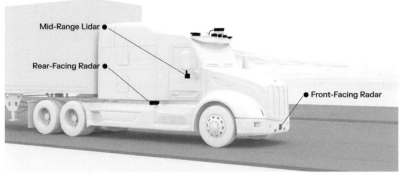

[그림 2] 자율주행을 위해 다양한 센서를 장착한 임바크의 자율주행 트럭 (출처: 임바크)

[그림 3] 다양한 센서를 장착한 코디악의 자율주행 트럭 (출처: 코디악)

착하고 있으며, 전면과 후면을 위한 레이더 센서도 장착하고 있다. 또한 지붕에 다수의 카메라를 배치해서 차선 인식과 객체 인식에 사용한다.

　　2023년 4월, 코디악 로보틱스는 5세대 자율주행 트럭 하드웨어 플랫폼을 발표했다. 지붕에 장착하던 일반적인 방식을 벗어나 사이드 미러 위치에 센서 장비를 장착하도록 했다. 라이다, 레이더, 카메라 등의 센서들을 통합하여 사이드 미러 위치 장착했는데, 회사 측은 여러 센서들의 데이터를 효과적으로 융합할 수 있고, 기존 트럭에 손쉽게 장착할 수 있는 장점이 있다고 밝혔다. 코디악 로보틱스의 자율주행 트럭에는 2대의 고성능 루미나 라이다, 2대의 허사이 라이다, 4대의 ZF 레이더, 10대의 카메라 등 총 18대의 센서가 장착되어 있다.

2) 안전성을 높이기 위한 시뮬레이션 기술

　　자율주행 트럭 업체인 와비(Waabi)는 시뮬레이션 기술을 강조한다. 대형 사고로 이어질 수 있는 자율주행 트럭 사고를 예방하기 위해서 생성형 AI를 이용하여 다양한 사고 상황을 만들어내고 시뮬레이션을 수행하고 있다. 현재 구글 웨이모(Waymo), 테슬라 등 자율주행 주요 업체가 모두 자율주행 시뮬레이터를 통한 학습을 진행하는데, 그 중에서 와비는 자율주행 트럭 전용 시뮬레이터를 통해 대형 트럭의 안전성을 높일 수 있다고 밝혔다.

또다른 자율주행 시뮬레이터 업체인 어플라이드인튜이션(Applied Intuition)은 자율주행 트럭 업체인 임바크를 인수했는데, 실제 트럭과 시뮬레이터의 연동을 통해서 기술의 완성도를 높여갈 계획이라고 한다.

6. 자율주행 트럭 시장을 잡아라: 다양한 자율주행 트럭 업체

많은 업체가 자율주행 트럭 사업에 뛰어들고 있다. 투심플, 임바크, 가틱(Gatik), 코디악, 로코메이션(Locomation), 플러스(Plus), 록소(Loxo), 와비(Waabi), 프레이트라이너(Freightliner), 토르크(Torc), RRAI 등 자율주행 트럭 전문업체와 함께 웨이모, 오로라 등 기존 자율주행 업체도 자율주행 트럭 사업에 투자하고 있다. 투심플은 2021년 4월에, 임바크와 오로라는 2021년 11월에 미국 시장 상장을 마쳤다.

자율주행 트럭 업체는 빠르면 2024년부터 진행될 상용화를 기대하고 있다. 다만, 그동안 투자로 버텨야 하기 때문에, 막대한 개발 자금을 감당하지 못한 회사들이 파산하거나 인수되는 사례도 많이 나타나고 있다. 이와 함께 자율주행 트럭 신생 업체들도 많이 늘어나고 있는 상황이다.

자율주행 트럭 시장이 큰 미국과 중국을 대상으로 하다 보니, 초기 자율주행 트럭 업체들 중에서는 중국계 미국 업체가 많이 있다. 투심플과 플러스가 대표적이다. 투심플은 미국과 중국에 같이 사업을 진행하다가 미중 무역 분쟁으로 큰 어려움을 겪었다.

투심플은 중국계 미국 자율주행 트럭 스타트업으로 이들의 자율주행 데이터셋은 연구용으로도 많이 사용되고 있다. 투심플은 2021년 4월 나스닥에 상장했으며, 2023년 10월 6일 현재 시가총액은 약 2.7억 달러 정도다. 2022년 초 미국 정부는 투심플의 중국 사업에 대한 기술 유출에 대해 경고했다. 2022년 말에는 중국 자율주행 수소트럭 개발사 하이드론에 대한 기술 유출 혐의에 대한 FBI의 조사가 있었다. 2023년 중반 결국 투심플은 미국 사업 매각 준비를 발표했다. 미국 사업을 철수하며 아시아 및 유럽 시장 운영에 집중하겠다고 밝힌 것이다.

역시 중국계 미국 자율주행 트럭 스타트업으로 2016년에 설립된 플러스(Plus)는 나스닥에 스팩(SPAC) 상장을 진행하다 중단하기도 했다. 현재, 플러스는 보쉬, 루미나 등과 협력하며 미국 자율주행 트럭 사업을 활발하게 진행하고 있다. 유럽에서도 이베코(IVECO)와 협력하여 자율주행 기술이 적용된 트럭의 테스트를 진행하고 있다. 현재 시험주행을 진행 중인 독일을 시작으로 오스트리아, 이탈리아, 스위스 등 유럽 여러 국가에서 테스트를 계획 중이다.

가틱은 2017년 설립된 미국의 자율주행 트럭 스타트업이다. 2019년 월마트에 운전자가 있는 자율주행 트럭을 공급하면서 배송 서비스에 협력하고 있다. 2021년에는 운전자 없는 자율주행 트럭을 공급하고 있다. 이후 세계에서 두 번째로 큰 육류 가공회사인 타이슨 푸드, 미국에서 세 번째로 큰 유통업체인 크로거 등에서도 가틱의 무인 배송 서비스를 도입 중이다.

코디악은 2018년 설립된 미국의 자율주행트럭 회사다. 2021년에는 한국의 SK그룹과 손잡고 아시아지역 진출을 위한 파트너쉽을 체결한 바 있다. 2023년 10월, 코디악은 글로벌 물류회사 머스크(Maresk)와 협력하여 휴스턴과 오클라호마시티를 연결하는 최초의 상업용 자율주행 트럭 전용차선을 개설했다. 또한 자율주행 트럭 기술을 미국 국방부와 제휴하여 군사 응용 분야에도 적용 중이다.

2021년 상장한 자율주행 트럭업체 임바크는 자율주행 트럭 관련 사업을 활발히 진행했으나 2023년 3월에 많은 직원을 해고하는 등 재정적으로 큰 어려움을 겪었다. 임바크는 결국 2023년 5월에 자율주행 시뮬레이터 전문 업체인 어플라이드 인튜이션에 인수되었다.

오로라, 웨이모 등의 자율주행 전문 업체들이 자율주행 트럭에 관심을 보이는 것은 자율주행 택시보다 시장이 빨리 올 것으로 예상하고, 거대한 물류시장의 뒷받침으로 충분한 수익을 낼 수 있을 것으로 판단하기 때문이다. 다만, 웨이모는 지난 2023년 7월 발표에서 자율주행 택시에 집중하기 위해 자율주행 트럭 사업부인 비아(Via)를 축소하고 자율주행 트럭 관련 업무를 무기한 연장한다고 발표했다.

자율주행 전문 업체인 오로라는 지난 2017년 구글의 자율주행 프

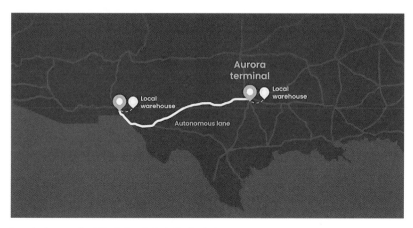

[그림 4] 오로라 자율 운송 터미널 운영 방안 (출처: 오로라)

로젝트를 이끌었던 크리스 엄슨 CEO를 중심으로 설립되었다. 오로라는 2023년 4월 발표를 통해 2024년에 자사의 자율주행 솔루션인 오로라 드라이버를 기반으로 한 상업용 자율주행 트럭 출시 계획을 밝혔다. 오로라는 고속도로 곳곳에 자율 운송 터미널을 설치하여 터미널 간 자율적으로 주행하는 트럭을 운영할 계획이다. 이를 통해 운송 업체들이 화물을 터미널까지 전달하면 자율주행 트럭을 사용해 목적지 근처의 터미널까지 화물을 이동하는 것이다.

우리나라에서는 마스오토가 자율주행 트럭 상용화에 노력하고 있다. 마스오토는 카메라를 기반으로 하여 상대적으로 저가의 자율주행 트럭 플랫폼 구축을 진행하고 있다. 마스오토는 CES 2023 혁신상을 수상한 바 있으며, 현재 국내 여러 물류 관련 업체들과 협력하고 있다.

7. 물류 회사와 자율주행 트럭 회사 간 협력

현재 자율주행 트럭 배송은 물류 회사 중심의 운영 양상을 보인다. 대부분 물류 회사가 자율주행 트럭 회사와 협력하거나 자율주행 트럭을 구매하여 운영하는 형태가 일반적이다. 아마존, DHL, US 익스프레스 등 물류 관련 회사들이 다양한 자율주행 트럭 업체들과 자율주행을 테스트하고 있고, 이들은 화물 운송, 물류 환승 허브, 운송 차선 개설 등 다양한 방면에서 협업을 진행하고 있다.

아마존은 2021년 6월에 플러스와 계약을 체결해 플러스 자율주행 시스템 1,000대를 구매했다. 이 시스템에는 엔비디아 드라이브 재비어 (NVIDIA DRIVE Xavier) 플랫폼이 탑재되어 있다. DHL은 2021년 12월부터 투심플의 자율 트럭 운송 기술과 DHL의 물류 운영 솔루션을 결합했다. 또한 투심플로부터 자율주행 트럭 100대를 주문하여 자율주행 트럭 운

송 사업을 확장했고, 2022년 12월에는 임바크와 협력을 진행하여 자율
주행 트럭을 위한 물류 환승 허브를 개설했다.

 페덱스(FedEx)는 미국의 트럭 제조업체 파카(PACCAR) 및 오로라와
협력하여 2021년 9월에 미국 댈러스부터 휴스턴까지 구간에서 페덱스의
화물 운송을 시작했다. 파카의 트럭에 오로라의 자율주행 기술을 더해
트럭 제조업체, 자율주행 기술 업체, 물류 제공업체 모두가 협업을 진행
하는 최초의 사례가 되었다.

 덴마크의 운송 회사 머스크(Maersk)는 2022년 11월부터 코디악과
협력을 진행, 2023년 10월에 휴스턴부터 오클라호마 시티까지의 구간에
서 자율 트럭 운송 차선을 개설했다.

 US 익스프레스는 2022년 5월에 임바크와 협력, 자율주행 트럭을
위한 물류 환승 허브를 개설하고 운영 솔루션을 개발했다. 물류 이동뿐

[그림 5] 물류와 결합한 자율주행 트럭들 (출처: DHL, 임바크, 코디악, 오로라)

만 아니라 자율주행 운영, 트럭 유지관리, 긴급상황 대응 등 자율주행 트럭 주행 중 발생할 수 있는 문제점에 유연하게 대처하는 것을 목표로 하고 있다.

이처럼, 물류 업체와 자율주행 트럭 업체들의 협력이 활발하게 이루어지고 있다. 물류회사와 자율주행 트럭회사의 계약을 면밀히 살펴보면 2024년부터 자율주행 트럭을 물류 업체들에게 납품할 것으로 예상된다.

8. 고속도로 자율주행 트럭의 제도와 사회적 합의

1) 자율주행 트럭 사고 사례

2022년 4월 투심플 자율주행 트럭에서 발생한 사고가 4개월 후인 2022년 8월에 이슈가 되었다. 자동운전 중 핸들이 왼쪽으로 꺾이며 중앙 분리대와 충돌하는 사고였다. 당시 운전자가 개입하여 수동 운전으로 전환해 다행히 큰 사고로 이어지지 않고 마무리되었다. 투심플 측은 수동운전에서 자동운전으로 전환할 때 충분한 시간이 필요한데, 이 부분에서 운전자가 실수한 것이라고 발표했다. 그러나 현재 고속도로에서 운행 중인 주요 자동차 업체의 레벨 2 자율주행 차량에서도 수동운전과 자동운전 전환에서 큰 문제가 없다는 것을 볼 때 투심플의 기술력 문제로도 해석할 수 있던 사고였다.

2022년 7월에는 5월에 있었던 웨이모 자율주행 트럭 사고가 보도되었다. 이 사고는 웨이모 차량이 뺑소니를 당한 사고로 옆 차선의 수동 운전 트럭이 웨이모의 자율주행 트럭을 들이받고 도주한 사건이다. 이 사고로 웨이모 자율주행 차량이 길가로 밀려났고, 차량에 탑승 중이던 웨이모 트럭 운전자는 병원에 입원해야 했다. 당시 웨이모 차량의 카메라를 이용하여 도주 차량을 파악할 수 있었다. 이 사고는 자율주행 트럭이 발생한 실수는 아니지만, 자율주행 트럭의 사고가 대형 사고로 이어질 수 있다는 것을 보여주는 사례이다. 이로 인해 사고에 대한 안전성 문제나 사고 방지를 위한 제도적 지원 이슈가 제기되었다.

자율주행과 관련된 사고는 아니지만, 트럭과 관련된 사고에서도 시사점을 찾아볼 수 있다. 2023년 8월에는 GM 크루즈의 자율주행 택시가 트럭 트레일러를 추돌하는 사고가 발생했다. 트럭 트레일러가 좌회전하기에 상대적으로 좁은 도로에서 주행하던 트럭 트레일러가 바깥 차선에서부터 좌회전을 하던 중 안쪽 차선에서 주행하던 GM 크루즈 차량이 추돌한 사고였다. '스윙 와이드'라고 불리는 트럭의 회전을 자율주행차가 인식하지 못한 사례로 들 수 있다. 이처럼 자율주행 트럭의 다양한 동작을 다른 차량들이 인지하도록 하는 것도 필요한 상황이다.

앞에서 살펴본 것처럼 자율주행 트럭의 사고는 자칫 대형 사고로 이어질 수 있다. 그로 인해 많은 기업에서 시뮬레이션을 통한 사고의 예방, 트럭 동작에 대한 인지, 사고 예방을 위한 다양한 제도화 노력이 진행되고 있다.

2) 자율주행 트럭 제도화를 위한 노력

2022년 8월, 자율주행 트럭 업체 임바크는 미국 텍사스 공공안전국과 함께 진행한 자율주행 트럭과 경찰 간의 상호작용에 대한 협력 결과를 제시했다. 고속도로에서 자율주행 트럭이 경찰의 통제를 효과적으로 받게 하기 위한 프로젝트이다. 이 프로젝트에서는 자율주행 트럭이 경찰차의 신호를 인식할 수 있게 하고, 자율주행 운영 센터와 경찰 간의

[그림 6] 경찰차의 신호를 인식하여 갓길에 정차한 자율주행 트럭 (출처: 임바크)

소통을 통해 운전자 없는 자율주행 트럭도 효과적으로 제어할 수 있도록
했다. 임바크가 공개한 영상에서는 경찰차의 통제 신호를 인식하여 갓길
에 정차하는 장면, 트럭 옆의 통신 기기를 통해서 운영 센터와 경찰관이
서로 통화하는 장면 등이 제시되었다. 임바크는 발표를 통해서 향후 캘
리포니아 등 여러 주로 해당 프로젝트를 확대할 계획이라고 밝혔다.

3) 자율주행 트럭에 대한 사회적 합의의 필요성

　2017년 미국 텍사스주에서는 운전자 없는 자율주행 트럭의 시범
운영을 허가했다. 그러나 2023년 캘리포니아주에서는 자율주행 트럭 운
행에 대한 논란이 있었다. 캘리포니아주 의회에서는 트럭 운전자의 일
자리 상실 위험성을 막기 위해 대형 자율주행 트럭에 안전 운전자가 필
수로 탑승하도록 법률을 개정했다. 그러나 2023년 9월 캘리포니아 주지
사는 이 법안에 대해 기존 법률로도 충분히 규제가 가능하다는 입장을
밝히며 거부권을 행사했다. 이처럼 자율주행 상용화와 일자리 문제에
대한 사회적 합의가 필요하게 될 것으로 보인다.

9. 도심 자율주행 진화와 택배용 자율주행 트럭

1) 자동차사 플랫폼 안정화와 도심 자율주행

고속도로 자율주행에 비해 도심 자율주행은 기술적인 난이도가 매우 높다. 도로와 차량 위주로만 인식하는 고속도로에 비해 도심 자율주행은 도로, 차량, 이륜차, 보행자, 반려동물, 공사현장 등 다양한 객체와 상황을 인식해야 하는 점이 까다롭다.

2022년 아르고AI의 폐업과 애플의 완전자율주행차 포기 소식은 시장에 큰 충격을 준 바 있다. 아르고AI는 폭스바겐과 포드가 큰 투자를 진행한 회사라는 점에서, 애플은 완전자율주행차의 상용화를 위해서 노력해 왔다는 점에서 자율주행 시장에 아쉬움을 남겼다. 아르고AI와 애플의 사례는 완전자율주행 진화의 어려움을 단적으로 보여준다고 할 수 있다.

코로나19 이후 전세계적인 경제 위기로 인해 많은 투자가 어려워졌다. 자율주행 측면에서도 비슷한 상황이 진행되는 중이다. 앞으로 주요 자동차사를 중심으로 자율주행 플랫폼의 안정화가 진행되면서 현실적인 자율주행 진화가 예상된다. 또한, 자율주행 프로세서와 자율주행 라이다 센서의 양산은 기존 자율주행 업체에게도 도움을 주며 자율주행 시장의 발전을 이끌 것으로 보인다.

주요 자동차사는 자율주행 프로세서-라이다 센서-자율주행 소프트웨어로 이어지는 자율주행 플랫폼의 안정화와 양산에 노력하고 있다. 볼보의 2024년, 벤츠의 2024년, 폭스바겐의 2026년 등 주요 자동차사가 공개한 로드맵으로 볼 때, 2025~2027년 정도에는 자율주행 플랫폼이 안정화될 것으로 예상된다. 테슬라가 자체 프로세서를 양산하면서 자율주행 플랫폼을 안정화한 것과 같이 주요 자동차사의 자율주행 플랫폼이 안정화되면서 자율주행 진화가 빨라질 전망이다.[5]

2) 자율주행 플랫폼 안정화에 따른 자율주행의 발전

주요 자동차사의 플랫폼 안정화는 자율주행 시장의 큰 변혁을 이끌 것으로 보인다. 주요 자동차사 또한 안정화된 플랫폼을 바탕으로 본격적인 도심 자율주행에 돌입할 예정이다. 현재 여러 나라에서 다양한 도심 자율주행 서비스가 진행되고 있는데, 자동차사가 고속도로에서 도심으로 자율주행을 확대하는 것처럼 기존 자율주행 업체도 주행 가능한 도시를 늘려 나가게 될 것으로 예측된다. 다만, 정차로 인한 교통 체증 유발, 공사 현장의 정차, 소방차 및 경찰차 대응 미숙, 샌프란시스코 GM 크루즈 자율주행 사건 사례처럼 앞으로 해결해야 할 문제가 많이 남아 있는 상황이다.[6]

도심 자율주행의 진화를 위해서는 복잡한 도심에 대한 가상화, 도심 정밀지도 구축, 비정형 데이터에 대한 인식, 실시간 정보 수집 시스템 구축, 자동차와 보행자의 움직임 예측 등 도심 자율주행을 위한 기술이 많이 필요하다. 도심 자율주행 트럭 또한 이와 같은 도심 자율주행 기술을 바탕으로 급속히 발전해 나갈 것으로 보인다.

시장에서도 도심 배송 서비스에는 시간이 더 걸릴 것으로 예상하고 있다. 미국의 뉴로는 그동안 도심용 자율주행 배송 차량 상용화에 노력해 왔지만, 2023년에 구조조정을 실시하면서 사업을 축소하기도 했

---

5) 정구민, 자율주행 2035, 어떤 변화를 맞이할까?, NIA 디지털로 혁신전략 보고서, NIA, 2022.12.
6) 정구민, 2023 자율주행 로드맵의 변화와 대응전략, 모빌리티인사이트, KATECH, 2023.8. 모빌리티 인사이트 2023년 8월호, 한국자동차연구원

다. 뉴로는 당분간 연구개발에 집중할 계획이다. 우리나라의 대표적인 자율주행 업체인 오토노머스에이투지는 2023년 10월에 열린 DIFA 2023에서 배송용 차량인 프로젝트 SD를 공개했다. 2025년부터 무인 배송 시범 서비스를 준비할 계획이다.

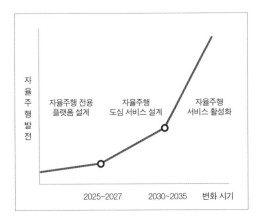

[그림 7] 자율주행 플랫폼 안정화에 따른 자율주행의 발전 (출처 : 정구민, 자율주행 2035, 어떤 변화를 맞이할까?, NIA 디지털로 혁신전략 보고서, NIA, 2022.12.)

변화 시기 예상	2025~2027	2030~2035	2035~2045
핵심 변화 이슈	자율주행 전용 플랫폼 설계	자율주행차 기반 도심 서비스 설계	자율주행 서비스 본격화
자율주행차	자율주행을 위한 전기전자SW구조 설계 자율주행 부품 이중화 설계 자율주행 부품 고장진단 설계	도심 정밀도로 확충 도심 모델링 자율주행 셔틀 설계 다양화 자율주행 트럭 다양화 자율주행 가능 도시 확장 자율배송 확장	서비스 시반 차량 설계 차량 소유/ 모델 다양화 도심 자율주행 셔틀 공유 차량내 멀티미디어 서비스 대중 교통의 대체 자율주행 배송 서비스 로봇-UAM 연계 확장
서비스	Ride-Sharing Ride-Pooling 자율주행 도심 운행 시범서비스	자율주행 대형 트럭 고속도로 배송 자율주행 중소형 트럭 도심 배송 도심 자율주행 셔틀 서비스	

[그림 8] 자율주행 특이점 변화 시기 예상 (출처 : 정구민, 자율주행 2035, 어떤 변화를 맞이할까?, NIA 디지털로 혁신전략 보고서, NIA, 2022.12.)

[그림 9] 오토노머스에이투지의 무인 자율주행 배송 차량 프로젝트 SD

3) 사람의 이동과 사물의 이동의 융합

사람과 사물의 이동을 융합하려는 노력도 다양하게 진행되고 있다. 스위스의 린스피드(Rinspeed)와 메르세데스 벤츠의 콘셉트카가 대표적인 예다. 둘 모두 낮에는 버스로 밤에는 트럭으로 변신하는 자율주행 차로 구동부와 실내 공간을 따로 설계하는 모듈형 디자인을 적용했다. 아래쪽 구동부는 자율주행이 가능하도록 만들었고, 이 구동부 위에 다양하게 모듈을 바꿀 수 있게 해 버스나 트럭으로 쓸 수 있도록 했다. 린스피드의 마이크로 스냅은 CES 2019에서, 벤츠의 비전 어바네틱은 2018 하노버 모터쇼에서 전시되었다.

우리나라의 오토노머스에이투지는 2023년 5월 사람의 이동과 사물의 배송을 묶은 통합 자율주행 모빌리티 서비스를 선보였다. 전용 앱을 이용하여 차량을 예약 및 호출하고 원하는 목적지까지 이동할 수 있도록 했다. 오토노머스에이투지는 2023년 초 시장조사기관 가이드하우

[그림 10] 버스와 트럭으로 변신하는 모듈형 콘셉트카(출처: 벤츠, 린스피드)

스 인사이트가 발표한 전세계 자율주행 기술 순위에서 13위에 오르기도 했다.

[그림 11] 사람의 이동과 사물의 배송을 통합한 오토노머스에이투지의 자율주행차량 (출처: 오토노머스에이투지)

자율주행 셔틀을 한적한 시골 지역에서 운행하는 아이디어도 나오고 있다. 일정 구간을 천천히 이동하면서 사람을 태우기도 하고, 물건을 나르기도 하는 등의 서비스도 가능해질 것으로 보인다. 한적한 도시나 고령화가 심각해지는 도시에서 이동과 배송의 편의성을 제공할 수 있다.

10. 라스트마일 배송에 대한 고민

자율주행 배송 트럭은 자율주행 택시와는 달리 물건을 내려줄 필요가 있다. 이처럼 물건을 내리거나 건물 앞에서 문 앞까지의 이동을 위해 향후 로봇이나 휴머노이드의 도움도 필요할 것으로 보인다.

맥킨지는 2017년 9월 보고서를 통해 야간 배송의 장점을 제시했다. 혼잡한 낮보다 한적한 밤을 이용하여 배송하면 다양한 이점을 얻을 수 있다는 것이다. 보고서는 야간 배송일 경우 적재가 더 큰 트럭의 사용이 가능하고, 원활한 교통 흐름을 이용할 수 있고, 운행 횟수를 감소할 수 있으며, 에너지를 절감할 수 있는 등 다양한 장점을 언급했다. 다만, 야간 근무에 따른 높은 임금 지불의 필요성과 배송 차량의 소음 문제를 단점으로 꼽았다. 하지만 야간 배송을 하게 될 시에 비용을 최대 40% 절감할 수 있는 장점을 밝혔다. 또한, 자율주행 트럭을 사용할 경우 경제적인 효과가 높아진다고 강조하기도 했다.[7] 2003년에는 바르셀로나에서 오후 11시부터 오전 6시까지 상업용 배송 차량의 운행 시범 서비스를 진행, 두 대의 야간 트럭이 7대의 주간 트럭만큼 운송할 수 있었다고 밝혔

7) Mckinsey, An integrated perspective on the future of mobility, part 2: Transforming urban delivery, 2017.09.

다. 맥킨지의 야간 배송 사례처럼 자율주행 배송에는 로봇이나 드론의 역할이 중요해질 것으로 예상된다. 또한, 모듈형 자율주행차와 연결해 낮에는 버스로, 밤에는 트럭으로 사용하는 서비스도 생각해 볼 수 있다.

현재 자율주행 배송 트럭과 드론/로봇을 연동하는 다양한 사례들이 제시되어 있다. 벤츠의 '비전밴', '퓨처 트럭', 포드의 '오토리버리', '디짓 기반 배송' 등에서 드론과 로봇을 이용한 라스트마일 배송 사례를 찾아볼 수 있다.

MWC 2017에서 벤츠와 AT&T는 "자율주행 트럭은 개인용 자율주행 차량에 비해서 다른 기술적 지향점이 있다"고 밝힌 바 있다. 드론과 로봇까지 연동되면 하역장 관리, 트레일러 및 짐관리, 효율적인 배차 등의 기술을 통해 배송의 효율성을 높일 수 있다. 더불어 트레일러나 하역장의 센서 시스템을 통해 프리미엄 배송과 일반 배송을 구분하는 배송 품질 조절도 가능하다.

2016년 하노버 모터쇼에서 벤츠는 자율주행 배송 트럭인 비전 밴을 선보였다. 비전 밴은 자율주행 배송 트럭으로 드론을 이용한 배송 개념을 제시했다. 물류 창고에서 자동으로 짐을 싣고 최종 단계에서는 드론으로 사용자에게 배송하는 것이다.

MWC 2017에서 포드가 선보인 오토리버리는 사용자가 냉장고에서 주문하고, 자율주행 트럭과 드론을 통해 개인 배송을 해 주는 시스템이다. 주문, 결제, 배송이 융합되는 서비스 모델 콘셉트를 제시했다. CES 2020에서 포드는 이족 보행 로봇 디짓을 이용한 배송 개념을 선보였다. 자율주행 배송 트럭이 목적지에 도착하면 디짓이 물건을 집 앞까지 배송해주는 것이다.

최근에는 휴머노이드 로봇의 연구 개발도 활발해지고 있다. 2023년 9월 이족 보행 로봇 디짓을 만드는 애질리티 로보틱스는 대량 양산을

[그림 12] CES 2020 포드의 배송 차량과 이족 보행 로봇 디짓

위한 휴머노이드 로봇 생산 공장 설립을 발표했다. 연간 1만대 규모로 양산이 가능하며, 2024년부터 협력 업체들에게 먼저 공급하고 2025년부터 시장에 출시 예정이다.

테슬라는 2023년 9월 휴머노이드 로봇인 옵티머스가 자동으로 물체를 분류하는 등의 다양한 동작을 하는 것을 시연했다. 옵티머스는 카메라 데이터를 이용해서 블록을 색상별로 정리하고, 요가 자세를 취하는 등 정교한 로봇 제어를 선보였다. 이러한 휴머노이드와 드론의 발전은 앞으로 도심 배송 시장에도 영향을 주게 될 것이다. 아파트나 빌딩에서 트럭으로부터 짐을 내리고 목적지까지 배송하는 휴머노이드와 드론의 모습을 만나게 될 것이다.

11. 물류 시장의 변화를 선도할 자율주행 트럭

빠르면 2024년부터 시작될 자율주행 트럭은 앞으로 물류 시장의 거대한 변화를 이끌 것으로 보인다. 처음에는 고속도로에서 운전자가 있는 형태의 서비스로 시작해 향후에는 운전자 없는 자율주행 트럭으로 진화하게 될 것이다. 더 나아가 고속도로용 자율주행 트럭에서 도심용 자율주행 트럭으로 진화해 나갈 것으로 보인다. 또한, 라스트마일 모빌리티를 위해서 드론이나 로봇의 활용도 중요해질 것으로 예상된다.

자율주행 트럭의 도입은 일자리 문제와도 밀접하게 연계되어 있다. 이 때문에 사람이 하기 어려운 작업을 대신 수행하는 형태의 자율주행 트럭 관련 사업을 먼저 진행하게 될 것으로 보인다. 그로 인해 장거리를 운행하는 고속도로 자율주행 트럭, 항만이나 물류 창고의 자동화 등이 초기 시장이 될 것으로 보인다.

자율주행 트럭의 상용화가 가시화되면서, 물류 업체와 자율주행 트럭 업체의 협력도 가속되고 있다. 빠르게 발전해 나갈 것으로 보이는 관련 시장에서 우리나라 업체들의 좋은 성과도 기대해 본다.

상품 주문부터 배송까지
인터페이스 혁신의 시대

생성형 AI 기술이
유통·물류 공급망 시장에 미칠 혁신과 전망

김철민

비욘드엑스(커넥터스) 대표, ceo@beyondx.ai

『네카쿠배경제학』의 저자로서, 생활물류 지식 플랫폼 비욘드엑스와
네이버 프리미엄 콘텐츠 채널 '커넥터스'의 창업자이자 공동대표로
활동 중이다. 인류의 라이프스타일 변화에 따른 도심 물류 생태계
를 관찰하고, 시대별로 진화하는 공급망의 의미와 역할을 해석하는
일을 하고 있다. 대통령 직속 4차 산업혁명위원회의 분과위원을 지
냈으며, 국립 인천대학교의 창업혁신 교수와 한국 로지스틱스학회
의 부회장으로도 활동하고 있다.

1. 생성형 AI에 사활 건 유통·물류 시장

89

2023년 IT 업계를 뜨겁게 달군 '메가 트렌드'를 단 하나만 꼽자면
단연 인공지능(AI), 그중에서도 생성형(Generative) AI일 것이다.

네이버 최수연 대표는 '생성형 AI'를 네이버가 맞닥뜨린 네 번
째 패러다임의 전환이라고 규정했다. 최 대표는 『AI 시대 속 네이버의
경쟁력』이라는 제목으로 주주에게 보낸 주주 서한에서 네이버가 '검색
(1999~)', '모바일(2007~)', '이커머스(2014~)'에 이어 '생성형 AI(2023~)'에 대
한 주요 제품과 전략 방향, 그리고 차별화 경쟁력을 강조했다. 그러면서
네이버는 스스로를 탐색부터 검색, 쇼핑과 예약, 구매 전환과 리뷰, 결제
에 이르기까지 사용자의 디지털 여정을 아우르는 세계에서 유일무이한
플랫폼이라고 평가했는데, 이는 생성형 AI 시대에 네이버의 경쟁력이
될 것이라 밝힌 것이다.

삼성SDS 또한 2023년 개최한 테크 콘퍼런스 'REAL 서밋 2023'의

주제로 '생성형 AI'를 꼽았다. 삼성SDS는 이 자리에서 크게 두 개의 생성형 AI를 활용한 제품을 발표했다. 하나는 '패브릭스(Fabrix)'이다. OpenAI의 ChatGPT, 네이버의 하이퍼클로바X와 같은 대형 언어모델(Large Language Model)을 기업 고객의 니즈에 맞춰 결합하여 사용할 수 있는 생성형 AI 플랫폼이다. 또 다른 하나는 '브리티 코파일럿(Brity Copilot)'이라는 솔루션으로 생성형 AI를 활용하여 회의록 및 업무 문서 작성, 고객 요청 사항 대응 처리 등 기업 업무를 자동화하는 RPA(Robotic Process Automation)이다.

카카오모빌리티 역시 2023년 개최한 테크 콘퍼런스에서 '사람의 이동(여객)', 그리고 '화물의 이동(물류)'까지 아우르는 전방위적인 모빌리티 서비스에 생성형 AI 기술을 도입한 모빌리티 생태계에 대한 미래 청사진을 발표했다.

이 글에서는 국내 대표 IT 기업과 대형 물류 업체가 생성형 AI 기술을 통해 바꾸고자 하는 유통·물류 공급망 시장에 미칠 변화와 전망에 대해 알아보고자 한다.

2. 네이버: 커머스가 생성형 AI를 만났을때

네이버가 올해 소비자들에게 공개한 생성형 AI 서비스는 크게 두 가지로 요약할 수 있다. 하나는 대화형 서비스인 '클로바X', 또 다른 하나는 검색 서비스인 '큐(Cue:)'이다.

클로바X는 자유롭게 생성형 AI에 질문을 하고 답변받을 수 있는 서비스로, 익히 알려진 OpenAI의 ChatGPT와 유사하다. 또 검색 서비스 큐(Cue:)는 네이버의 핵심 가치라 할 수 있는 '검색'과 연결된 서비스이다. 클로바X가 자유롭게 대화하는 경험을 사용자에게 준다면, 큐(Cue:)

네이버쇼핑의 물류 서비스와 쿠팡의 물류 서비스의 장단점을 비교해줘

네이버쇼핑의 물류 서비스와 쿠팡의 물류 서비스의 장단점은 다음과 같습니다.

네이버쇼핑

- 다양한 물류 스타트업과 협력하여 NFA(Naver Fulfillment Alliance)를 구축하여 물류 서비스를 제공합니다.
- 판매자가 고객에게 도착 일시를 높은 정확도로 보장하는 '네이버 도착보장' 서비스를 제공합니다.
- 판매자의 제품을 직매입하지 않고, 판매자와 협력하여 물류 서비스를 제공합니다.

쿠팡

- 자체적으로 물류 시스템을 구축하여 로켓배송 서비스를 제공합니다.
- 직매입한 제품을 직접 배송하여 빠른 배송 서비스를 제공합니다.
- 쿠팡와우회원 가입을 통해 무료배송과 빠른 로켓배송 서비스를 제공합니다.

두 서비스는 각각의 장단점이 있으며, 사용자의 요구에 따라 적합한 서비스를 선택하는 것이 중요합니다.

자유롭게 대화해 보세요

CLOVA X는 부정확하거나 불쾌감을 주는 정보를 제공할 수 있으며, 이는 NAVER의 입장을 대변하지 않습니다

[그림 1] 필자가 직접 클로바X에 던진 질문과 생성형 AI의 답변. ChatGPT와 비교하여 한국어 질문에 더 잘 반응했고, '도착보장'과 같은 비교적 최신 정보도 포함하는 모습이다. (출처: 클로바X)

는 '검색창'에 적용되는 서비스인 만큼, 더욱 신뢰할 수 있는 정보를 전달하는 데 초점이 맞춰져 있다.

생성형 AI가 그럴듯한 거짓말을 진짜인 양 답변하는 속칭 '할루시네이션(Hallucination)'은 여전히 AI 업계의 난제이다. 이는 네이버의 생성형 AI 또한 마찬가지일 것이다. 그래서 큐(Cue:)는 세 차례의 검증 과정을 통해서 할루시네이션 문제를 최소화했다는 설명이다. 네이버 측에서는 이 문제를 해결하기 위해 첫 번째 방법으로 네이버 검색 결과 속에서 '정답'이 포함된 결과만을 가지고 왔다고 한다. 두 번째로 답변에 필요 없는 정보를 걸러 꼭 필요한 출처만을 활용하고, 마지막으로 답변과 출처의

사실성 여부를 파악하는 방식을 취했다고 설명했다.

앞서 설명한 큐(Cue:)는 기존 단문으로 검색했던 검색엔진의 경험에서 나아가 마치 대화하는 것처럼 질문을 통해 검색하는 방식으로 바꿀 계획이라고 한다. 이와 동시에 네이버가 주목하는 큐의 비즈니스 측면의 가치가 있다. 바로 '쇼핑'과 '로컬 서비스'처럼 네이버의 커머스가 여기 강하게 결합할 수 있기 때문이다.

예를 들어 큐(Cue:)가 적용된 이후 네이버 검색 결과 상단에는 사용자의 검색 의도를 파악하여 생성형 답변을 전달하는 '큐블록'이 노출되고, 이 안에는 생성형 답변과 연계된 다양한 '추천' 서비스가 따라온다.

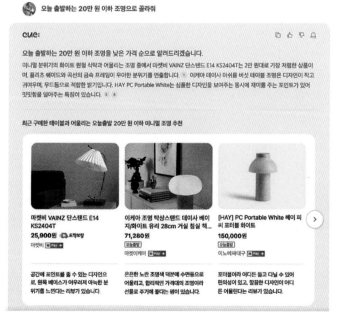

[그림 2] 추천 상품 정보가 연결된 큐블록의 모습. 오늘 출발하는 상품을 검색해달라는 질문에 '도착보장' 및 '오늘출발' 태그가 달린 상품이 노출되는 것이 인상적이다. (출처: 네이버)

네이버플레이스에 입점한 230만 개의 지역 상점, 네이버쇼핑에 입점한 56만 판매자의 15억 개에 달하는 상품 데이터가 사용자의 구매 명세 등과 같은 데이터와 맞물려, 사용자마다 선별적으로 노출하는 방식이다. 저마다 다르게 노출된 지역 상점과 추천 상품을 큐블록 안에서 예약 및 구매하는 것 또한 가능하다. 자연스럽게 생성형 AI를 바탕으로 네이버 서비스의 구매율을 끌어올리겠다는 계획으로 보인다. 여기에는 생성형 AI 검색 결과에 맞는 '광고' 상품까지 결합할 것으로 예상된다.

> "그동안 쇼핑 검색에서 사용자들이 가장 어려워했던 부분을 꼽자면, 상품 탐색과 여러 가지 물건을 비교하는 데서 발생하는 경험이 아닐지 생각합니다. 이러한 쇼핑 검색이나 탐색, 재검색에 이르던 사용자의 여정을, 하이퍼클로바X를 기반으로 만든 '큐'와 결합한다면 혁신할 수 있습니다."
>
> - 최수연 네이버 대표

네이버는 AI 추천 기능을 바탕으로 한 커머스 사용자의 변화를 '초개인화'라는 키워드로 요약했다. 앞서 네이버의 쇼핑 상품 DB가 15억 건이라고 이야기했는데, 이 모든 상품이 네이버 사용자에게 검색, 노출되는 것은 아니다. 이제까지는 아무래도 인기가 많은 상품에 집중될 수밖에 없다는 게 네이버의 설명이다.

이런 상황에서 AI 상품 추천은 사용자의 검색 결과와는 별개의 작동 방식을 통해 추가로 상품을 노출할 수 있는 특성이 있다. 이를 통해 그간 노출 기회를 얻기 어려웠던 신생 판매자의 상품, 또는 과거에 등록은 됐지만 조회수가 낮았던 비인기 상품 노출과 성장에 기여할 수 있을 것으로 보인다.

[그림 3] 큐를 통해 네이버 검색창에 가격 비교를 요청하면 각 제품 사양과 정보를 직관적인 표로 생성한 비교 결과를 노출할 전망이다. (출처: 네이버)

생성형 AI가 적용되기 이전인 2017년에 네이버는 이미 AI 기술 기반 상품 추천 기능 '에이아이템즈(AiTEMS)'를 선보인 바 있다. 현재 신생 판매자 상품 56%가 에이아이템즈를 통해 네이버에 노출되고 있다고 한다. 또 네이버쇼핑 사용자 중 84%가 이 기능을 경험했으며, 스마트스토어 거래액의 13%는 해당 추천 기능에서 발생한다는 게 네이버 측의 설명이다. 이러한 추천 기능은 생성형 AI 시대에 맞춰서 더욱 고도화될 전망이다. 네이버는 향후 식품과 뷰티, 패션 카테고리 측면에서 생성형 AI 기술이 적용된 변화를 예고하고 있다.

먼저 식품 분야는 사용자가 최근 구매했거나, 자주 구매한 장보기 상품 정보를 AI가 파악하여 새로운 레시피를 알려주고, 레시피에 언급된 상품들을 AI가 인식하여 장바구니에 담을 수 있도록 추천하는 기능이 포함될 전망이다. 뷰티 분야에는 사용자의 얼굴 사진을 시스템에 입력, 제품의 색상과 발림성을 적용하여 가상으로 테스트하고 구매할 수 있도록 하는 기능을 선보일 예정이다. 마지막으로 패션 부문에서는 사용자와 비슷한 체형의 사람들이 실제 입어보고 남긴 후기를 바탕으로, 적절한 크기의 상품을 추천해 주는 기능을 선보일 것으로 예상된다.

> "네이버는 과거부터 AI를 이용해서 사용자와 상품, 그리고 사용자와 판매자 간의 연결을 최대한 도모하는 데 집중했습니다. 생성형 AI에 집중하여 우리가 부각하고자 하는 것도 다르지 않은데요. 우리는 사용자의 마음과 취향, 최근 관심사를 파악하고 상품의 특성을 조사하여, 그 장점을 사용자에게 보다 실감이 나게 설명해 주거나 간접적으로 상품을 체험하게 하는데 생성형 AI를 사용할 것입니다. 맞춤형 초개인화 쇼핑 경험을 제공하여 사용자의 공감을 얻고, 구매까지 이어질 수 있도록 네이버가 가진 데이터와 AI 역량을 집중할 것입니다."
>
> – 최수연 네이버 대표

네이버는 커머스 사용자뿐만 아니라 판매자의 생태계 확장 관점에서도 생성형 AI 기술을 적극적으로 활용할 예정이다. 앞서 사용자 대상 '초개인화'라고 언급한 부분에도 그간 소외됐던 판매자의 상품 노출 기회를 증대시킨다는 판매자 측면의 가치가 숨어있다. 여기에 더해 네이버는 판매자의 운영 공수를 줄이고, 더욱 적합한 사용자를 만날 수 있도록 AI 솔루션을 제공할 수도 있다.

시작점에는 네이버의 머천트 솔루션이라 할 수 있는 마켓플레이

[그림 4] 네이버 커머스솔루션마켓에서 열람할 수 있는 다양한 솔루션들. 딱히 생성형 AI 기술이 적용된 것을 강조하진 않았지만, 이미 적용된 솔루션들이 꽤 많다. (출처: 네이버)

스의 '커머스솔루션마켓'이 있다. 네이버 판매자 관리 툴에 연동된 커머스솔루션마켓은 판매자의 니즈와 고민에 맞춰서 네이버가 개발한, 혹은 커머스솔루션마켓에 입점한 3자 개발사의 솔루션 수십 개를 유·무료로 선택하여 활용할 수 있도록 했다.

네이버가 예시로 든 생성형 AI가 적용된 솔루션으로 커머스솔루션마켓에서 월 3,000원(스타트 요금제 기준, 이후 고객 구간별 월 10만원까지 증가)에 이용할 수 있는 '클로바(CLOVA) 메시지 마케팅'이 있다. 이 솔루션은 AI 기술을 활용하여 판매자가 타깃할 고객을 설정해 주고, 고객에게 전송할 마케팅 메시지도 AI가 대신 작성해 준다고 한다. 네이버에 따르면 해당 솔루션을 이용할 경우 고객이 메시지를 읽거나 클릭할 확률은 약 80%가 늘어나고, 구매 전환율은 종전 대비 3배가량 높아지는 내부 테스트 결과가 있었다는 설명이다.

다른 예로 네이버쇼핑라이브 판매자들의 라이브 커머스 대본 초안을 생성형 AI가 대신 작성해 주는 '큐시트 헬퍼' 또한 많은 호응을 얻고 있다고 한다. 네이버에 따르면 현재 쇼핑라이브 판매자의 약 10%가 실제 AI가 작성해 준 큐시트를 활용하여 라이브 방송을 하고 있다.

네이버는 앞으로도 생성형 AI 기술을 바탕으로 판매자의 업무 고도화에 도움을 주는 다양한 기능을 개발하고자 노력한다는 계획이다. 특히 검색에 노출될 상품명, 상세 페이지, 광고 소재(콘텐츠) 제작 등 판매자의 실무와 밀접한 영역에서 구체화한 솔루션을 제공하는 것이 네이버가 추구할 판매자 향 생성형 AI의 방향성으로 보인다.

네이버에 따르면 앞으로 AI는 판매량을 늘릴 수 있는 '상품명'이나 '상품 상세 초안' 또한 작성해 줄 수 있다고 한다. 상품 상세의 내용상 보완점이나 이미지 변환도 AI가 추천해 줄 수 있다는 것이다. 많은 판매자가 고민하던 '적정 가격' 추천도 AI가 해줄 수 있고, 효율 높은 광고 상품을 추천하는 것도 AI의 역할이 될 것으로 보인다.

네이버 커머스에 적용될 생성형 AI와 앞으로의 추진 전략을 요약하자면 네이버는 생성형 AI를 바탕으로 커머스 사용자의 '초개인화'된 쇼핑 경험을 만들고, 판매자들에게는 성장을 촉진하는 AI 기반 솔루션을 개발하여 제공하는 것을 목표로 하고 있다고 볼 수 있겠다.

3. 삼성SDS: 생성형 AI는 디지털 물류 전환 촉매제

삼성SDS는 IT기업이지만, 최근에는 물류에서 더욱 큰 매출을 만들어내고 있다. 2023년 3분기 실적 발표 기준으로 전체 매출(3조 2,081억 원)의 절반 이상인 1조 6,988억 원을 물류 부문에서 만들었는데, 이는 삼성SDS의 2023년 3분기 물류 부분 매출이 엔데믹 이후 글로벌 소비침체와 운임 하락의 영향으로 전년 동기 대비 37.3%나 하락한 것을 생각하면, 물류기업이라고 해도 과언이 아닐 것이다.

삼성SDS가 2023년 개최한 'REAL 서밋 2023'에서 두 개의 생성형

AI를 활용한 제품을 발표했는데, 이중 물류사업과 연결된 서비스가 특히 눈에 띈다. 바로 OpenAI의 ChatGPT와 연동된 애플리케이션 마켓플레이스인 '플러그인스토어'에서 Logistics(물류)를 검색했을 때 나타나는 단 두 개 밖에 없는 서비스 중 하나인 '첼로스퀘어'이다.

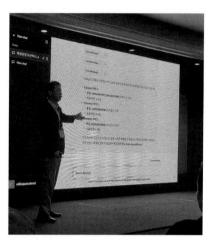

생성형 AI가 적용된 첼로스퀘어는 플러그인 기능을 사용할 수 있는 유료 모델인 OpenAI의 GPT4를 이용하고 있는 사용자라면 누구나 다운로드 받아서 사용할 수 있다. 삼성SDS가 현장에서 공개한 생성형 AI가 적용된 첼로스퀘어의 인터페이스는 무료로 사용할 수 있는 GPT3.5의 그것과 동일하게 사용자의 질문에 챗봇이 답하는 형태이다. 대신 삼성SDS가 기존 첼로스퀘어 플랫폼을 통해 제공하던 기능인

[그림 5] 삼성SDS 최봉기 상무가 GPT4를 통해 첼로스퀘어 플러그인을 시연하는 모습. 기존 첼로스퀘어의 데이터를 그대로 활용하여 200kg의 화물을 인천에서 미국 LA로 보낼 시 항공운임을 안내하고 있다. (출처: 커넥터스)

'견적 비교', '선적 예약', '화물 모니터링', '담당자 커뮤니케이션'과 같은 모든 기능이 여기 연결됐다는 것이 차이점이다.

생성형 AI 기술이 적용된 첼로스퀘어의 기능이 특별한 것은 아니다. 달라진 것은 '인터페이스'이다. '대화형' 인터페이스로 기존 첼로스퀘어의 기능을 그대로 이용할 수 있다는 것이다.

예를 들어 기존 첼로스퀘어 플랫폼에서 '견적'을 요청하는 단계를 설명하면 가장 먼저 항공운송인지, 해상운송인지, 해상운송이라면 FCL(Full Container Load, 화주가 컨테이너 하나를 단독으로 이용하는 것)을 사용

견적
선적예약
선적현황
라이브러리
화물정보
견적시 입력한 화물정보와 선적예약 및 실측 정보가 다른 경우 물류비 단가가 달라질 수 있으니,최대한 정확하게 입력해주세요.
컨테이너 종류 및 수량*
40 FT Normal Dry
1
중량화물
상품 종류*
상품 종류 선택
위험 품목*
포함
미포함
통관서비스
수출
수입
옵션
CFS작업 : 수출포장, 컨테이너 적입 등 별도 작업이 필요할 시 선택
라벨링 서비스 : 제품라벨, 배송라벨 부착(국내)
컨테이너 내륙운송 : 안전운임 적용(출발지~부산항)
Re-Packing

[그림 6] 기존 첼로스퀘어 견적요청 화면. 표준화된 양식에 맞춰서 정보를 기재하는 구조다. (출처: 첼로스퀘어)

할지, LCL(Less than Container Load, 여러 화주사의 화물을 컨테이너에 혼적하는 것)을 사용할지 선택한다. 출발과 도착지 항구를 지정하고, 화물 정보와 부가 서비스 사용 여부를 체크하여 견적을 받는다.

많은 부분 표준화가 돼 있긴 하지만, 실제 화주사는 표준화된 견적 양식만으로는 전달하기 어려운 '디테일'을 요구할 수도 있다. 예컨대 당장 특정 구간의 운임을 찾고 싶을 수도 있겠지만, 추가로 내년도 예산 계획 산정을 위해서 6개월 뒤 선적되는 건의 운임이 궁금할 수도 있다.

다른 예로 탄소세 부과에 대응하기 위해서 탄소 배출량이 최소화되는 친환경 운송수단을 조합한 서비스 이용을 고민할 수 있다. 이를 위해서는 기존 운송수단보다 높아질 수 있는 친환경 운송수단 사용에 따른 운임과 절세 효용을 비교하고 싶을 것이고, 그 내용을 '리포트'로 받아 비교할 수 있다면 더욱 편리할 것이다.

앞으로 변화할 '운임 예측'과 '탄소배출량 리포트'는 모두 현시점 첼로스퀘어에 구현되었거나 혹은 가까운 시기에 구현될 기능이다. 다만 이와 같은 기능을 이용하기 위해서는 견적 요청 화면을 벗어나서 첼로스퀘어 플랫폼 안에 있는 각각의 기능들을 열심히 찾고, 사용법을 고민하고, 들여봐야 하는 수고로움이 수반된다.

생성형 AI 기술을 통해 이제 이런 업무들을 마치 물류회사 담당자에게 메신저나 메일을 통해 문의하여 답변을 받는 것처럼 처리할 수 있게 됐다는 게 삼성SDS의 설명이다. 예를 들어 챗봇에 "내년 상반기 해상운임은 어떻게 될까?"라고 물어보면 아래 이미지와 같은 '운임 예측' 시나리오가 사람이 답변하는 것처럼 나타난다. 추가로 "그 이유가 무엇인지 알려달라"고 질문하면 수요와 공급 변화에 따른 물류비 변동의 로직을 챗봇이 또 설명해 줄 수 있다.

견적 조회 역시 훨씬 간편해진다. 기존 첼로스퀘어 플랫폼에서 갖은 정보들을 기재하여 결과를 받았다면, 이제는 물류 담당자에게 메신저로 질문하듯 챗봇에 특정 구간에 대한 운임을 묻고, 답변받을 수 있

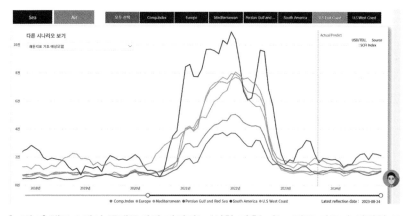

[그림 7] 첼로스퀘어 플랫폼에서 지원하는 '시황 예측' 기능. 같은 자료가 생성형 AI 기반 챗봇의 답변에 그대로 활용될 수 있다. (출처: 첼로스퀘어)

게 된다. 탄소배출량이 적은 운송모드가 필요하다면, 마찬가지로 그냥 물어보면 된다. 그렇게 전달받는 운임은 현재 첼로스퀘어 플랫폼에서 검색하면 동일하게 나오는 '실시간' 정보다.

요약하자면 삼성SDS는 이미 첼로스퀘어에 존재하는 수많은 기능과 데이터에 실시간으로 반응하여 답변하는 생성형 AI 기반 '챗봇'을 공개했다. 이는 고객사 응대에도 활용할 수 있지만, 앞서 이야기했던 것처럼 신입사원 교육 용도로도 활용할 수 있다. 챗봇은 "정산 업무를 처리하려면 무엇을 해야 해?"와 같은 질문에도 대응할 수 있고 사람이 아니니 화를 낼 일도 없다.

길게 설명했지만, 이처럼 생성형 AI가 적용된 첼로스퀘어가 달라진 것은 '인터페이스'밖에 없다. 더 이상 고객사가 개별 애플리케이션을 찾고, 공부하고 이용할 필요가 없는 것이다. 기존 물류 담당자와 커뮤니케이션하며 업무를 수행하던 방식 그대로 첼로스퀘어가 제공하는 다양한 물류 서비스와 솔루션을 이용할 수 있다는 것이 핵심이다. 이것은 단순하지만, 파괴적인 결과를 가지고 올 수 있다.

> "삼성SDS가 지금까지 디지털화하면서 겪었던 큰 어려움이 무엇이냐? 우리가 제공하는 디지털 물류 서비스를 이용하려면 고객사 담당자들은 기존 전화, 이메일, 메신저로 하던 업무의 방식을 바꿔야 합니다. 잘하던 업무를 애플리케이션으로 옮겨서 해야 해요. 이게 별거 아닌 것 같지만, 매우 큰 고난의 길입니다. 왜냐하면 일하는 방식이 달라지기 때문에 담당자들이 벌써 싫어합니다. 나 여기서는 일 못하겠다는 반응이 나옵니다. 생성형 AI가 들어서면서 제일 달라지는 것은 바로 이런 '인터페이스'의 변화입니다. 고객사

담당자들이 기존 일하던 방식 그대로, 마치 대화를 하는 것처럼 첼로스퀘어라는 애플리케이션이 제공하는 뒷부분의 모든 디지털 물류 기능을 이용할 수 있습니다. 삼성SDS가 그동안 개발한 AI에 관한 여러 기술이 접목된 솔루션들은, 생성형 AI가 들어오면서 비로소 디지털에 익숙하지 않은 기업들까지 활용하기 아주 쉬운 형태로 매핑이 돼서 전달될 것입니다."

- 최봉기 삼성SDS 첼로스퀘어 전략 담당 상무

디지털 물류에 대한 인식의 장벽. 삼성SDS는 생성형 AI가 이 인식의 장벽을 넘는 데 기여할 것이라고 보고 있다. 한 번 써본다면 분명히 기존 방식보다 나은 것이 있을 텐데, 넘지 못해서 아쉬움이 남았던 그 '한 번 써보도록' 하는 데 생성형 AI가 크게 기여한다는 설명이다. 삼성SDS의 예상처럼 생성형 AI는 물류산업에 '디지털'이 스며들게 하는 촉매가 될 것인지 그 결과가 궁금하다.

4. 카카오모빌리티: 인간지능 VS. 인공지능, 화물운송 플랫폼

국내 대표 모빌리티 플랫폼인 카카오모빌리티가 오랫동안 갈망하던 '화물운송' 시장 진출을 올해 공식화하며 서비스 영역을 '여객의 이동'에서 '화물의 이동'까지 확장했다.

카카오모빌리티는 2023년 개최한 기술 콘퍼런스 'NEMO(Next Mobility) 2023'에서 별도 세션을 할애하여 화물운송 시장 침투 전략을 공유했다. 이 자리에 박지은 카카오모빌리티 미들마일 플랫폼 사업 리더가 참가하여 카카오모빌리티가 화물운송 시장에서 바라본 문제점은 무엇인지, 그 문제점을 어떻게 극복하고 시장에 침투할지, 그리고 인공지능과 만난 화물운송 플랫폼 서비스에 대한 미래상을 밝혔다.

카카오모빌리티는 과거 카카오T택시, 대리 등으로 대표되는 여객 서비스를 통한 경험을 바탕으로 화물운송 시장의 여러 '비효율'을 개선할 힌트를 찾았다고 한다. 바로 '공차율'과 '다단계 구조'이다.

한국교통연구원이 2017년 12월 발표한 『전국화물통행실태조사』에 따르면 국내 화물차량의 공차 운행률은 41.3%로 나타났다. 이는 화물차가 적재 공간이 비어 있는 상태로 도로를 달리며, 아무런 가치를 창출하지 못하고 있는 '이동의 비중'으로 나타난다. 공차가 아닌 운송 중인 화물차에서도 '빈 공간'은 항시 발생하고 있다. 같은 조사에 따르면 화물차주의 일평균 적재율은 79.7%이며, 적재효율은 47.9%라고 한다. 이는 역시나 추가적인 가치를 창출하지 못하고 있는 '공간의 비중'으로 해석할 수 있다.

공차율 이외에도 화물운송 시장에서는 사용자 측면의 고민이 많다. 예를 들어 종이 인수증을 주고받다 보니 정산 처리를 위한 시간이 오래 걸린다. 또한 물량을 가진 대기업 화주사가 하청, 재하청을 주는 다단계 구조로 업무 상황은 정확하게 파악되지 않는 문제도 있다. 시간에 맞춰 물량을 입고해야 하는데, 정작 운송을 맡은 화물차주는 어디 있는지 알 수 없어서 애타게 전화하는 문제가 발생하는 데다, 메신저, 문자, 이메일 등 파편화된 수단으로 의사소통하다 보니 데이터는 기록되지 않고, 오류가 발생하는 경우도 허다하다.

이 밖에도 화물운송시장은 생산부터 조달, 물류센터 이동 및 입고, 포장, 최종 배송 등 물류단계별 이해 관계자가 매우 복잡하다. 그렇다 보니 의사결정 구조가 어렵고, 최저가 운송비로 인한 낙찰 구조는 '가격' 이외의 부가적인 혁신에 운송사들이 투자하기가 매우 어렵다.

103

카카오모빌리티는 이러한 화물운송 시장의 고민을 시장에 침투할 수 있는 일종의 '틈새'라 보고 있다. 카카오모빌리티가 플랫폼을 통해 분절돼 있던 화물운송 시장 관계자들을 모아서 연결한다는 것이다. 기반이 만들어진 이후 인공지능(AI)을 비롯한 기술을 바탕으로 더욱 다차원적인 연결을 만들면 혁신이 시작될 수 있다는 것이 카카오모빌리티 측의 설명이다.

문제 해결을 위해 카카오모빌리티는 먼저 화물운송 시장에 있어 연결의 핵심 주체로 현재 사전 모집하고 있는 '화물차주'를 꼽고 있다. 화물차주가 운송 과정의 여러 개의 점(물류거점)과 선(경로)을 연결하면서 각자의 업무에 집중하는 주체이기 때문이다. 이를 해결하기 위해 카카오모빌리티는 화물차주를 물량을 이동시킬 니즈가 있는 화주, 운송사, 주선사 등의 이해관계자와 연결하는 방식으로 카카오T트럭커 플랫폼을 설계했다.

여기서 매칭을 위한 핵심 기술은 '맞춤 주문'이다. 카카오모빌리티는 인공지능 기반 TMS(Transportation Management System) 엔진을 통해서 플랫폼을 사용하는 여러 차주에게 최적화된 노선의 물량을 분배할 수 있다고 설명한다. 이를 통해 화물차주의 동선이 겹치거나, 이탈하거나, 물량이 공정하게 배분되지 않는 등의 문제를 모두 해결할 수 있다는 것이다. 아울러 내비게이션 기술을 바탕으로 한 '화물차 전용 길 안내'는 목적지까지 정확한 소요 시간을 예측하여, 운송 정시성을 확보하는 데 기여할 수 있다고 한다.

카카오모빌리티는 커넥팅과 매칭을 마친 화물운송 플랫폼 안에서는 '혁신(Innovating)'이 가능하다고 판단하고 있다. 플랫폼 안에서의 연결이 확장되며 압도적인 숫자의 데이터를 확보하고, 이 데이터를 AI 기술과 결합하여 지속적으로 신규 가치를 만들어 내는 것이 카카오모빌리티가 꿈꾸는 화물운송 시장의 미래 모습이라는 설명이다.

> "플랫폼화(Platforming)를 마친 이후 진짜 기술혁신이 시작되면 물류 시장에서는 어떤 일들이 가능해질까요? 먼저 물류의 모든 데이터를 통합하여 볼 수 있는 LIS(Logistics Information System)가 만들어질 것이고요. 창고 안을 돌아다니는 자율주행 로봇을 관리하고, 자율주행 차량을 활용하여 밀크런(여러 화주의 물량을 혼적한 후 순회배송)을 처리할 수 있는 자동화된 배송 체계를 구축할 수 있을 것이고요. 고속도로를 달리는 트럭을 실시간으로 연결하여 함께 달리는 군집 배송도 가능해질 것입니다. 각 물류센터의 유휴공간을 실시간으로 연결하여 매칭하는 클라우드 풀필먼트센터(FC), 창고 없이 차량에서 차량으로 상품을 이동시키는 V2V(Vehicle to Vehicle)까지 모두 실현할 수 있습니다."
>
> – 박지은 카카오모빌리티 미들마일 플랫폼 사업 리더

카카오모빌리티는 막대한 데이터가 쌓인 화물운송 플랫폼 안에서 '연결'과 '매칭' 측면에서 이전과 더 고도화된 역량을 수행하는 것이 가능해질 것이라 보고 있다.

연결 관점에서 카카오모빌리티는 창고 업무 처리 현황을 파악하는 시스템과 운송 시스템이 통합되는 미래의 청사진을 그리는 중이다. 이렇게 된다면 화물차주는 더 이상 물류센터에서 기약 없이 작업을 기다리지 않아도 된다고 한다. 언제쯤 창고에서 운송이 가능한 형태로 화물이 준비될지 예상하고, 현황을 실시간으로 공유받을 수 있다는 것이 카카오 측 설명이다.

배달 플랫폼에 이미 구현된 것처럼 화물차주는 시스템이 안내하는 적절한 시간에 물류센터에 방문, 대기 없이 곧장 물품을 싣고 바로 출발할 수 있는 모습이 만들어질 것이란 게 카카오모빌리티가 그리는 미래이다.

카카오모빌리티는 매칭 관점에서의 효용점도 강조하고 있다. 종전 화물차주는 화물운송업체 및 주선사 담당자의 수작업을 통해서 물량을 배차받았다. 카카오모빌리티는 이렇게 사람의 업무를 통해 진행되던 배차 과정을 AI 기술을 바탕으로 '자동화'하는 미래를 꿈꾸고 있다. 예를 들어 플랫폼에 충분한 데이터만 쌓인다면, 특정 물량을 어디에 보관하고, 어떤 화물차에 배차하여 움직이면 가장 좋을지

퀵 이코노미 저렴한 요금	20,900원	4시간 30분 이내
퀵 추천 최다 이용	26,200원	1시간 50분 이내
퀵 급송 가장 빠른 배송	44,500원	1시간 10분 이내
안전배송 안전 소중한 물건 안전하게 배송		⌄
용달·화물 큰 짐 이동		⌄

차량별 적재 가능 물품 안내 ⓘ

다마스 부피가 큰 물품	54,900원	2시간 6분 이내
라보 높이가 있는 물품	68,800원	2시간 6분 이내
1톤 큰 짐 배송	77,800원	2시간 6분 이내
택배	서비스지역 준비중 ›	

[그림 8] 카카오T 앱 내 퀵·배송 탭을 통해 서비스 신청할 수 있는 다양한 시간대별 배송 옵션. 출발·도착지에 따른 이동 거리, 선택하는 운송수단과 화물 특성, 요구하는 예상 배송 속도에 따라 다른 가격을 노출하고 있다. (출처: 카카오T 앱)

매칭 시점의 최적값을 알 수 있다. 마찬가지로 여러 화물차의 혼적이나, 물류센터 없이 차량간 화물 이동을 통해 효율을 만드는 V2V(Vehicle to Vehicle) 물류의 고도화 역시 'AI 매칭' 기술을 바탕으로 조정할 수 있다는 것이 카카오모빌리티가 바라보는 화물운송의 미래 모습이다.

카카오모빌리티의 발전상에는 사실상 '화물운송'을 넘어선 물류

가치사슬 전체를 연결하고자 하는 맥락이 숨어있어 보인다. 과거 카카오 모빌리티의 물류 서비스가 시작된 지점은 라스트마일 배송 영역의 '퀵서비스'였다. 여기 화물운송 서비스 영역이 결합하지만, 미들마일 화물운송의 전 단계인 '물류센터'의 연결과 효율화 또한 담을 것으로 보인다.

5. 승풍파랑의 시대, 기회와 우려

승풍파랑(乘風破浪)이란 사자성어가 있다. 이는 바람을 타고 파도를 뚫어나간다는 뜻으로, 어려운 조건 속에서도 두려워하지 않고 목표를 향해 나아가는 원대한 포부를 비유하는 말이다. 앞서 생성형 AI 등 인공지능과 디지털 기술로 중무장한 네이버, 삼성SDS, 카카오모빌리티의 새로운 비즈니스 모델과 역량 강화는 이커머스와 물류, 그리고 모빌리티 생태계를 향하고 있다.

107

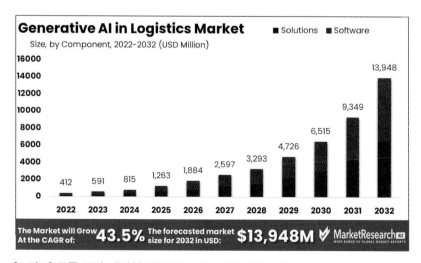

[그림 9] 물류 분야 생성형 인공지능 기술 시장 성장 예측 (출처: market research biz (2022), https://marketresearch.biz/report/generative-ai-in-logistics-market/)

앞서 네이버, 삼성SDS, 카카오모빌리티의 사례에서 엿볼 수 있듯이 ChatGPT 등 생성형 AI를 활용한 유통물류 서비스 개발 사례의 유형은 아래와 같이 정리할 수 있을 것이다.

① **고객 지원 및 문의 응대**: 물류 기업은 고객으로부터 주문상태, 배송예상일, 반품정책 등에 대한 다양한 문의를 받는다. 생성형 AI를 활용해 자동응답시스템을 구축하면 고객의 질문에 즉각적으로 답변을 제공할 수 있다. 이는 고객만족도를 향상하고 지원 인력의 부담을 줄인다.

② **재고 관리 및 예측**: 생성형 AI와 머신러닝 알고리즘을 활용한 예측 분석은 수요 예측과 재고 최적화를 지원한다. 이를 통해 물류 기업은 고객 주문에 대비하고, 낭비를 줄이며 효율적인 재고 관리를 실현할 수 있다.

③ **실시간 모니터링 및 경고**: 생성형 AI를 통해 물류회사는 로지스틱스와 공급망을 실시간으로 모니터링할 수 있다. 예를 들어 차량의 위치, 창고 내 재고 수준, 날씨 및 교통 상황 등을 모니터링하고 문제가 발생하면 즉각적으로 경고하여 조치를 취할 수 있다.

④ **고객 개인화**: 생성형 AI를 통해 물류기업은 고객의 이전 주문 기록과 선호도를 분석해 개인화된 서비스를 제공한다. 예를 들어, 고객에게 맞춤형 추천 상품을 제안하거나 개인화된 할인 코드를 제공함으로써 고객 충성도를 높일 수 있다.

⑤ **물류 경로 최적화**: 생성형 AI는 실시간 데이터와 지리정보를 활용하여 물류 경로를 최적화하는 데 도움을 줄 수 있다. 이로써 효율적인 배송 경로를 선택하고 시간 및 연료를 절약할 수 있다.

⑥ **리스크 관리**: 생성형 AI와 알고리즘을 활용하여 물류 및 공급망에서 예외 사항을 감지하고 처리할 수 있다. 이를 통해 문제 발생 시

빠른 대응이 가능하며, 재난 상황 또는 예측할 수 없는 사건에 대비할 수 있다.

이처럼 유통물류 시장에서 생성형 AI 기술은 뛰어난 잠재력을 가지고 있지만 여러 가지 문제점과 고려해야 할 사항들이 있다. 주요 문제점과 대응 방안에 대해 전문가들의 공통적인 의견은 아래와 같다.

① **정확성 및 신뢰성 문제**: 생성된 콘텐츠가 정확하지 않거나 실제와 다를 수 있다. 이는 정보의 왜곡과 오류를 야기할 수 있다. 이 문제에 대처하기 위해 생성된 내용을 검토하고 수정하는 단계를 추가하거나, AI의 출력물을 인간의 판단과 결합하는 방안을 고려해야 한다.

② **편향성과 차별성**: 생성형 AI는 훈련 데이터에 있는 편향을 반영할 수 있다. 이에 따라 성별, 인종, 종교 등과 관련된 문제가 발생할 수 있으며, 이는 사회적 논란을 일으킬 수 있다. 편향성을 줄이기 위해 다양한 데이터를 사용하고, 편향 검토 및 교정을 수행하는 AI 개발자들의 노력이 필요하다.

③ **개인정보 보호**: 생성된 콘텐츠에는 개인정보가 포함될 수 있으므로, 개인정보보호에 대한 엄격한 규제와 기술적 대책이 필요하다. 민감한 정보를 자동으로 식별하고 마스킹하는 기술 등을 도입해 개인정보 유출을 방지해야 한다.

④ **보안**: 생성형 AI 모델은 악의적으로 활용될 수 있으며, 딥페이크와 같은 위협으로 이어질 수 있다. 보안 대책으로 모델 접근 제한, 모델 학습 데이터의 안전한 보관, 안티-악용 기술 개발 등이 필요하다.

⑤ **규제 및 윤리**: 생성형 AI의 사용에 대한 규제와 윤리적 가이드라인이 필요하다. AI 개발과 사용에 관한 법적 규제와 윤리 기준을 만들어야 하며, 이러한 규제를 준수하고 감독하는 역할이 중요하다.

⑥ **데이터 출처와 사용 방법의 투명성**: 생성형 AI를 사용하는 사람에게는 해당 기술의 한계와 잠재적 위험을 이해하고, 사용자 교육 및 인지 부담을 줄이기 위한 정보 제공이 필요하다. 또 AI 모델의 훈련 데이터와 운영에 사용되는 데이터에 대한 투명성이 필요하며, 데이터의 출처와 사용 방법을 공개해야 한다.

코로나19 팬데믹으로 인한 비대면 서비스 수요의 급증은 이커머스 시장을 크게 성장시켰다. 집에서 편리하게 쇼핑할 수 있는 온라인 쇼핑 플랫폼에 대한 소비자의 의존성이 높아져 기업은 온라인 비즈니스 모델의 중요성을 인식하고 전략적으로 대응하고 있다. 이런 이커머스 시장의 성장은 유통뿐만 아니라 택배 등 물류서비스 업계에도 큰 영향을 미치고 있다. 전통적인 물류업체뿐만 아니라 이커머스 판매와 물류를 직접 수행하고 있는 업체 사이에서 기존의 물류 방식을 혁신하고 차별화하기 위해 대규모 투자가 진행 중이다.

인공지능 기술은 물류 시스템에서 실시간으로 수집된 다양한 데이터를 학습하여 상황에 맞는 지능적인 의사결정을 최적화하는 데 도움이 된다. 최근 물류 시스템은 사람에 대해 의존적으로 발전했던 것과는 달리 자동화 설비를 통해 사람에 대한 의존도가 줄어들게 변화하고 있다. 인공지능은 더욱 쉽게 데이터를 확보하고 활용할 수 있게 되었으며, 이를 통해 더 정교한 의사결정을 가능하게 되었다.

과거에는 물류 전문가들이 오랜 경험과 노하우를 기반으로 주요 의사결정을 내렸지만, 경쟁이 치열해지고 리드타임이 단축되며 고객 서비스 요구 수준이 높아지게 되었다. 또한 물류 환경의 다변화로 인해 불확실성도 증가함에 따라 기존의 노하우 기반으로 한 의사결정에는 한계가 있다.

마무리하자면, 생성형 AI의 대중화와 일상화는 사용자의 디지털 경험 개선과 전환 촉매제로 이어질 가능성이 높다. 인공지능 기술에 대한 한계와 회의 속에서도 앞서 사례를 언급한 네이버와 삼성SDS, 카카오모빌리티, 그리고 수많은 글로벌 기업이 생성형 AI 도입을 통해 무엇을 변화하고 혁신하고 있는지를 살펴보는 것은 분명 의미가 있다.

시장변화

2부

'빠른 배송' 이후의 이커머스 시장의 경쟁 변화

쿠팡의 시대 이후, 배송 경쟁 트렌드
"이제는 속도가 아니다"

김요한

트렌드라이트 발행인, newsletter@trendlite.news

국내 최대 규모의 커머스 버티컬 뉴스레터 「트렌드라이트」의 발행
인으로, 「기묘한 이커머스 이야기」의 저자이기도 하다. 매주 뉴스레
터를 통해 업계 현직자의 관점을 담은 유통 트렌드 이야기를 전하고
있으며, 커넥터스, 아웃스탠딩 등 다양한 전문 매체에 주기적으로
글을 기고하고 있다. 전체 업계의 발전에 기여하고, 이를 통해 조금
더 좋은 세상이 되도록 돕는 콘텐츠를 만들기 위해 지금도 노력 중
이다.

우리는 쿠팡의 시대에 살고 있다

115

"쿠팡 없이 어떻게 살았을까?" 쿠팡의 김범석 의장은 본인들의
미션을 고객들이 다음과 같이 말하는 세상을 만드는 일이라고 정의하곤
한다. 그리고 우리가 살아가는 2023년 현재를 기준으로, 그의 바람은 이
미 현실화된 것으로 보인다. 국내 유통 시장, 아니 한국 사회 전체에서
쿠팡이 끼치는 영향은 이미 어마어마하기 때문이다.

이를 가장 상징적으로 나타내는 것이 '이마롯쿠'라는 단어이다.
이는 2023년 초 언론이 만들어 낸 일종의 신조어 중 하나이다. '이마트,
롯데쇼핑, 쿠팡'의 앞글자를 딴 것으로, 이들 3개 기업이 국내 유통 시장
을 이끄는 3대 강자라는 뜻을 가지고 있다. 오랜 기간 쿠팡은 티몬, 위메
프와 함께 소셜커머스 삼총사 등으로 묶여 불리곤 했다. 불과 2022년까
지만 해도, 네이버와 이커머스 시장의 양강으로 지칭되었다. 하지만 이
제 전체 유통 시장을 통틀어 탑 플레이어로 엮이게 되었으니, 쿠팡의 달

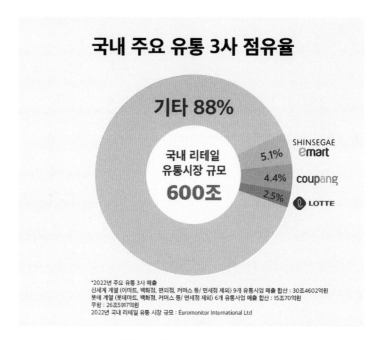

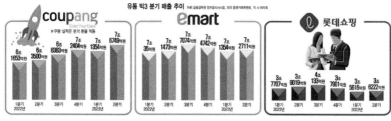

[그림 1] 2022년 기준으로 쿠팡은 전체 유통 시장을 통틀어 2위 사업자가 되었을 뿐 아니라, 올해 들어서는 이마트는 물론, 백화점을 포함한 신세계 그룹 전체를 추월할 것으로 예상된다. (데이터 출처: 국내 리테일 시장 규모-유로 모니터, 실적 데이터-각 사 공시자료)

라진 위상을 잘 보여주는 단어라 할 수 있겠다. 더욱이 최근에는 아예 '쿠이마롯'이라 바꿔 불러야 하는 거 아니냐는 말이 나올 정도로, 쿠팡은 정말 무섭게 성장하고 있다.

실제 숫자로 봐도 2022년 기준으로 네이버를 제치고 이커머스 시장 내 1위의 입지를 다진 쿠팡은 2023년 상반기 기준으로 이마트로부터 유통업계 1위 타이틀까지 빼앗았다. 이제는 아예 백화점을 포함한 신세계 그룹 전체도 사정권에 두고 있다. 여기에 4분기 연속으로 안정적인 영업이익마저 기록하며 오로지 홀로 질주하고 있는데, 이는 인플레이션과 경기 침체, 엔데믹 이후 온라인 쇼핑 시장의 성장 정체라는 여러 악재 속에서 거둔 성과라 더욱 놀라울 따름이다.

쿠팡의 위상이 높아지면서 이커머스 시장 내 경쟁 구도 역시 크게 달라지고 있다. 특히 배송 영역에서의 변화는 더욱 극적이다. 쿠팡이 로켓배송으로 대표되는 물류 역량을 기반으로 성장한 기업이기 때문이다. 따라서 수년간 반복되던 '빠른 배송' 경쟁이라는 키워드도 이제는 새로운 것으로 대체되어야 한다. 이 글에서는 쿠팡의 시대 이후 일어날 배송 트렌드 변화와 앞으로의 전망에 대해 조금 더 자세히 다뤄보려 한다.

1) 이제 시장의 표준이 된 '익일 배송 보장'

언론에서는 지금도 이커머스 시장의 배송 경쟁을 '빠른 배송' 전쟁이라 표현하곤 한다. 하지만 이는 엄밀히 말해, '누가 더 빠르게 배송하느냐'보다 쿠팡의 '로켓배송' 따라잡기에 가까웠다. 로켓배송이 시장에 던진 충격과 영향은 이처럼 대단했다. 이러한 로켓배송의 핵심이 바로 '주문한 바로 다음 날 도착을 보장'한다는 것이었다. 쿠팡 이전만 해도, 시장의 표준은 D+2 배송에 가까웠다. 오늘 들어온 주문을 내일 출고하고, 택배 회사의 프로세스에 따라 그 다음 날 고객의 집에 배송하는 것이 시장의 표준 스케줄이었다. 하지만 쿠팡은 자체적으로 보유한 창고에서 상품을 출고하여, 독자적인 배송 인프라를 가지고 이를 고객에게 전달하는 프로세스 혁신을 통해 배송 품질의 초격차를 만들어 냈다.

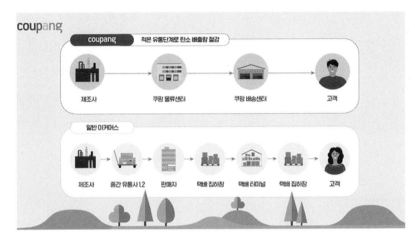

[그림 2] 쿠팡은 일반 이커머스 플랫폼 대비 적은 유통 단계를 거치기 때문에 '빠른 배송' 서비스 제공이 가능했다. (이미지 출처: 쿠팡 뉴스룸)

　　이에 고객들이 열광하면서, 많은 이커머스 플랫폼들이 앞다투어 유사한 서비스를 내놓기 시작했다. 하지만 이러한 흐름이 오래 지속되지는 못했다. 우선 쿠팡 수준의 배송 품질을 만들어 내려면, 유사한 풀필먼트 구조를 만들어 내야 했는데, 기존에 최적화된 것을 바꿀 만큼의 필요성을 느끼진 못했던 것이다. 사실 계획된 적자로 수조 원을 물류 인프라에 투자하던 쿠팡과 유사한 수준의 금액을 지불하는 것은 결코 쉬운 일이 아니다. 더욱이 절대적인 강자가 없는 국내 이커머스 시장 특성상 무리하지 않고도 다른 영역에서의 차별화를 통해 충분히 대응할 수 있다는 판단도 깔려 있었던 것 같다.

　　하지만 이커머스 시장이 쿠팡과 네이버의 양강 구도로 급격히 재편되고, 여기에서 쿠팡이 다시 네이버와의 격차를 줄여나가기 시작하자 생각이 달라진 듯했다. 배송 서비스 품질을 담보하지 않고는 경쟁은 물론 생존마저 어려운 시대가 되었음을 직감한 것이다. 이를 상징하는 사건 중 하나가 2022년 12월에 있었던 네이버 도착보장 서비스 론칭이다.

네이버 도착보장 솔루션은 기본적으로 로켓배송처럼 100% 익일배송을 보장한다는 서비스이다. 이는 곧 고객들이 오늘 주문하면 내일 받는 것을 당연하게 여기게 되었다는 걸 뜻한다. 이처럼 익일배송 보장은 경쟁에 있어서 이제 출발점이 되어버린 것이다.

이러한 빠른 배송의 중요성을 보여준 또 다른 사례로 스마일 클럽이 신세계 유니버스 클럽으로 개편되면서 생긴 스마일 배송 무료 혜택 변경 논란을 들 수 있다. 당시 신세계 측은 무료 배송 혜택을 없애고 할인 쿠폰이나 제휴사 할인으로 이를 대체했다가 고객들의 강력한 반발 끝에 무료 배송 혜택을 재개하였다. 이는 고객들이 익일 배송이라는 서비스를 얼마나 중요하게 생각하는지를 잘 보여주는 사례라고 할 수 있다.

이외에도 2022년과 2023년에 들어서 신규 배송 서비스를 론칭하는 경우를 많이 찾아볼 수 있다. 시장 내 4위 사업자라 할 수 있는 11번가는 2022년 6월 슈팅배송을 론칭 후 적극적으로 이를 확대 중에 있다. 버티컬 커머스 중 가장 큰 규모를 자랑하는 무신사도 플러스 배송이라는 서비스를 선보이기도 했다. 그런데 여기서 더욱 재미있는 점은 이러한 배송 서비스 트렌드가 B2C 사업자를 넘어, B2B 사업자로까지 번지고 있다는 점이다.

2) 브랜드와 함께 B2C에 등장한 택배업체

어느 순간부터 택배 안내 문자 중 CJ대한통운 오네(O-NE)라는 단어를 자주 접하고 있을 것이다. 오네는 CJ대한통운이 2023년 3월 만든 통합 배송 브랜드이다. 구매자를 위한 배송 브랜드를 론칭하고, 단지 판매자 홍보를 넘어 일반 고객에게까지 이를 널리 알리기 시작한 것이다.

이러한 움직임은 위기감에서 나온 고육지책이라 할 수 있다. 일반

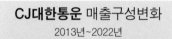

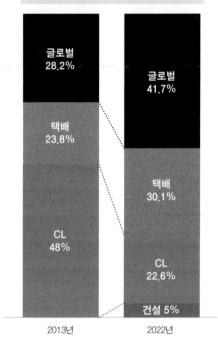

CJ대한통운 매출구성변화
2013년~2022년

글로벌
28.2%

글로벌
41.7%

택배
23.8%

택배
30.1%

CL
48%

CL
22.6%

건설 5%

2013년   2022년

[그림 3] 국내 이커머스 시장의 성장에 따라 CJ대한통운 내 택배 사업 매출 비중은 계속 상승해왔다. (데이터 출처: CJ대한통운 공시자료)

적으로 택배회사의 매출 중 택배 사업이 차지하는 비중은 작게는 30%에서 크게는 50%에 달한다. 최근 10여 년 간 이커머스 시장이 꾸준히 성장하면서, 그 비중이 점차 커져왔다. CJ대한통운만 해도, 2013년 기준 택배 사업 부문이 차지하는 매출 비중이 23.8%에 불과했지만, 2022년 기준으로는 30.1%로 6.3%나 상승했다.

그런데 이와 같은 매출을 쿠팡이 잠식하기 시작했다. 기본적으로 쿠팡은 로켓배송 매출 비중이 절대적이기 때문에, 쿠팡의 거래액이 성장하고 시장 내 점유율이 높아지면 자연스럽게 택배사들이 처리하는 물동량은 줄어들 수밖에 없다. 여기에 더해 2022년을 기점으로 쿠팡의 자체 물류 효율이 올라가면서 과거에는 대행에 맡기던 것마저 자체적으로 소화하기 시작했다. 대표적으로 한진택배는 전체 물량의 7~8% 정도를 잃었고, 이를 만회하기 위해 저가 수주에 나섰다는 소식이 전해지기도 했다.

특히 여기서 더욱 위협적이었던 건 로켓그로스 서비스였다. 쿠팡이 자체적으로 FLC(Fulfillment by Coupang, '로켓그로스')라 칭하는 해당 서비스는 쿠팡이 직매입뿐 아니라 중소상공인들의 물류를 대행하는 것이다. 쿠팡의 사업이 아무리 성장하더라도 직매입 기반으로는 한계가 있기에 어느 정도 안심하는 부분이 있었겠지만, 이렇게 물류 대행까지 사업 영역을 확장하게 되면 택배사들은 더 큰 타격을 입게 된다. 이처럼 이제 쿠팡은 택배사들의 실질적인 경쟁자로 부상하고 있다.

이와 같은 물동량 이탈이 위협적인 건 이는 곧 소속 배송 기사의 수입 감소로 직결되기 때문이다. 이로 인해 일선 택배 기사가 떠나게 되면 배송 품질은 악화될 수밖에 없고, 이는 곧 다시 물동량 감소로 이어지는 악순환에 빠지게 된다. 더욱이 최근에는 아예 배송 인력을 두고 쿠팡과 다른 택배사들의 경쟁이 심화되고 있다. 쿠팡이 퀵플렉스 서비스를 선보이고, 숙련된 배송 인력을 데려가기 시작한 것이다. 쿠팡은 안정적인 물량과 좋은 근무 환경을 보장하며 기존 인력들을 흡수하고 있고, 이를 기존 택배사들은 당연히 곱게 볼 리 없다. CJ대한통운 등 택배업계는 반격에 나서, '택배 없는 날'을 둘러싸고 여론전을 펼치는 등 적극적으로 대응을 하고 있지만, 이는 근본적인 해결책이라 보기는 어렵다.

그렇기에 이러한 위기를 이겨내려면 쿠팡에게 물량을 빼앗기지 않고, 역으로 뺏어올 수 있어야 한다. 물량 확보 만이 기존 매출과 배송 인력을 지킬 수 있는 가장 확실한 방법이기 때문이다. 이러한 배경에서 오네 서비스는 세상에 나오게 되었다. '오네'라는 브랜드는 앞으로 적어도 로켓배송 수준의 배송 품질을 제공하겠다는 보증 수표 역할을 하게 될 것이다. 이는 일종의 인그리디언트 브랜딩(Ingredient Branding) 전략이라 볼 수 있다. 인그리디언트 브랜딩은 완제품이 아니라, 제품의 구성 요소를 브랜드화하여 경쟁력을 확보하는 방식을 뜻한다. '인텔 인사이드'가 대표적인 사례이다. 인텔 마이크로프로세서가 PC의 성능을 보증하고 고객이 이를 중요하게 여겼듯이, 주문을 할 때 택배사를 확인하고, 오

121

*자료제공: CJ대한통운

[그림 4] CJ대한통운은 배송 서비스 브랜딩을 통해 쿠팡에게 잠식되고 있는 시장을 다시 되찾고자 한다. (이미지 출처: CJ대한통운)

네라는 브랜드에 가치를 준다면 장기적으로 쿠팡의 로켓배송과도 싸워볼 만할 것이다.

또한 이들은 동시에 이커머스 플랫폼에게도 브랜드 네임만 다를 뿐 같은 프로세스로 익일배송 서비스를 제공해주고 있다. 앞서 언급한 네이버 도착보장의 최대 파트너가 CJ대한통운이기 때문이다. 여러 방법들을 동원하여 쿠팡 견제하기에 나선 것이다. 이러한 반쿠팡연대와 쿠팡의 대결은 한동안 이어질 전망이고, 이에 따라 앞으로도 한동안은 빠른 배송이라는 키워드가 계속 언급될 것이다.

3) 결국 플랫폼도, 택배업계도 교통정리가 될 것

하지만 빠른 배송 경쟁은 이전과 달리 오래 지속되기 어려울 것이다. 왜냐하면 쿠팡의 우위를 꺾는 도전자가 나오기 어렵기 때문이다. 쿠팡의 경쟁력은 완전한 수직 계열화에서 나온다. 쿠팡은 상품 입고부터, 판매, 그리고 배송까지 거의 모든 과정을 직접 수행하고 있다. 여기서 운영의 효율성이 증대되는 건 물론이고, 특히 가격 경쟁력 우위를 확보할 수 있다. 예를 들어 하나의 물건을 배송할 때, 판매자도 이를 대행하는 택배사도 모두 각각의 이윤을 얻어야 한다. 반면에 쿠팡은 단독 사업자이기 때문에, 이들이 가져가는 이윤의 총합보다 낮더라도, 손해만 보지 않으면 된다. 이러한 마진의 여유는 고스란히 가격 경쟁력으로 치환된다. 더욱이 2022년부터 시장 1위 사업자가 되면서, 규모의 경제로 인한 효율화와 공급가 마진의 하방 압력이 점차 강해졌고, 이는 안정적인 영업이익으로 이어지고 있다. 점차 개선되고 있는 쿠팡의 매출 총이익률이 이를 증명한다.

따라서 쿠팡과 경쟁하려면 최소한의 거래액 규모를 확보하는 것이 필요하다. 신세계 그룹이 3조 4,000억 원이라는 거액을 투자하여 G마켓을 인수한 것이 대표적이다. 최근에는 이러한 합종연횡이 더욱 심화되고 있다. 큐텐(Qoo10)은 티몬, 위메프, 인터파크에 이어 11번가까지 인수를 준비하고 있다. 이에 도달하지 못하는 플랫폼들은 경쟁 포기 선언을 하고 있는데, 롯데그룹의 롯데온이 종합 플랫폼으로 경쟁하는 것을 포기하고 버티컬 전략으로 선회한다고 발표하기도 했다.

그리고 이러한 흐름은 곧 택배업계로도 번져갈 것으로 보인다. 택배 산업 자체가 규모의 경제 없이는 이익을 낼 수 없기에, 시장의 경쟁 구도는 기본적으로 과점 체제를 보이고 있었다. 그 중에서도 CJ대한통운이 40%가 넘는 점유율을 확보 중이었다. 하지만 쿠팡의 성장으로 2023년 8월 기준으로 CJ대한통운의 점유율은 40% 선이 무너지고, 33.6%로 떨어졌다. 반대로 쿠팡로지스틱스서비스(CLS)의 점유율은 전년 대비 2배 가까이 상승한 24.1%로 2위 사업자가 되었다. 앞으로 쿠팡의 점유율은 더 상승할 것으로 전망되고 있고, 이렇게 되면 점유율이 낮은 사업자들은 마치 이커머스 플랫폼 업계가 지금 재편되고 있는 것처럼 시장에서 퇴출되거나 하나로 합쳐질 것이다.

결국 이커머스 시장과 택배 시장 모두 쿠팡과 경쟁할 수 있는 아주 극소수의 플레이어로 재편될 것이고, 이에 따라 자연스레 '배송 속도 경쟁'도 일단락되어 갈 것이다. 그렇다면 이제 이들 시장에서 더 이상 기회는 없는 것일까? 아니다. 다만 이제 외형 규모로 경쟁하는 것이 어려울 뿐, 시장이 커지면서 새로운 기회가 열릴 것이다. 그리고 여기에서는 속도가 아닌 다른 요소가 경쟁의 핵심 키워드로 떠오를 것이다.

4) 이제 속도가 아닌 다른 영역에서 차별화를 만들어야

앞서 여러 번 강조했듯이 쿠팡의 성공 요인은 결국 '속도'였다. 직접 배송을 하는 파격을 통해 기존에 가장 효율적인 방식이라 여겨졌던 허브 앤 스포크 방식에선 줄 수 없던 편의성을 고객에게 제공하는 데 성공한 것이다. 초기에 입소문을 일으킨 건 당시 쿠팡맨의 친절이었지만, 본질은 '오늘 주문하면 무조건 내일 온다'에서 오는 편의성이었다. 이것이 시장의 기준이 된 지금, 쿠팡은 자신들의 방식으로 경쟁하길 강요하고 있다. 다만 똑같은 익일배송, 속도로 접근하면 결국 이기긴 어렵다. 그래서 속도 말고 다른 영역에서의 차별화를 꾀해야 한다. 그래야만 지속적인 경쟁이 가능하기 때문이다.

(1) 파도상자: 빠름을 재정의하다

쿠팡이 보여준 물류 혁신은 상품 입고 이후의 프로세스에서 일어났다. 이후, 새로운 기회 요소를 발견한 것이 상품화 과정에서의 혁신이다. 육류의 도축 이후 과정을 단축하여 한때 화제를 모은 정육각이나, 지

[그림 5] 정육각의 초신선 브랜딩은 초기에는 화제를 모았지만, 경쟁사가 쉽게 따라 할 수 있어서 차별성이 오래가지는 못했다. (이미지 출처: 각 사)

금도 계속 등장하고 있는 산지 직송 서비스들이 여기에 해당된다.

　　하지만 산지 직송 만으로는, 생산자들을 락인(lock-in) 시키는 것도, 지속적인 차별화를 만들어 내는 것도 어렵다. 기본적으로 산지 직송이란 무대 역시, 자본력이 우월한 이들에게 유리한 곳이기 때문이다. 산지 직송은 결국 생산지에 물류 거점을 만드는 데서 출발한다. 여기서 상품을 집하하여 모아 바로 상품화한 후 판매하여 유통 과정을 줄이는 것이다. 이는 결국 이러한 기반 시설에 투자를 많이 할수록 유리해지고, 실제로 쿠팡 역시 산지 직송 서비스를 확대 중에 있다.

　　정육각이 내세운 초신선 캐치프레이즈 역시 마찬가지이다. 도축후 4일 내 판매를 할 수 있었던 건 중간 과정을 단축할 수 있었던 시설 투자 덕분이었고, 이는 경쟁자들이 쉽게 따라 할 수 있었다. 일례로 롯데마트는 이와 유사한 '3일 돼지' 서비스를 곧바로 선보였다. 이처럼 지속적인 경쟁을 억제하고, 신규 경쟁자의 진입을 가로막는 '경제의 해자'를 만들지 못한 차별성은 오래갈 수 없다.

　　그래서 역으로 단지 유통 과정뿐 아니라, 여러 이해 관계자들의 이익을 일치시켜 강하게 생산자들을 락인시키고, 이러한 지점이 동시에

125

[그림 6] 파도상자의 서비스는 배송 속도 자체는 느리지만, 신선도와 가격 측면에서 확실히 차별화된 가치를 고객에게 제공하고 있다. (이미지 출처: 공유어장)

최종 소비자들에게도 강하게 어필할 수 있는 구조를 만들어야 한다. 이를 잘 보여주는 대표적인 사례가 파도상자라고 할 수 있다. 파도상자는 고객이 주문을 한 이후 이에 따라 어민들이 조업을 시작하는 구조로 운영된다. 그래서 당연히 빠른 속도와는 거리가 멀다. 대신에 실제 조업을 하는 어민들에게는 강한 혜택을 준다. 어민 입장에서는 생산 비용을 미리 정산받을 수 있기 때문에, 기존처럼 자본을 지원하는 화주에게 가격 결정권이 종속될 수 있는 상황을 피할 수 있다. 그래서 파도상자를 통해 선판매한 물량은 기존 위판장 판매 대비 더 좋은 가격으로 판매가 가능하다.

물론 최종 소비자가 얻어가는 것이 없다면 서비스가 지속될 수 없었을 것이다. 그렇다면 고객은 무엇을 얻을 수 있을까. 일단 고객은 짧게는 2-3일, 길게는 2주 이상 기다려야 한다. 더욱이 물류 서비스 품질 역시 일률적이지 못하다. 어민마다 이용하는 택배사도 다르고 포장도 제각기 다르기 때문이다. 하지만 이는 동시에 잡힌 후 가장 빠르게 수산물을 받을 수 있는 방법이기도 하다. 주문 후 걸리는 시간만 따졌을 때는 느리지만, 고기가 잡힌 후 우리의 식탁에 오르는 리드타임은 그 어느 경쟁 플랫

폼보다 빠르다. 여행지에서나 즐길 수 있던 신선함을 집에서 누릴 수 있
게 된 것이다. 여기에 중간 유통 경로가 생략되어 가격 또한 저렴하다. 따
라서 아무리 느리더라도 충분한 가치를 제공하는 서비스라 할 수 있다.
이 덕분에 구색도 한정된 서비스임에도 불구하고, 혁신의숲에서 제공하
는 데이터 기준으로 최근 1년간 재구매율이 65.6%에 달할 정도로 높다.

다만 파도상자 서비스는 느린 배송 이외에도 약점이 많다. 예를
들어 어부가 조업에 실패하면 상품이 배송되지 않고 취소된다. 이와 같
이 표준화가 어려운 영역이기에 역으로 대형 플레이어들이 진입하기 어
렵기도 하다. 이를 놔두면 기존 서비스에 균열을 만들어 낼 수 있고, 그
렇다고 대규모 투자를 감행하기엔 수지타산에 맞지 않기 때문이다. 또
한 그 사이 파도상자는 어민들은 물론 고객과의 유대를 계속적으로 강

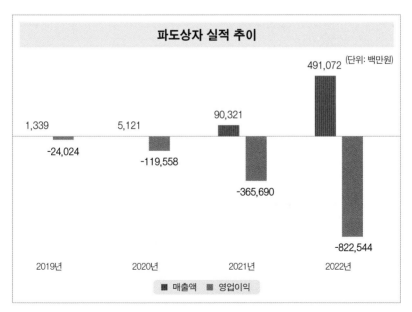

[그림 7] 아직 파도상자를 운영하는 공유어장의 손익은 매우 좋지 않지만, 매출액
자체는 빠르게 성장 중이고, 이에 따라 최소 규모를 확보만 한다면 차별화된 서비스
로 살아남을 가능성이 크다. (데이터 출처: 중소기업현황정보센터)

화하고 있다. 어촌에 친숙한 고객들과 공동 어장을 운영하거나 어업 파이낸싱 프로젝트를 통해 금융 서비스를 제공하기도 한다. 따라서 이후 파도상자에 의해 시장이 어느 정도 형성되고 들어올 여지가 생기더라도, 단지 물류로 넘어서 금융이 결합하여 생산자와 연계되어 있는 이상 이를 비집고 들어오긴 쉽지 않게 만들어 버린 것이다. 현재 많지 않은 상품 구색에도 불구하고, 파도상자는 소소하지만 확실하게 성장 중이다. 비록 지금 당장은 수익을 내는 구조를 만들지 못하고 있지만, 규모의 경제를 만들 수 있는 최소한의 허들만 넘는다면 확실한 강소 버티컬 플레이어로 자리 잡을 수 있을 걸로 기대한다.

(2) 하우저 : 니치한 영역에서 속도를 만들다

파도상자가 배송 속도가 주는 가치를 재정의하고, 금융 등 외부 영역을 붙여서 새로운 진입 장벽을 만들고 있다면, 아주 전통적인 방식을 살짝 비틀어 경쟁 우위를 만들고 있는 곳도 있다. 바로 하우저라는 업체이다. 물류 프로세스를 혁신하고 여기서 격차를 만들어 내는 방식은 매우 정석적이나 동시에 구현이 어렵기도 하다. 이미 규모의 경제를 실현한 쿠팡과 경쟁하기 어렵기 때문이다. 하지만 하우저는 심지어 쿠팡을 고객사로 두고 있다. 왜냐하면 전체 영역이 아닌 오직 가구에만 집중하여 물류 차별화를 만들어 냈기 때문이다.

하우저는 가구 전문 물류 서비스를 제공한다. 전국 각지에 14개에 달하는 직영 물류센터를 두고 있고, 그 규모만 23,000평에 달한다. 13만 개에 가까운 가구 품목을 취급하고 있으며, 보관, 운송은 물론 설치, A/S까지 제공하고 있다. 가구는 부피나 무게가 많이 나가는 건 물론이고, 형태 또한 너무 다양하여 취급하기 어려운 품목 중 하나이다. 특히 설치 기사 수는 제한되어 있고, 가구 수요는 가변적이라 성수기엔 몇 주

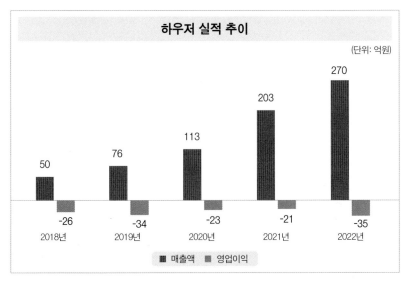

[그림 8] 하우저는 B2B 방식을 채택하여, 매출 성장과 함께 영업 손실도 관리 가능한 수준 내로 유지하고 있고, 시장 내 점유율이 높여간다면 앞으로 좋은 실적을 기대할 수 있을 것이다. (데이터 출처: 중소기업현황정보센터)

씩 기다려야 하는 경우도 허다하다. 더욱이 고객이 집에 있을 때 방문을 해야하기 때문에 스케줄 관리도 쉽지 않은 배송품이었다.

이렇듯 어려운 시장에 하우저가 과감히 도전장을 던졌다. 시스템을 구축하고 물류센터와 배송 인력을 모았다. 이렇게 전문성을 쌓자 고객들이 알아서 모였다. 현재 하우저는 쿠팡의 로켓설치를 비롯, 네이버, 이마트와 모두 협력하고 있다. 국내 이커머스 1등에서 3등까지 모든 플레이어들과 함께하고 있는 셈이다. 이는 오직 가구라는 버티컬 물류 영역 하나에만 집중한 덕분이었다.

여기서 특이한 점은 하우저는 물류 B2B에 집중하고 있다는 점이다. 가구 물류, 특히 중소 제조사들의 물류 대행은 규모의 경제를 만들기가 어렵다. 시장이 제한적이기 때문이다. 만약 B2C에 직접 나섰다면 더욱 이러한 최소 규모를 확보하기가 어려웠을 것이다. 하지만 하우저는

[그림 9] 쿠팡의 로켓설치 역시 하우저가 담당하고 있을 정도로, 하우저의 물류 역량은 시장에서 인정받고 있다. (이미지 출처: 쿠팡)

역으로 일종의 SaaS(Software as a Service) 형태로 접근한 덕택에 역으로 이러한 분기점을 돌파할 수 있었다.

이처럼 더 많은 고객에게 판매할 수 있게 되면서 고객사는 오히려 더 만족했을 것이다. 지금도 하우저의 고객과 취급 물량은 계속 확대 중이다. 단지 점유율뿐 아니라, 하우저는 지속적으로 IT인프라와 시스템에 투자하며 실질적인 경제의 해자를 만들기 위해 계속 노력 중이다. 그리고 이렇게 쌓은 진입장벽은 앞으로도 하우저의 큰 힘이 되어 줄 것이다.

5) 더 큰 시야로 바라보면 여전히 시장은 남아 있다

이처럼 새로운 시장을 창출해 나가며 여전히 성장 중인 물류 기업들이 존재한다. 그렇다면 앞으로 우리의 경쟁은 어떻게 달라져야 할까? 과거에는 쿠팡식 성공 모델을 꿈꾸며 풀필먼트 사업의 대형화를 추구하는 경우가 많았다. 하지만 이제는 '규모'만큼이나 '전문성'이, '가격 우위' 만큼이나 '서비스 우위'가 '비용 절감' 만큼이나 '매출 다각화'의 관점에서 접근을 해야 지속 가능한 비즈니스를 만들어 낼 수 있다.

(1) 작더라도 시장을 세분화하여 선점해야 한다

가장 중요한 건 1등을 할 수 있는 시장을 정의하고 선점해야 한다는 점이다. 물류의 경쟁력은 비용 효율화에서 나오고, 결국 이는 규모의 경제에 기반하여 움직인다. 따라서 시장 내 선두 플레이어가 되어야 살아남을 수 있다는 건 앞으로도 변치 않을 것이다.

다만 매스 시장에서 1위가 되는 건 기대하기 어려우므로 조금 작더라도 시장을 세분화하고 해당 영역에서의 전문성을 키워 이를 압도적으로 점유해야 한다. 앞서 언급한 하우저가 대표적인 사례라 할 수 있다. 그렇다면 이러한 시장은 어떤 기준으로 찾아야 하는 걸까? 우선 당연히 남은 시장은 표준화가 쉽지 않을 것이다. 규모도 또한 그리 크지 않을 것이다. 이중에서도 디지털 전환을 통해, 어느 정도 효율을 끌어올릴 수 있는 곳을 골라야 한다. 그 뒤에는 맞춤형 서비스를 통해 차별화에 나서야 한다. 이렇게 선점한 영역을 바탕으로 차츰 확장을 꾀해야 한다. 특히 B2B SaaS 시장을 벤치마킹할 필요가 있다. 여기서는 채용 시장 서비스가 나오더니, 다시 개발자 채용, 디자이너 채용 등 직군별로 분화되거나, 혹은 채용 프로세스 관리, 평판 관리, 면접 프로그램 등 기능별로 나뉘며 시장이 점차 커지고 있다. 물류, 그리고 배송에서도 이렇게 접근한다면 분명 기회가 있을 것이다.

(2) 통합적인 서비스 제공으로 이전 비용을 크게 만들어야 한다

또한 이렇게 시장을 선점하면 이후 확보한 고객과 셀러들이 경쟁사로 이탈하기 어렵게 만들어야 한다. 일반적으로 이러한 역할을 하는 것이 트래픽과 거래액이다. 왜냐하면 더 큰 매출 기회를 제공하는 동시에 무엇보다 가격 경쟁력을 확보할 수 있기 때문이다. 더 저렴한 가격으로 제안을 할 수 있는 것이다. 하지만 이제는 이를 제외한 영역에서 이들을 묶어 둘 요소를 찾아야 한다. 특히 가격을 대체할 수 있는 편의성 영역을 공략해야 하는데, 무엇이 되었든 조금 더 편리함을 줄 수 있다면 약간의 가격 열위는 충분히 극복 가능하기 때문이다.

이를 위해선 다양한 편의성을 줄 수 있도록 서비스가 고도화되어야 하고 특히 물류는 물론, 이외 영역에서도 통합적으로 이를 제공해야 한다. 앞으로 여러 기능들을 통합적으로 제공하는 애그리게이터(Aggregator) 사업자가 각광받을 가능성이 크다. 애그리게이터들은 다방면의 서비스를 통합적으로 제공하여 복잡성을 제거하고 효율을 올린다. 아마존의 FBA(Fulfillment By Amazon)나 쿠팡의 FLC(Fulfiillment by Coupang)도 결국 이러한 것을 기반으로 하고 있다고 할 수 있다. 이들은 입고, 출고, 배송, 반품 등 물류의 전 영역은 물론, CS와 같은 분야까지 통합적으로 다루면서 셀러들의 지지를 얻을 수 있었다. 당연히 여기에 익숙해지면 이탈하기 어려워진다. 궁극적으로 이들과 경쟁해야 하는 중소 물류 서비스 업체들도 어떻게 하면 통합적인 서비스를 제공할지에 대해 깊이 고민해야할 것이다.

(3) 수익화의 범위를 키우고, 다각화해야 한다

마지막으로 이전 비용을 크게 만들고, 통합적인 서비스를 제공하다 보면 얻게 되는 부가적인 이점이 있다. 바로 매출 창출의 기회 역시 많아지게 된다는 것이다. 앞서서는 가격 경쟁을 통해 더 많은 고객사를 모으고, 여기서 규모의 경제를 통해 비용을 낮춰 수익을 내고 이 과정에서 경쟁자를 물리치는 방식이 일반적이었다. 하지만 이제는 그보다는 물류 영역에서는 손해를 보거나, 이익이 미미하더라도 이와 결합된 서비스 매출을 통해 이를 보완하는 방식이 더욱 효과적일 것이다. 특히 1, 2위 사업자가 아닌 경우 더욱더 그러하다.

일단 물류 영역 내에서는 통합 프라이싱보다는 개별 기능 별로 추가 수익을 얻을 수 있는 접근법이 더 유리하다. 이를 통해 매출 자체를 늘릴 수 있을 뿐 아니라, 추후 경쟁에서도 추가적인 마진 여유분 및 유연성을 가질 수 있기 때문이다. 물론 여기에서는 당연히 개별 기능 별로 실제 고객이 체감할 수 있는 가치를 줄 수 있어야 한다.

또한 장기적으로는 물류 이외의 영역으로 수익화의 범위를 확장해야 한다. 앞서 언급한 파도상자의 경우 규모화의 한계가 있는 것을 스스로 인지하고 있다. 그로 인해 금융이나 정보 플랫폼 등의 페이즈2를 상정하고 미래 로드맵을 그리고 있다. 시작은 조업 전 상품을 선정산하는 물류 혁신이었지만, 이는 발판일 뿐 추후 성장은 다른 유관 서비스로 그리고 있는 셈이다. 앞으로 물류 기업들 역시 물류를 넘어서 새로운 매출 창출 기회를 늘 모색하여야 하고, 이를 통해 사업의 영속성을 확보해야 한다.

앞으로 더 다채로운 시장이 되기를

이제 우리는 어쩌면, 김범석 의장의 말처럼 쿠팡 없이는 살 수 없는 단계에 이미 돌입했을지 모른다. 하지만 아무리 쿠팡이 우리의 삶을 혁신했다 하더라고, 쿠팡만 있다면 사는 재미는 덜하지 않을까? 시장이 계속 발전하고, 역동적으로 변해야 사회 전체의 효용도 늘어나기 마련이다. 그래서 앞으로도 쿠팡 말고도 계속 새로운 패러다임을 제시하는 업체들이 계속 등장해야 한다.

하지만 제2의 쿠팡의 등장은 당분간은 어려울 것이다. 유동성이 풍부하고, 이커머스 시장이 고속 성장하며, 팬데믹이라는 이슈까지 있던 당시의 환경적 요인과 달리 지금과 같은 저성장 기조 아래에서는 큰 변화가 일어나기 쉽지 않기 때문이다. 반면에 여전히 오히려 작은 기업들에겐 기회가 될 수도 있다. 전체 파이가 커진 만큼, 고객들의 니즈는 분화되고 있기 때문이다.

    그래서 앞으로 이러한 시장 변화를 읽어내고, 차별화된 비즈니스 모델을 제시하는 서비스들이 더욱 많이 늘어나기를 바라본다. 그리고 이 글이 그러한 변화를 만드는데 조금이나마 기여할 수 있기를 동시에 기대한다.

참고 문헌

파도상자: 아마존의 SPC를 초월한 '어장 버티컬' 커머스 _커넥터스 2022.3.1 https://con-tents.premium.naver.com/connectx/us/contents/220301182818067kU

수산물 플랫폼 파도상자는 어떻게 어부를 입점시켰을까? _아웃스탠딩 2022.6.16 https://outstanding.kr/padobox20220616

이마트와 쿠팡은 왜 '하우저'를 선택했나 _커머스BN 2022.3.1 https://contents.premium. naver.com/byline/commercebn/contents/220331105741525Kz

중소유통산업 디지털 전환의
어려움과 해결 방안

홍요섭
한국전자정보통신산업진흥회 디지털유통센터 센터장, yshong@gokea.org

현재 KEA 디지털유통센터 센터장으로, 전자상거래 소프트웨어 및
유통분야 데이터 비즈니스 전문가로 활동 중이다.

1. 들어가면서

코로나19가 국내에 처음 발생한 이후 3년 4개월 만에 엔데믹 시대
로의 전환이 시작되었다. 다양한 산업에서 길다면 긴 이시기에 많은 어
려움이 있었음을 우리는 잘 알고 있다. 숨쉬기조차 어렵고 힘들었던 과
정을 가까스로 지나왔다고 생각하는 순간 세계적으로 고물가라는 큰 장
벽과 불경기라는 경제적 어려움이 또 다시 제2의 코로나19로 우리 곁으
로 왔다. 최근 발표된 소매유통업 경지전망지수를 보면 체감경기가 최
근 2분기 연속으로 10포인트 이상 하락하며 소비 둔화를 넘어 소비 냉각
에 대한 우려 증가하고 있음을 알 수 있다.

유통산업, 특히 중소유통산업은 이러한 사회의 어려움 속에서도
빠르게 변화하는 디지털 환경에 적응해야 한다는 명확한 메시지를 받아
왔다. 온라인 활용을 위한 디지털전환은 이제 선택이 아닌 필수가 되었
다. 최근 사회적으로 큰 이슈가 되었던 ChatGPT와 같은 대형 언어 모델

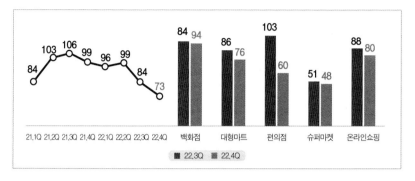

[그림 1] 업태별 소매유통업 경기전망지수(RBSI) (출처 : 대한상공회의소 2022년 4분기 소매유통업 경기전망지수 조사)

(Large Language Model)을 포함한 다양한 디지털 기술의 활용은 향후 중소 유통 산업의 경쟁력을 강화할 수 있는 핵심 요소로 부상하고 있다.

이렇게 빠르게 변화하고 진화하는 디지털 환경 변화에 대응하기 위해서 중소유통 산업이 취해야 할 전략적 접근 방식은 무엇일까? 그 해답을 찾기 위해 이 글에서는 중소유통산업의 디지털 전환과 관련된 핵심적인 요소와 전략에 대하여 방법을 고민해 보고자 한다.

2. 중소유통산업과 생태계

세계는 코로나19라는 전례 없는 팬데믹으로 큰 혼란을 겪었다. 이 혼란 속에서 특히 직접 고객과의 대면 활동이 핵심 업무인 산업은 극심한 타격을 입었다. 우리의 일상에서 가장 익숙하게 이용하는 골목상권에 위치한 중소 소매점은 이러한 영향을 직접적으로 체감하였다.

'중소유통산업'이라는 단어는 일반적으로 이러한 형태 즉 오프라인을 기반으로 하는 유통업이 위치하는 산업을 이야기하며 관련 유통업체들을 의미한다. 이들은 단순한 슈퍼마켓에서부터 시작하여 식자재 마

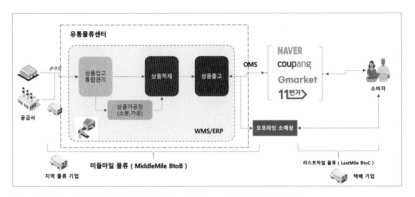

[그림 2] 중소유통물류센터 기반의 지역 중소유통산업 생태계

트와 같은 다양한 소매 사업체를 포함하고, 이들 소매 사업체에 상품을 공급하는 도매 사업체까지 넓은 범위의 업체들로 구성되어 있다. 이제는 점차 사라지고 있는 나들가게나 장보고마트, 세계로마트와 같은 식자재 마트들이 이 영역의 대표적인 형태라고 할 수 있다.

　유통과정은 그저 상품이 한 지점에서 다른 지점으로 이동하는 단순한 과정을 넘어서 훨씬 더 복잡한 연결체계를 가지고 있다. 소비자와 소매업체, 도매업체, 그리고 제조업체 사이의 '소비자-소매업-도매업-제조업' 연결은 물론이고 이와 병행하여 물류, 금융, 창고 관리와 같은 다양한 보조 산업이 중소유통 생태계 내에서 핵심적인 역할을 수행하고 있다. 이와 같은 복잡한 연결 체계 내에서 제품이 생산되는 첫 순간부터 최종적으로 소비자에게 전달되는 마지막 순간까지 굉장히 다양한 규모와 성격의 사업자들이 함께 공생하며 중소유통 생태계를 이루고 있다. 상품이동의 전 과정을 유통산업 생태계로 본다면 과정 단계별로 다양한 규모의 유통사업자와 비유통사업자가 함께 생태계를 이루고 있다.

　그렇다면 온라인 상의 활발한 활동을 바탕으로 빠르게 성장하고 있는 온라인 판매 전문 기업은 어떨까? 이들 중 규모가 작은 기업 역시 중소유통업의 한 부류로 볼 수 있겠지만, 이 글에서는 전통적인 오프라인 환경에 초점을 맞추어서 논의하고자 한다.

3. 유통산업에서의 디지털 전환

디지털 전환(DX : Digital Transformation)은 현대의 모든 산업 분야에서 뜨거운 이슈로 떠오르고 있으며 정말 어려운 과정으로 여겨지고 있다. 특히 자금과 전문 인력 확보가 어려운 중소유통산업에서 이러한 활동은 더욱 힘겹게 느껴진다. 그렇다면 중소유통산업의 디지털 전환은 어떤 부분에서 이루어지며, 왜 이러한 전환을 겪는 것이 어려운 것일까?

의외로 디지털 전환의 정의는 단순 명료하다. '디지털 기술과 플랫폼의 도입 및 활용으로 사업 모델, 운영 방식, 고객 관계를 혁신하는 것'이다. 이를 유통산업에 맞추어 구체적으로 생각해 본다면 주요 내용과 사례는 같다.

① 온라인 플랫폼 활용: 온·오프라인의 경계를 허물며 상품 판매를 확장한다.
"SSG닷컴은 온라인과 오프라인 매장 간의 통합된 쇼핑 경험을 제공하여 고객의 편의를 높였다."

② 데이터의 분석을 통한 개인화 서비스 활용: 고객의 구매 패턴을 분석하고 맞춤 상품을 추천하여 매출을 증대한다.
"GS리테일은 빅데이터를 활용하여 고객의 구매 선호도를 분석하고, 이를 기반으로 상품 진열과 프로모션 전략을 개발하였다."

③ 물류 및 재고 효율화: AI, 로봇, IoT, 데이터, 클라우드 기술을

도입하여 운영의 효율을 극대화한다.

"롯데로지스틱스는 AI와 로봇을 활용하여 물류센터의 작업 효율을 크게 향상시켰다."

④ **디지털 결제: 간편 결제 및 비대면 결제를 도입하여 고객의 편의를 제고하고, 매출을 증대한다.**

"네이버는 삼성페이와의 제휴를 통하여 오프라인 매장의 네이버 매출 비중을 높였다."

⑤ **고객 경험 개선: 메타버스 환경 등을 통해 새로운 쇼핑 경험을 제공한다.**

"SK텔레콤은 AR 기술을 활용하여 가상 fitting room 서비스를 제공, 고객의 쇼핑 경험을 혁신하였다."

⑥ **ESG 유통: 환경, 사회, 지배구조 중심의 지속 가능한 유통 전략을 구축하여 기업의 사회적 책임을 실현한다.**

"쿠팡은 물류 단계 단축을 통해 탄소배출을 줄이고 지역 일자리 창출에 기여하였다"

변화에 민감한 유통산업에서 디지털 전환은 더 이상 선택이 아닌 필수로 자리잡았다. 성공한 기업은 시장에서 살아남을 것이며, 그렇지 않은 기업은 시장에서 밀려날 위험이 있다. 이커머스 시장의 폭발적 성장은 디지털 전환의 중요성을 더욱 강조한다. 이러한 성장의 배경에는 스마트폰의 대중화와 더불어 새벽배송 물류 전략의 확산이 큰 영향을 미쳤다. 이로 인해 소비자들이 생필품을 구입하기 위해 근처 수퍼를 방문하거나 대형 마트를 찾는 행태가 감소하고 있는 추세다.

변화의 중심에는 태생부터 디지털 기업인 쿠팡이 존재한다. 최근 쿠팡의 감사보고서에 따르면, 작년 매출이 약 26조 3,560억 원으로 2021년

대비 26.2% 증가한 것을 확인할 수 있다. 이를 통해 쿠팡이 전통 유통 업계의 강자인 이마트, 롯데쇼핑과 함께 국내 유통 시장의 주요 플레이어로 자리매김하고 있다는 것을 알 수 있다. 기존 유통기업과는 다른 접근법으로 시장을 공략한 쿠팡의 모델을 모방하기는 쉽지 않다. 이를 참고하여 기존 산업의 방식을 변화해야 하는 것이 디지털 전환이라 볼 수 있지만 최근에는 금융 환경과 불경기 및 고물가 시대의 압박으로 인하여 쿠팡과 같은 과감한 투자 전략은 다른 기업들에게 큰 부담으로 다가오고 있다.

그럼에도 불구하고, 'CJ올리브영'과 같은 기업은 자신만의 디지털 전환 전략으로 성공을 거두고 있다. '오늘드림'이나 '인포탭 플러스' 같은 서비스를 통해 온라인과 오프라인을 연결하여 고객의 쇼핑 경험을 향상시키며 성장을 이루어 냈다.

최근 성장하는 유통 기업 중 최상위를 달리는 쿠팡, 네이버, 컬리는 기업의 태생부터 디지털 DNA를 갖춘 기업이다. 이 디지털 DNA는 과거의 유통산업의 방식을 그대로 답습하지 않고 다른 형태의 그들만의 전략을 만들어 나간다는 특징을 보인다. 해외도 마찬가지로 아마존, 쇼피파이, 쉬인과 같은 대표 기업은 이 특징을 확실히 보여주고 있다.

결국 디지털 전환의 핵심은 시장의 변화에 빠르게 대응하며 지속

141

[그림 3] 오늘드림 서비스는 2020년 출시 당시 주문액 50% 이상 증가(출처: CJ올리브영)

가능한 경쟁력을 확보하는 것이다. 그렇다면 이런 디지털 DNA를 보유하고 있지 못한 전통적인 중소유통산업은 이러한 변화의 중심에서 어떻게 대처해 나가야 하는 것일까?

4. 유통산업에서 요구하는 디지털 전환

디지털 전환은 현대 사회의 빠른 변화의 큰 원동력으로 작용하고 있다. 특히 유통산업에 있어서의 디지털 전환은 시장의 주요 흐름을 형성하고 있다. 이를 단순한 기술의 도입이나 전산화의 문제로만 규정한다면 그 본질을 오해하는 것이다.

전통적인 유통산업은 수 세기 동안 그 핵심 구조를 유지해왔다. 상품의 판매와 부동산을 이용한 상권 창출, 이 두 가지 모델이 그 기초에 있었다. 그러나 디지털 유통기업들은 그러한 전통을 도전하며 새로운 가치 창출의 방법을 모색하고 있다. 아래의 표는 전통과 현대, 그리고 그 사이에서 일어나는 변화의 근본을 알려 준다.

〈표 1〉 오프라인 유통기업과 온라인 유통기업의 주요 차이점

구분	전통적 유통기업	디지털 유통기업
주요 비즈니스 모델	상품 거래차액, 부동산 이용료 및 거래차액	광고 판매, 상품 거래차액, 다양한 수수료, 부가서비스 판매
고객유입전략	상품과 가격의 경쟁력, 좋은 상권 확보	양질의 콘텐츠 확보, 다양한 유입채널 확보
핵심전략	경쟁력 있는 상품의 확보	온라인 트래픽 확보 및 관리
성장한계	물리적 공간의 한계와 제약	물류 처리의 복잡성 및 규모의 한계
주요대상고객	매장 위치 기반	결제 및 배송 가능 거리 기반

〈표 1〉을 통해 보면, 전통적 유통기업들이 디지털 패러다임 내에서 겪는 어려움의 근원이 무엇인지를 명확하게 파악할 수 있다. 더불어 현대의 디지털 시대에 맞는 새로운 비즈니스 모델의 중요성을 깨닫게 된다.

과거 백화점이 등장했을 때 전통시장은 그 독특한 비즈니스 모델로 인해 충격을 받았다. 당시 전통시장이 가지고 있던 상품에 대한 장점과 고급화된 공간의 갖는 장점을 가지고 입점 수수료 혹은 판매 수수료를 받는 것이 새로운 비즈니스 모델이 되었다. 온라인 유통시장의 성장은 상품의 노출을 담보하는 광고의 판매와 각종 부가 서비스 수수료 라는 명목의 새로운 수익 모델로 등장, 또 한 번 백화점이 등장했을 때처

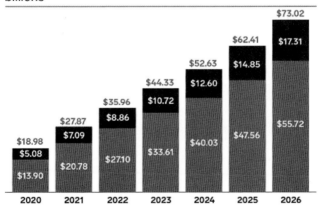

[그림 4] 미국의전자상거래 채널광고 수익(출처: 이마케터)

럼 새롭게 등장했다고 볼 수 있다. 즉 온라인 유통 시장은 광고와 부가 서비스의 수익 모델로 전통 유통시장의 패러다임을 바꾸고 있다.

결국 오프라인 기반의 유통기업들은 단순한 디지털화 이상의 변화를 갖춰야 한다. 그것은 비즈니스 모델 자체의 혁신, 그리고 오프라인에서의 강점을 살린 차별화된 디지털 전략의 구축이 필요하다. 앞서 설명한 CJ올리브영을 보면 단순한 디지털화가 아니라, 오프라인의 강점과 디지털의 혁신을 결합하여 새로운 경쟁력을 창출하였다. 애플은 오프라인 매장인 애플스토어에서 AR 기술을 활용하여 소비자에게 제품을 체험할 수 있는 기회를 제공하며, 이는 고객의 구매 결정을 유도한다.

결론적으로 유통산업에서의 디지털 전환은 그 깊이와 폭에서 비롯되는 전략적인 시각이 필요하다. 그리고 변화에 따른 새로운 비즈니스 모델과 전략의 도입이 필요하다는 것을 명심해야 한다. 디지털 전환은 단순히 기술의 도입이 아니라, 기업 문화, 조직 구조, 그리고 비즈니스 모델 전반에 걸친 혁신을 필요로 한다. 이는 기업이 지속적으로 성장하고 시장에서 경쟁력을 유지하기 위해 불가피한 과정이다.

5. 중소유통산업 디지털 전환의 현황과 어려움

2010년대 중반, 약세를 보이던 오프라인 유통시장의 침체가 2014년부터 온라인 시장의 폭발적인 성장과 함께 그 강도를 더해갔다는 사실은 주목할 만하다.

통계청의 데이터 분석에 따르면, 2020년 코로나19의 영향은 온라인 유통시장의 성장을 촉진시켰다. 이 시기 온라인 유통시장은 무려 18.4%의 성장을 보였으나, 반면 오프라인 유통시장은 10.6%의 감소를

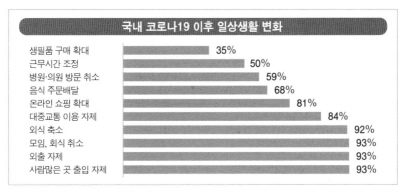

주: 전국 만 18세 이상 남여 1,000명 조사 결과
자료: 한국리서치, 코로나19 인식조사(2020.5.6.)
출처: KB금융지주 경영연구소 / 포스트 코로나 시대, 자영업 시장의 변화

출처: 산업통상자원부

[그림 5] 코로나19 이후의 일상과 유통산업의 변화(위쪽), 주요 유통채널별 매출 변화(아래쪽)

기록했다. 그리고 이듬해인 2021년 코로나19의 영향은 조금이나마 완화되었지만, 오프라인 유통시장은 여전히 온라인 유통시장의 발걸음을 따라잡지 못했다. 이러한 현상의 원인은 다양하지만, 주목할 만한 몇 가지 원인을 들어볼 수 있다.

1) 디지털화의 가속화

스마트폰 보급률 증가와 함께 인터넷 활동이 활발해진 것은 부인할 수 없는 사실이다. 이러한 디지털화는 온라인 시장의 급속한 성장을 도왔다. 더욱이, SNS와 같은 디지털 플랫폼의 발전은 소비자들에게 새로운 쇼핑 경험과 편리함을 제공, 온라인 쇼핑의 매력을 더욱 높였다.

2) 사회문화적 변화

비대면 문화의 성장과 함께 작은 가구의 증가 등으로 인해 온라인 쇼핑이 일상화되었다. 이러한 사회문화적 변화는 오프라인 유통시장과 온라인 유통시장의 격차를 더욱 확대시켰다.

3) 시장구조의 전환

전통적인 매장은 감소하는 반면에 편의점이나 다크스토어와 같은 현대적인 유통 점포의 증가는 시장의 변화를 반영한다. 이러한 시장구조의 전환은 전통적인 유통 모델의 한계와 현대적 유통 모델의 가능성을 보여준다.

과거에는 상권의 위치와 부동산 가치, 제품의 가격 경쟁력이 중요했다. 하지만 지금은 기업들이 거대한 온라인 시장과 경쟁하고 있고, 이전의 강점이었던 상권은 대형 기업의 체계적인 지원과 편의성에 초점을 맞춘 유통 네트워크에 내주었다.

이러한 상황에서 중소유통기업 앞에 불가피하게 디지털 전환이라는 과제가 놓여 있다. 하지만 이를 실행하는 것은 쉽지 않다. 디지털 전환은 단순히 기존의 시스템을 현대화하는 것만으로는 충분하지 않다. 기존 매장의 전산시스템을 교체하거나, 자동화를 도입한다 해도 감소하는 소비자층을 되찾는 것은 어려움이 있기 때문이다. 중소유통산업의 실체적인 구조와 기존의 방식, 그리고 여러 이해관계자 간의 복잡성으로 인해 디지털 전환은 쉽게 이루어질 수 없다.

유통 과정에서 다양한 참여 기업, 그리고 그들 간의 교류는 디지털화의 복잡성을 더해준다. 대기업은 규모와 영향력으로 이 과정을 원활하게 관리하거나 통합할 수 있지만, 중소기업에게는 그런 선택의 여지가 많지 않다. 더욱이 유통산업의 젊은 인재 유입 문제도 무시할 수 없다. 디지털 전환을 위해서는 현대 시장과 소비자의 요구를 정확히 이해하고 반영할 수 있는 인재가 필요하다. 그러나 현재 중소유통산업은 그런 인재 확보에 어려움을 겪고 있다.

대표적 온라인 유통 기업인 쿠팡은 기존의 유통 시스템을 전면적으로 디지털화하여 물류, 배송, 고객 서비스 등에서 혁신을 이루었다. 이를 통해 쿠팡은 시장에서 높은 경쟁력을 유지하고 있으며, 소비자에게 높은 만족도를 제공하고 있다. 그러나 중소유통기업에게는 쿠팡과 같은 대규모의 디지털 전환은 부담스러운 작업이다. 높은 비용과 기술적 어려움, 인력 부족 등 다양한 장애물이 디지털 전환을 어렵게 만든다.

결론적으로 중소유통산업의 디지털 전환은 시급하지만, 그 앞에는 많은 장애물이 있다. 그럼에도 불구하고 디지털 전환은 중소유통기업이 미래 시장에서 경쟁력을 유지하고 성장하기 위한 불가피한 선택이다. 따라서 중소유통기업이 디지털 전환의 중요성을 인식하고, 적극적인 전환 전략을 수립하여 시행할 필요가 있다.

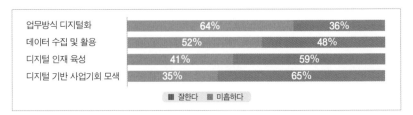

[그림 6] 디지털 전환 대응 부문별 평가(출처 : 대한상공회의소)

6. 지역을 기반으로 한 상생모델 필요

중소유통산업의 디지털 전환은 더 이상 선택의 문제가 아닌 시대의 요구에 따른 필연적 변화로 다가왔다. 이 변환이 의미하는 바는 단순히 기술적인 아카이빙이나 시스템 업그레이드를 넘어서, 근본적인 비즈니스 모델의 혁신과 전략적 재편을 포함한다. 더욱이 이러한 전환은 단일 기업의 노력만으로는 해결될 수 없는, 전체 유통 생태계의 유기적이고 협력적인 움직임을 요구한다.

여기에는 기술이 아닌, 사람과 그들의 행동 패턴, 즉 '소비자'가 있어야 한다는 인식이 필요하다. 기업들은 소비자의 변화하는 요구와 행동을 이해하고 이에 신속하게 대응할 수 있는 유연한 비즈니스 모델과 전략을 개발해야 한다. 이제 중소유통산업이 근본적인 디지털 전환을 추진하는 데 필요한 방향성과 전략을 제시하고자 한다.

1) 지역과 플랫폼을 연결하려는 시도 필요

과거 유통산업은 적절한 장소(상권)에서 좋은 상품을 싸게 사서 비싸게 팔아 이윤을 남기는 것을 목표로 하는 산업 이였으며 동일한 목적을 가진 기업 들과의 치열한 경쟁속에서 살아왔다. 하지만 산업간 경계가 모호해지는 소위 빅블러(big blur) 시대에 접어들며 그동안 유통산업의 가치 모델이 바뀌기 시작했다. 더이상 디지털 유통기업은 기업을 이끄는 핵심 KPI(핵심성과지표, Key Performance Indicator)에서부터 전통 유통기업의 그것을 따라가지 않는다. 상품을 판매하면서 발생되는 이익은 포기하더라도 소비자의 방문을 늘릴 수 있는 전략에는 더욱 많은 투자를 시작했다. 24시간 전국의 모든 국민을 대상으로 물리적 한계가 사라진 상황 속에서 내외부의 적극적 투자를 바탕으로 극한의 경쟁 시장으로 발전되었다.

그러다 보니 유통행위 자체는 어쩌면 고객을 확보하기 위한 주요 소비성 콘텐츠로서의 역할로 자리가 바뀌었다고 봐도 무방하다. 상품 판매의 수익성을 포기하더라도 상품을 노출할 때 발생되는 광고 수익, 거래가 발생될 때 생기는 수수료, 물류센터 이용료 등 다양한 서비스 요금을 통해 부족해진 상품판매의 수익성을 복구하고 설령 시장을 어느정도 확보하게 된다면 오히려 더 많은 수익을 가져갈 수도 있게 되었다.

그렇다면 중소유통산업으로 돌아와서 현재의 모습을 살펴보자. 전통적인 유통산업의 핵심가치로는 더이상 소비자들의 시선을 끌기가 어렵다. 가격은 이미 디지털 유통기업이 더욱 저렴하게 판매하고 있고, 편의성면에서도 더이상 접근성만으로는 강점을 찾기가 어렵다. 따라서 지역을 기반으로 한 외부 플랫폼과의 협업 연결 모델 개발 전략이 꼭 필요하다.

많은 지자체 담당자나 지역 소비자는 쿠팡이 그들 지역에 물류센터를 짓고 당일배송이나 새벽배송 생활권에 속하기를 원한다. 하지만 이를 잘 생각해보면 지역에 쿠팡의 물류센터가 유치된다고 해서 지역이 발전한다는 것을 의미하지는 않는다. 오히려 지역에 거대 소비재 물류센터의 진출은 제조사-도매업-소매업으로 오랜 시간 이어온 지역의 생

149

태계를 크게 흔들 수 있다. 단기적으로는 단순 일자리의 증가가 예상되지만 장기적으로 지역 내 유통산업 종사자의 일자리가 감소되어 결국은 지역의 경쟁력만 더욱 약화하는 결과가 야기된다.

　　최근 네이버, 카카오, 배달의민족 등 다양한 플랫폼 기업들은 쿠팡의 선례를 바탕으로 지역으로 비즈니스를 확대하려는 전략을 준비하고 있다. 이런 전략은 '로컬니즘' 혹은 '로컬노미'라는 용어로 불린다. 마치 올리브영이 그러했듯 온라인에서의 본인들의 장점을 십분 활용하고 지역에서는 소비자에게 가까운 공간을 활용하려는 옴니채널 형태의 비즈니스 모델을 만들어 가려고 하고 있다.

　　이 모습을 보면 온라인 플랫폼 기업은 조금 더 지역으로 가고자 하고 있고 지역의 기업은 조금이라도 온라인을 활용해 보려고 디지털 전환을 외치고 있다는 것을 알 수 있다. 즉, 이 중간점에 새로운 중소유통시장을 위한 콘텐츠가 존재한다고 봐야한다.

　　지역을 넘어 온라인에 존재하는 플랫폼 기업은 지역의 실제 물리적 공간(물류, 광고, 소비자접근, 특산품 등)의 필요성이 증가하고 있으며 범위가 일부 지역에 한정적인 것이 아니라 전국에 걸쳐 있다. 앞으로 쿠팡과 같이 대단위의 물리적 투자는 국내에 여러 요인으로 인하여(독과점, 투자 리스크, 시장규모 등) 다시 이어지기가 쉽지 않다. 따라서 쿠팡의 전략을 답습하며 성장해 나아가야 하는 기업들은 새로운 대안을 찾아야만 하는 상황에 놓여있다.

　　소비자의 입장에서는 가장 가까이에서 가장 편리하게 상품을 구매할 수 있는 공간의 역할은 유지되어야 한다. 중소유통산업은 소비자와 지속적으로 소통할 수 있는 상품과 새로운 콘텐츠를 만들어가야만 중소유통산업이 생존할 수 있다. 결국 소비자와 플랫폼 사이에 물리적으로 중간에 위치한 중소유통산업은 물리적 매장, 물류시설, 창고 등의 시설

[그림 7] 외부 플랫폼 및 민간 기업의 참여로 만들어진 산업부 풀필먼트 유통생태계

과 장비들을 바탕으로 잘 협업만 될 수 있다면 최적의 전략적 파트너 역할을 할 수 있다. 그리고 이미 배달의민족과 같은 배달플랫폼을 통해 지역의 중소 요식업체가 대단위 플랫폼을 이끌고 가는 사례 역시 시장에 좋은 사례로 존재한다.

네이버를 통해 집 앞 슈퍼마켓에서 상품을 구매하거나, 동네 마트에서 쌓은 마일리지로 쿠팡에서 쇼핑을 하고, 슈퍼마켓의 매장벽면 디지털 사이니지를 통해 광고를 노출하는 형태로든 상품과 상권에서 잃어가는 경쟁력을 새로운 비즈니스 콘텐츠로 상쇄해야 한다. 그 형태가 비즈니스의 연결선상에서 광고회사의 미디어로서의 역할이 될지 유통회사의 물류시설 역할일지 그것도 아니라면 고객소통의 창구 역할일지는 모르지만 결국 공간에서 제공할 수 있는, 플랫폼 기업에서 필요로 하는 협업의 역할을 찾을 필요가 있다. 독자적으로 새로운 콘텐츠를 규모의 경제가 되지 못하는 중소유통산업에서 만들어낸다는 것은 사실상 어렵기 때문에 이러한 형태의 협업 모델의 개발은 꼭 필요하다.

2) 구심점의 역할을 할 수 있는 연결 조직 필요

지역 경제의 성장과 발전은 다양한 경제 주체들 간의 원만한 연결이라는 기반 위에 성립한다. 이 연결의 핵심에는 앞서 설명한 중소유통을 위한 새로운 콘텐츠 모델이 위치하며, 이는 지역 내 다양한 경제 주체들과 외부 사업체와의 유기적인 협력 체계를 이끌어 내는 것을 의미한다. 이러한 전략적 협업 모델을 구성하려면 다양하고 복잡한 지역경제를 대표할 수 있는 몇 가지 핵심 조건을 만족시키는 조직이 필요하다.

첫째, 지역 생태계에 참여하는 기업들과 IT 서비스 플랫폼 기업들과의 효과적인 커뮤니케이션 능력은 무엇보다 중요하다. 둘째, 단순히 특정 단체나 기업을 대표하는 것이 아니라 생태계 전체의 이해관계자들과 상생하며 성장할 수 있는 능력이 요구된다. 셋째, 지속 가능한 사업 모델을 구축하며 동시에 수익을 창출할 수 있는 경영 능력이 필수적이다.

이상적으로는 이러한 조건들을 모두 갖춘 조직이 현실에서 존재하겠지만, 실제로는 그런 조직을 찾기 어렵다. 대기업과의 비즈니스 협상 능력, 지역 이해관계자와의 협업, 수익 창출까지 모두 가능한 조직은 드물기 때문이다. 지역 생태계의 중심 역할을 하는 다양한 단체들은 그들의 산업 분야에서 나온 운영진을 중심으로 조직되어 있으며 이로 인하여 산업분야를 넘어서는 외부 플랫폼 기업과의 협상 능력이나 다양한 비즈니스 스킬, IT 기술, 그리고 커뮤니케이션 능력 등이 부족한 경우가 많다.

예를 들어, 만약 정부에서 지원하고 있는 '중소유통공동도매물류센터'(물류센터는 유통발전법에 따라 정부의 지원을 받아 설립되었으며 전국에 약 37개가 운영 중이다)에서 위와 같은 조직의 역할을 할 수 있다면 지역 경제 발전을 위한 중요한 플랫폼으로 작용할 수 있을 것이다. 이러한 물류센터는 제조업, 도매업, 소매업, 그리고 소비자를 연결하는 지역 유통 생태계의 핵심 부분에 위치하며, 다양한 기업들과 협력하여 지역 경제에 기여할 수 있는 최적의 위치에 있기 때문이다.

그러나 많은 물류센터들은 현실에서 이러한 역할을 제대로 수행

[그림 8] 산업부 중소유통 풀필먼트 생태계 구심점인 KEA 허브 조직

하지 못하고 있다. 원인이야 다양하겠지만, 주요 원인으로는 경영진의 리더십 부족, 실무 근무자의 전문성 부족, 수익화 및 재투자가 어려운 협동조합 기반, 발전 롤모델의 부재, 인력 확보의 어려움, 인프라의 부족 등이라고 하겠다.

이러한 문제점에도 불구하고 물류센터와 같은 물리적 공간과 콘텐츠를 보유한 조직을 지역 경제의 중심으로 발전시키려는 전략은 상당히 유효한 전략이다. 이미 지역 내 다양한 소매업, 요식업, 도매업, 제조업 등이 상품을 통해 일정 부분 물류센터를 중심으로 영업활동을 하고 있다. 이런 상황에서 외부 플랫폼 기업과의 제휴, 물류 연결, 지역 주요 산업의 비즈니스 연결 공간 등의 서비스적 능력을 보완한다면 물류센터는 단순한 상품 공급망에서 다양한 서비스 제공 조직으로 확장하여 디지털 전환이 가능한 시설이 될 수 있다.

결론적으로 지역 경제의 발전과 성장을 위해서는 전략적 협업 모델의 구축과 지역 기반의 유통산업의 디지털 전환, 그리고 이를 지원하고 이끌 수 있는 물리적 콘텐츠를 보유한 젊은 조직의 등장이 필요하다는 것을 인지해야 한다. 이는 지역 경제의 미래를 위한 필수적이고 절실한 과제로, 다양한 이해관계자의 적극적인 참여와 협력이 요구된다.

153

3) 지속가능성을 열어주는 공공의 역할이 필요

중소유통산업의 동향을 접하고 이해하는 것은 어떤 정책 결정자에게나 중요한 일이다. 이 산업은 통계적으로 단순히 살펴보기만 해도 시장 규모의 축소를 보여주고 있는 사양산업으로 분류되기도 한다. 그러나 유통산업의 역사를 되돌아보면 이는 인류 문명의 출현과 함께 나타난, 남은 재화의 교환을 중심으로 한 중요한 산업임을 알 수 있다. 앞으로 어떤 형태로 변모할지는 확실하지 않으나, 중소유통시장은 지금의 모습에서 다른 모습으로 진화해 나갈 것이다.

현장에서의 경험으로는 물론 인력이나 자금의 문제가 우선되긴 하지만 성장과 진화를 위한 기반 인프라 및 관련 인프라 산업의 부재 역시 큰 아쉬움이다. 디지털 전환을 제대로 이루기 위해서는 다양한 활용 가능한 도구들이 필요하며, 이러한 도구는 유통산업의 원활한 운영을 돕는 핵심 역할을 한다.

예를 들어, 온라인 판매 기업의 폭발적인 증가와 쿠팡과 같은 디지털 유통 기업의 성장 배경에는 기업의 규모와 상품 범위에 따른 다양한 판매 기업을 위한 서비스(통합관리, 마케팅 툴, 제3자물류 등)가 지속적으로 출시되고 발전해 왔다는 기반이 있다. 이는 유통산업의 효율성과 확장성을 높이는데 기여하며, 이러한 도구와 서비스들은 주로 수도권에 위치한 IT 기술기업의 시장 참여를 통해 제공된다.

그러나 중소유통시장의 현실은 더욱 복잡하다. 이 시장에 포진한 기업은 전국적으로 분산되어 있으며, 상대적으로 영세해 기술 기업들의 주목을 받기 어렵다. 이로 인해 많은 중소유통기업은 결제시스템, 매장관리시스템 등 기본적인 도구조차 오래된 기술을 사용하고 있으며, 자동화 설비와 같은 최신 시설의 설치는 설계와 구축에 드는 비용 때문에

[그림 9] 2021년 디지털유통 상생발전 협약식으로 기관, 업계, 기관의 협력을 통해 대중소 상생을 약속(출처: 한국전자정보통신산업진흥회)

고려조차 하기 어렵다.

이러한 문제를 해결하고 유통산업의 인프라 시장의 성장을 촉진하기 위한 공공 서비스(중소유통기업용 서비스)의 역할이 필요하다. 공공 서비스는 산업이 성숙하기 전에 중요한 마중물 역할을 수행하며, 유통산업의 디지털 전환과 기술 혁신을 돕는 기능과 관련 인프라 기술 시장의 중소유통시장 참여를 이끌어 낼 수 있다.

현재 카카오는 소상공인연합회의 협약을 통해 중소유통기업에게 온라인 마케팅 툴을 제공하여 디지털 전환을 돕고 있다. 이 프로젝트는

산업통상자원부 공고 제2023-175호

2023년도 디지털유통물류기술개발 및 실증지원사업 신규 지원대상 연구개발과제 공고

2023년도 **디지털유통물류기술개발 및 실증지원사업 신규 지원대상 연구개발과제**를 다음과 같이 공고하오니 수행하고자 하는 자는 신청하여 주시기 바랍니다.

[그림 10] 중소유통시장의 기술 인프라를 확보하기 위한 R&D 정부 과제(출처: 산업통상자원부)

155

[그림 11] 소상공인연합회와 카카오의 업무협약, 2028년까지 300억규모의 지원계획 협약

중소 유통 기업들이 온라인 활용에 도움을 준다. 정부와 지방 정부는 이러한 공공 서비스와 사기업과의 프로젝트를 통해 중소유통산업의 디지털 전환을 지원하고, 유통산업의 성장과 지역 경제의 발전을 돕는 중요한 역할을 수행할 수 있다. 이는 유통산업의 미래를 위한 투자이며, 이를 통해 중소유통산업이 새로운 기회를 찾고 지속 가능한 성장을 이룰 수 있도록 돕는 기반을 마련할 수 있다.

7. 지방소멸의 시대, 그리고 중소유통의 미래

현재 우리나라의 중소유통시장은 국내 경제의 변화와 글로벌 유통 트렌드의 영향을 받아 어려움을 겪고 있다. 뉴스에서 보도되는 지방소멸의 암울한 풍경은 한 때 활기를 띤 중소 상점들이 대형 프랜차이즈와 온라인 쇼핑몰의 압도적 성장 앞에 숨죽이며 존재감을 잃어가는 현실을 반영한다. 그러나 중소유통시장이 이대로 사라질 것이라고는 생각하지 않는다. 오히려 지방의 소멸과 함께 사라져가는 지역의 아이덴티티와 문화를 중소유통이 바로잡을 수 있는 기회로 볼 수 있다.

중소유통은 그 지역만의 독특한 제품과 지역 문화를 반영하는 중요한 채널이다. 대형 유통망의 표준화된 제품과 서비스와는 달리, 중소유통은 지역의 아이덴티티와 연결되어 있으며, 그 지역의 사람들의 삶과 직접적으로 연결되어 있다. 이러한 특성은 중소유통의 가장 큰 강점이자, 앞으로의 방향성을 제시하는 단서이다.

중소유통의 이러한 특색과 장점을 더욱 부각시키기 위해 온라인 플랫폼 비즈니스와의 연계가 필요하다. 이를 통해 중소유통은 소비자와의 소통을 강화하고, 새로운 가치를 창출해 나갈 수 있다. 또한 지역 사회와의 연계도 중요하다. 지역의 중소상점은 지역 사회와 함께 성장해 왔으며, 이러한 상호의존성은 중소유통의 새로운 방향성을 제시할 수 있다.

지역 사회의 문제와 요구에 귀 기울이고, 함께 해결책을 모색하는 것은 중소유통이 지역 사회와 더욱 긴밀하게 연결되고, 지역 경제의 성장을 돕는 방향으로 나아갈 수 있는 기회를 제공한다. 이를 위해 지방 정부와 협력하여 지역의 중소유통기업들이 지역 사회의 문제를 해결하는 데 참여할 수 있는 프로젝트와 프로그램을 개발하고 지원할 필요가 있다.

결론적으로, 중소유통시장은 현재의 어려움을 극복하고 새로운 가치를 창출하는 방향으로 나아가려면 변화와 혁신의 정신이 필요하다. 중소유통은 지방소멸의 시대에도 그 지역의 아이덴티티와 문화를 지키며 새로운 미래를 그려 나갈 수 있다는 확신을 가지고, 지역 사회와 함께 성장하고 발전해 나가야 할 중요한 임무를 가지고 있다. 이러한 노력은 중소유통의 지속 가능한 성장을 위한 기반을 마련하고, 우리나라의 지방 경제와 지역 사회의 활력을 회복하는 데 기여할 것이다.

보고 듣는, 그 다음의
엔터테인먼트 라이프스타일

이승엽

HYBE(구. 빅히트 엔터테인먼트) 제휴사업팀 팀장, seungyublee@hybecorp.com

조선해양공학과에서 교육플랫폼 창업으로, 물류서비스 부릉의 PO
이자 PM으로, 엔터테인먼트 라이브스타일플랫폼인 하이브까지.
'Most Advanced, Yet Acceptable'의 스탠스로 산업 간 경계 없는 고
민과 그 뒤섞임을 즐깁니다.

159

1. 오징어 게임이라는 콘텐츠의 후속 현상

넷플릭스는 2021년 10월 13일(현지 시각) 공식 트위터를 통해 전 세계 오징어 게임 시청자가 1억 1,100만 명을 돌파하면서 창립 이래 최고의 기록을 세웠다고 전했다. 오징어 게임이 등장하기 전까지 넷플릭스 시청률 1위는 공개 한 달 만에 8,200만 명이 본 브리저튼이었다. 하지만 오징어 게임은 28일 만에 1억 명을 훌쩍 넘기는 추이를 보였다.

월스트리트저널(WSJ)에 따르면, 콘텐츠 방영 이후 넷플릭스는 미국 대형 유통업체 월마트를 통해 구축한 '넷플릭스 허브'에서 숫자가 적힌 반소매 티셔츠와 후드 등 10종 내외의 오징어 게임 굿즈 상품 판매를 시작했으며, 국내에서는 온라인 패션 스토어 무신사에서 극 중 참가자들이 입은 초록색 체육복을 한정 판매하는 등 시청자들에게 콘텐츠를 즐기는 또 다른 경험을 제공하였다.

오징어 게임 굿즈에 대한 열기는 넷플릭스가 공식 출시하기 이전

[그림 1] 중국 인터넷 쇼핑몰 등에서 팔리고 있는 오징어 게임 관련 굿즈
(출처 : 타오바오 캡쳐)

부터 이미 아마존, 이베이, 타오바오 등 글로벌 온라인 시장에서 불고 있었다. 극 중 게임 참가자들이 받은 양은 도시락, 오징어 게임 명함, 달고나 만들기 세트, 술래 인형, 게임 진행요원이 입은 복장, 티셔츠, 텀블러, 구슬, 마스크, 열쇠고리 등 수많은 짝퉁 품목이 불티나게 팔리고 있던 것이다. 상품 대부분은 중국 광저우와 선전, 안후이성에 위치한 기업에서 만든 중국산이었다. 홍콩 사우스차이나모닝포스트(SCMP)는 2021년 10월 "오징어 게임에 영감을 받은 상품들이 전 세계 인터넷 쇼핑몰에서 날개 돋친 듯 팔리고 있다"며 "이들 대다수가 중국에서 제조된 것들"이라고 보도했다.

보도에 따르면 알리바바에 입점한 항저우의 한 의료업체 직원인 안나 펑은 오징어 게임을 시청한 뒤 회사 측에 상품 제작을 건의했으며 불과 이틀 만에 상품이 만들어졌다고 매체에 말했다. 또 다른 중국 업체

는 오징어 게임 출시 첫 주 검은 가면 2,000여 개를 사흘 만에 팔아 치웠
으며, 몇 주 만에 30만 위안(약 5,533만 원) 이상의 매출을 올린 것으로 알
려졌다. 넷플릭스와 CJ ENM은 다수의 온라인 쇼핑몰을 대상으로 저작
권 침해 여부 관련 항의 메일을 보내는 조치와 함께 향후 불법 저작권
침해 소지가 있는 제품이 무단 유통될 경우, 해당 온라인 유통 업체에
상당한 책임을 묻겠다고 경고하였고, 이후 알리바바 그룹의 초대형 온
라인 유통 업체인 타오바오, 티몰 등 다수의 업체에서는 오징어 게임과
관련한 굿즈 판매 업체를 찾을 수 없는 상황이다.[1]

　이렇듯 IP를 무단으로 사용한 불법 굿즈 이슈가 새롭게 등장함과
동시에 K-콘텐츠의 글로벌 열풍이 단순히 콘텐츠 '관람'에서 그치지 않
고, 관련 상품들의 '구매'로까지 이어지고 있다는 것을 확인할 수 있다.

161

2. 엔터테인먼트 산업의 최근 성장세와 다른 산업에 미친 여파

　K-팝 시장 호황이 이어지면서 지난해 음반 수출액이 3,000억 원
에 육박해 사상 최고치를 경신한 것으로 나타났다. 16일 관세청 수출입
무역통계에 따르면 작년 음반 수출액은 2억3천311만3천달러(약 2,895억
원)으로 전년 대비 5.6% 증가했다. 우리나라의 음반 수출액은 2017년 처
음으로 4천만달러를 넘긴 이래 매년 성장을 거듭해 2020년과 2021년에
는 각각 1억달러와 2억달러를 돌파했다. 특히 2020년 이후 신종 코로나
바이러스 감염증(코로나19) 전 세계 대유행으로 글로벌 K-팝 공연이 멈
춰 서면서 오히려 음반 시장은 큰 호황을 맞았다. 지난해 우리나라 음반

1) 中에 선전포고한 넷플릭스…오징어게임 불법 굿즈 싹 없앴다, 머니투데이, 2021.10.26, https://
news.mt.co.kr/mtview.php?no=2021102621320971939

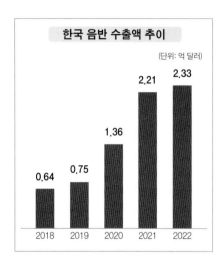

한국 음반 수출액 추이

(단위: 억 달러)

2018: 0.64
2019: 0.75
2020: 1.36
2021: 2.21
2022: 2.33

[그림 2] 한국 음반 - 최근 5년 간 음반 수출액 추이
(단위: 만달러, 자료: 관세청 수출입 무역통계)

을 가장 많이 수입해 간 국가는 일본으로 8천574만9천달러(약 1,065억 원)를 기록했다. 이어 중국 5천132만6천달러(약 637억 원), 미국 3천887만7천달러(약 483억 원) 등이 뒤따랐다.

2022년 상반기 K-팝 스타들은 '팝의 본고장' 미국에서 방탄소년단(BTS)의 팀 활동이 없었음에도 눈부신 성과를 거뒀다. 방탄소년단 지민은 솔로 앨범 타이틀곡 '라이크 크레이지'(Like Crazy)로 K-팝 솔로 가수 사상 처음으로 미국 빌보드 메인 싱글 차트 '핫 100'에서 진입과 동시에 1위라는 대기록을 썼다. 또 스트레이키즈와 투모로우바이투게더는 빌보드 메인 앨범 차트 '빌보드 200' 1위에 올랐다. 방탄소년단 지민·슈가, 세븐틴, 에이티즈, 트와이스는 2위를 기록했다.[2] K-팝은 단순히 히트 음원이나 공연에 기대한 화제성에서 그치지 않고, 다양한 연계 사업, 머천다이즈 사업 등을 통해 산업의 구조적 성장을 이루어 내고 있다. 그 밖에도 엔터테인먼트 산업의 흥행은 그 자체로 머물지 않고, 다른 산업에도 직간접적인 영향을 주고 있다.

이는 문화체육관광부와 한국국제문화교류진흥원이 공개한 '2023년 해외 한류 실태조사'에서도 K-콘텐츠가 한국산 소비재 수출의 긍정

2) K팝이 이 같은 성적을 내면서 미국 음악시장 분석업체 루미네이트는 올해 중간 보고서에서 한국어가 미국에서 영어와 스페인어에 이어 세 번째로 많이 스트리밍 된(상위 1만 곡 기준) 언어라고 발표하기도 했다

적인 영향을 주고 있음이 잘 드러난다. 실태조사에 따르면 한국 문화 콘
텐츠를 경험해 본 외국인 10명 중 6명 가량이 식품, 화장품, 가전 같은 한
국산 제품과 서비스 구매에 영향을 미친다고 답했고, 10명 중 4명 가까
이는 잘 모르는 브랜드라도 한국산이면 구매하겠다고 응답했다.

　　그렇다 보니 자연스럽게 여러 기관과 기업의 사업 방향성에도 영
향을 주고 있다. aT(한국농수산식품유통공사)가 일본 온라인 몰인 큐텐 재
팬(Qoo10 Japan)에 해외직구 전용 한국식품관을 개설해 한류 열풍을 이어
가고자 하는 방침을 세운 것이다. 이베이 재팬은 일본 이커머스 시장 한
국식품 거래액 1위 플랫폼인 큐텐 재팬을 운영하는 글로벌 이커머스 그
룹으로 aT는 2022년 9월 이베이 재팬고 K-푸드 수출 활성화를 위한 업
무협약(MOU)를 체결했다. 최근 일본에서는 한국드라마, K-팝, K-패션
등이 현지 MZ세대를 중심으로 인기를 얻고 얻으며 '도한 놀이'라 불리

163

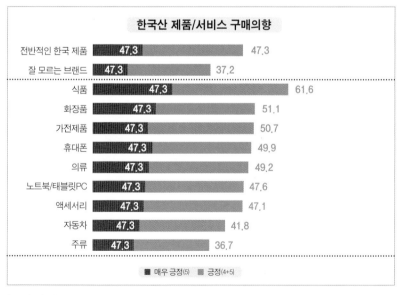

[그림 3] 한국산 제품 및 서비스 구매 의향
(출처: 문화체육관광부, 한국국제문화교류진흥원, '2023년 해외 한류 실태조사')

는 한국 여행 놀이가 유행하고 있다. 4차 한류 붐이 일며 한국인이 즐기는 식품, 패션, 뷰티 제품을 온라인으로 찾아 해외 직구로 구매하는 일본 소비자가 점차 늘어나고 있는 것이다. 이러한 일본 내 K-푸드 수요를 반영, 다양한 한국 식품을 한눈에 보고 구매할 수 있는 한국 식품관을 개설한 것이다. 농림축산식품부와 aT에서는 국내 식품기업 45개의 130개 제품이 입점하며 2023년 연말까지 70개 기업 500여개 제품으로 확대될 계획이라고 밝혔다.[3]

한국산 제품 붐은 편의점 업계에도 영향을 미쳤다. 국내 편의점 3사는 CU 450호점, GS25 415점, 이마트24 40여개점 등 해외에서 900여개 점포를 운영하고 있다. 국내 편의점 3사가 해외에 적극적으로 진출할 수 있었던 것은 역시 최근의 한류열풍 덕분이다. 한국 드라마가 몽골, 베트남, 말레이시아 등지에서 인기를 끌며 한국 편의점에 대한 인지도도 덩달아 높아진 것이다. 코로나19로 인한 영향도 무시할 수 없었다. 여행을 가지 못하는 대신 한국 편의점에서 K-푸드를 간접 경험하려는 이들이 늘어나면서 현지의 한국 체험 '핫플레이스'가 된 것이다. 편의점 업계 관계자는 "현지 입맛에 맞춘 제품들과 함께 떡볶이, 닭강정, 한국 커피 음료 등 간식이 폭발적인 인기를 끌고 있다"며 "K-드라마로 접한 한국 음식에 대한 궁금증이 커지면서 관련 매출도 늘고 있다"고 밝혔다.[4]

물류산업에 미치는 영향도 적지 않다. CJ대한통운은 한국해양진흥공사와 공동으로 국가 물류 공급망 강화를 위해 2023년 6월부터 미국에 최대 6,000억 원을 투자해 대규모 첨단 물류센터를 구축하는 '북

3) aT, 일본 해외직구시장 한류 열풍 주도, 콜드체인뉴스, 2023.08.09, https://www.coldchainnews.kr/mobile/article.html?no=25456
4) CU·GS25·이마트24, 한류 타고 글로벌로 훨~훨~, 한국금융, 2023.07.03, https://fntimes.com/html/view.php?ud=202307022221164966dd55077bc2_18

미 프로젝트' 추진을 계획 중이다. 이 사업은 CJ대한통운이 시카고와 뉴욕에 보유한 총 36만㎡ 규모의 3개 부지를 제공하고, 한국해양진흥공사가 건설에 필요한 자금을 지원하는 방식으로 진행한다. 물류센터 부지면적을 모두 더하면 국제 규격 축구장 50개에 달하는 넓이다. 두 회사는 2023년 3분기 내에 투자확약서를 체결하고 2024년 1분기부터 공사를 시작해 2026년 상반기부터 2027년까지 차례대로 완공할 예정이다.[5]

　　소비재 업계도 한류로 인한 파급효과를 보고 있다. 한국무역협회 뉴델리지부는 인도 유력 매체 '더이코노믹타임스'의 보도를 인용해 "K-드라마, K-팝에 따른 한류 열풍으로 자동차, 휴대전화, 가전제품 등 한국 소비재에 대한 경제적 파급효과가 커지고 있다"고 전했다. 이에 따라 일정 점유율을 유지하고 있는 한국 자동차와 달리 일본 자동차 브랜드의 점유율은 2020년 1분기 60%에서 2023년 2분기에는 48%까지 감소했다. 인도에 강한 한류 열풍이 불면서 가전제품 부분의 강세는 더욱 확고해지는 모습이다. 인도의 시장조사업계 GFK에 따르면 LG전자의 2023년 1~5월 누적 점유율은 세탁기 35.6%, 세탁기 31%, 전자레인지 42.5%이며, 삼성전자의 점유율을 모두 합치면 인도 가전제품 시장의 55~60%를 장악하고 있다고 한다. 글로벌 시장조사기관 카운터포인터의 결과도 이와 다르지 않다. 2023년 4~6월 삼성전자 스마트폰의 인도 내 점유율은 18.6%로 샤오미(19.2%)에 이어 2위이나, 5세대 이동통신(5G) 스마트폰과 프리미엄 스마트폰 부문에서는 1위이다.[6]

165

---

5) CJ대한통운, 미국에 'K-물류' 거점 짓는다, 뉴시스, 2023.6.28,
6) 인도, 한류 열풍 K-내구소비재로 확산, 한국무역협회, 종합무역뉴스, https://www.kita.net/cmmrcInfo/cmmrcNews/cmmrcNews/cmmrcNewsDetail.do?pageIndex=1&nIndex=70006&s-Siteid=2

3. 상품 및 물류 특성과 판매 채널

1) 엔터테인먼트는 어떤 상품을 팔까?

앞서 산업 규모를 설명하는 과정에서 언급된 것처럼, 엔터테인먼트 산업에서 수출 품목으로 취급되고 있는 상품은 음반 외에도 다양하다. SM엔터테인먼트의 SMTOWN & STORE〈그림 4〉 상품 카테고리에도 확인할 수 있듯이 앨범 및 콘서트와 관련된 음반, DVD와 관련된 영상 및 출판물 외에 의류, 팬시, 캐릭터 상품과 같은 일반적인 굿즈(Goods)의 영역에 속하는 상품이 있다. 더 나아가 서적, 쥬얼리, 생활용품, 화장품, 전자기기 등 다양한 카테고리의 상품이 출시되고 있다.

또 다른 특징으로는 S/S, F/W로 구분되는 일반적인 패션 상품의 주기와 다르게 엔터테인먼트 산업의 상품들은 앨범 판매, 글로벌 투어 등의 스케줄에 영향을 받는다. 앨범 발매나 공연 투어 간 새로운 콘셉트와 관련된 그래픽 에셋(Asset)이 나옴에 따라 앨범과 투어 DVD와 같은 영상 및 출판물 이외에도 이를 기념하는 의류와 팬시 상품 등이 연달아 출시된다. 또한 활발하게 활동하는 아티스트의 경우 이러한 상품들이 일

[그림 4] SMTOWN & STORE로 볼 수 있는 엔터테인먼트 상품 카테고리의 다양성

반적인 패션 상품 브랜드보다 자주 출시되는 경향이 있다.

전설적인 아티스트인 너바나(Nirvana), 롤링스톤스(the Rolling Stones)와 같은 록밴드의 아주 오래된 앨범 그래픽이 프린팅된 의류 또는 소품이 아직까지 사랑받고 있듯이, 아이코닉한 아티스트와 그들과 관련된 상품들은 일반적인 제품수명주기(PLC, Product Life Cycle)를 따르지 않는다.

유명 글로벌 SPA 브랜드인 Topshop, H&M, Forever21 등에서는 AC/DC, 메탈리카(Metallica), 롤링스톤스, 본 조비(Bon Jovi) 앨범 등이 프린팅 된 티셔츠를 만나볼 수 있다. 10대 청소년이 이러한 티셔츠를 패션을 표현하기 위해 구입한다면, 이들을 아티스트로 여기는 30대 이상은 좋아하는 축구팀 유니폼을 입듯 자신의 정체성을 표현하는 것으로 티셔츠를 구입한다 볼 수 있는 가능성이 높다. Topshop의 디자인 책임자인 Mo Riach는 AC/DC가 베스트셀러이며, 밴드 티셔츠는 해당 아티스트를 모르는 10대들에게도 "멋지고 여유로우며 자연스러운 룩의 전형"이라고 설명한다.[7]

이는 MTV와 전설적인 영국 록 밴드 롤링스톤스와의 콜라보레이션 의류 컬렉션에서도 볼 수 있다. "I want My MTV"는 MTV 음악 경영진이 롤링스톤스의 멤버 믹 재거(Mick Jagger)를 브랜드 출시에 포함하도록 설득한 해인 1981년으로 거슬러 올라가는 상징적인 슬로건이다. 'It's only Rock 'n' Roll(But I Like It)'의 가사는 롤링스톤스를 상징하는 다양한 티셔츠에 사용되는 등 밴드의 60년 역사 속 중요한 곡과 순간은 여전히 상품성을 가지고 활용되고 있다.[8]

167

---

7) Not heard Nirvana? Nevermind … How fashion co-opted the band T-shirt, The Guardian, 2017.7.26., https://www.theguardian.com/fashion/2017/jul/26/nirvana-nevermind-fashion-co-opted-band-t-shirt

8) The Rolling Stones and MTV Unite for New Capsule Collection, HYPEBEAST, 2023.1.27., https://hypebeast.com/2023/1/mtv-rolling-stones-garment-collaboration2

≡ **HYPEBEAST**   SHOP 🔍

The Rolling Stones and MTV Unite for New Capsule Collection

Featuring a selection of T-shirts, hoodies, and tote bags.

[그림 5] 롤링스톤스와 MTV 콜라보레이션 티셔츠 (출처: Hypebeast)

2) 엔터테인먼트의 물류는 어떤 특성을 가지고 있을까?

위에 설명한 두 가지 사례를 통해 엔터테인먼트 산업의 물류적 특성을 알 수 있다. 가장 먼저 '앨범'이다. 앨범은 싱글, 미니, 정규앨범과 같이 형태는 다양하나 아티스트의 새로운 곡과 콘셉트를 즐길 수 있다는 점에서 고객들이 가장 기대하고 기다리는 상품이라 할 수 있다. 음원은 대부분 온라인 스트리밍 서비스를 통해 즐기지만, 화보에 가까운 사진과 특전 등 최근 실물 앨범이 갖는 의미는 다양하다. 그렇기에 앨범은 발매일에 맞추어 전 세계 주요 지역의 온오프라인 상점에 배치되어 있어야 한다. 앨범의 초동 판매량이 주목받고 판매량 추이가 또 하나의 주요 지표인 상황이므로 더욱 물류적 '동시성'이 강조될 수밖에 없다.

　물류의 효율성을 높이기 위해 충분한 사전 기간을 두고 제작하거나 세계 곳곳에 제작처를 두고 물량을 늘린다는 등의 조처를 취하기는 어렵다. 앨범은 최대한 그 시대, 그 시점과 맞아 떨어져야 하는 것이 중요하다는 점에서 제작 공정이 신속하게 진행되어야 하고, 제작 과정에서의 보안 또한 절대적으로 중요하기 때문에 무리하게 제작처를 늘리는 것에도 한계가 있다. 결과적으로 물류의 동시성을 확보하기 위해 일반적인 산업물류와 달리 항공물류가 중요한 비중을 갖는다.

　다음은 글로벌 투어와 응원봉 문화가 물류에 미치는 영향이다. 아티스트는 앨범 발매를 통해 새로운 곡을 선보이고, 글로벌 투어를 통해 전 세계 팬들과 교감하고 있다. 최근에는 전 세계적 인기로 인해 한국과 일본, 중국을 넘어 동남아, 북미, 유럽까지 촘촘한 일정으로 월드투어가 진행된다. 그 상황에서 K-팝 공연을 즐기는 방식 중 하나로 전세계에 전파된 것이 응원봉 문화이다.

169

[그림 6] 일본 도쿄 시부야의 타워 레코드에는 일본에서 많은 팬을 확보한 K-팝 그룹 전용 섹션이 있다. (사진 제공 : 미야구치 유타카)

[그림 7] BTS 콘서트에서 콘서트장에 페어링되어 빛나는 응원봉(아미밤)

과거에는 아이돌 팬덤을 풍선 색상으로 구분하였으나, 현재는 각 아티스트마다 본인과 팬을 상징할 수 있는 디자인의 응원봉을 출시하고 있다. 공연 날에는 공연장 입장 전 티켓 좌석과 응원봉을 페어링하여 별다른 조작 없이도 객석에서 공연 연출의 하나가 되어 장관이 만들어진다. 응원봉을 모르고 입장한 관람객도 그 모습에 매료되어 뒤늦게 구매하여 본인 좌석과 페어링하는 모습도 볼 수 있다.

그렇다 보니 행정 절차나 기준이 다양한 전 세계 여러 지역에서 촘촘히 계획된 공연 일자를 엄수하며 공연 물자와 응원봉을 이동시키는 물류의 '신뢰성'이 절대적으로 중요하다. 일반적으로 통합하여 혹은 규모감 있게 물류의 효율성을 높이는 작업도 중요하겠으나, 이러한 다회성 특수 이벤트의 물류는 특히나 '신뢰성'과 '안정성'이 극도로 요구되는 것이다.

3) 엔터테인먼트의 상품은 어디에서 접할 수 있을까?

고객들이 앞서 소개한 상품을 구매하고 경험할 기회는 점차 많아지고 있다. 소속 아티스트의 상품을 취급하는 엔터테인먼트 사의 직영 온라인몰 이외에도 여러 아티스트와 방영중인 혹은 종영된 콘텐츠의 상품을 모아 판매하는 온라인몰과 전문 오프라인 매장이 있고, 일정기간 운영되는 팝업스토어 등도 전 세계 곳곳에서 운영되고 있다.

① **온라인몰**: 하이브의 위버스 컴퍼니에서 운영하는 위버스샵 (https://weverseshop.io)에서는 하이브 소속 아티스트 외에도 에스파(aespa), NCT, 슈퍼주니어와 같은 SM엔터테인먼트 소속 아티스트, 블랙핑크, 트레저, 악뮤 등 YG엔터테인먼트 소속 아티스트를 포함한 80여 아티스트들의 상품을 접할 수 있다. IP홀더라 할 수 있는 여러 엔터테인먼트 기업이 플랫폼을 지향하는 위버스 및 위버스샵에 입점하여 시너지를 내는 사례라고 할 수 있다.

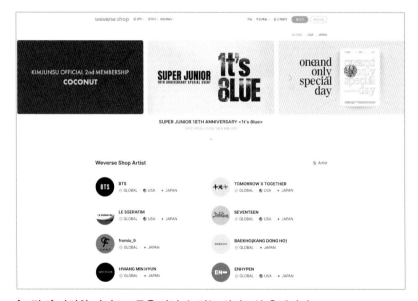

[그림 8] 다양한 아티스트들을 만날 수 있는 위버스샵 홈페이지

② **상설 오프라인 매장** : 각 엔터테인먼트 회사가 직접 운영하는 온라인 샵 외에도 여러 온오프라인 채널을 통해 상품을 경험하고 구매할 수 있다. 각국 지역마다 여러 아티스트의 굿즈를 구매할 수 있는 온오프라인사업자가 있는데 현재 LA지역에는 20여 곳의 상설 매장이 검색되고 있다.

171

[그림 9] LA지역에서 검색되는 K-팝 굿즈 오프라인 매장

172

③ **팝업 스토어** : SM엔터테인먼트는 2022년 12월 인도네시아 자카르타에 '광야@자카르타' 팝업스토어를 오픈했다. '광야(KWANGYA; 光野)'는 현실과 가상의 경계 없이 온전히 K-컬처를 즐길 수 있는 메타버셜 익스피리언스 브랜드(Metaversal Experience Brand)로 국내에서는 '광야@에버랜드', '광야@서울' 오픈을 시작으로 인도네시아 자카르타에 지점을 오픈하고 해외로의 첫 광야 스토어 진출을 선보였다. '광야@자카르타'는 하루 방문객만 2,000여 명이 오갈 정도로 인산인해였으며, 스토어 준비 과정에서도 총괄 매니저 채용에 4,000명, 아르바이트생 모집에 6,000명이 지원했을 정도로 성황리에 진행되었다.

[그림 10] 인산인해를 이루는 광야@자카르타 현장

[그림 11] 르세라핌 팝업에서 판매한 의상(좌)와 멤버들의 취향이 담긴 5종의 케이크(우)

173

2023년 4월 서울 성수동에서는 'LE SSERAFIM 2023 S/S POP UP' 이 열렸다. 12일간 약 16,000여 명이 다녀가는 등 성황리에 진행되었다. 르세라핌의 새 앨범 발매를 기념해 운영된 팝업 스토어로 신규 앨범의 음악과 비주얼 콘텐츠 등을 경험할 수 있도록 공간을 마련했다. 동시에 아티스트의 정체성을 패션 아이템에 반영함으로써 아티스트 브랜드를 활용한 패션의 라이프스타일 브랜드로의 확장 가능성을 보여주었다. 이 외에도 팝업 스토어 운영기간에만 맛볼 수 있는 르세라핌 멤버의 취향 이 담긴 케이크도 높은 관심을 받았다. 서울을 대표하는 파티세리 5곳과 르세라핌 멤버 5인이 협업해 탄생한 5종의 케이크는 팬들은 물론 디저 트 마니아의 이목까지 사로잡으며 SNS 등에서 화제가 되기도 했다.[9]

2023년 9월에는 아이돌 그룹 세븐틴(SEVENTEEN)의 팝업 스토어가 열렸다. '아티스트 메이드 바이 컬렉션 바이 세븐틴(Artist-Made Collection

9) 르세라핌 팝업스토어, 뜨거운 관심 속 성료, 뉴스탭, 2023.5.9., http://m.newstap.co.kr/news/
articleView.html?idxno=193316

[그림 12] 신세계백화점 강남점에서 열린 세븐틴의 팝업스토어 현장

by SEVENTEEN)'이라는 이름으로 신세계백화점 강남점 1층에 팝업 전용 공간으로 조성한 '더 스테이지'에서 열린 이 행사는 그동안 발렌티노, 루이비통, 샤넬 등 다양한 명품 브랜드가 잇달아 팝업을 선보인 곳에서 K-팝 아티스트와 처음 협업을 가진 것이라는 점에서 상징성을 가진다. 상품적으로는 세븐틴 멤버 개개인이 팬들을 위해 자신만의 독특한 감성과 취향을 담아 기획부터 제작까지 참여한 상품을 선보였다는 점이 차별화되었다고 볼 수 있다.

이러한 오프라인 채널은 단순한 상품 판매 목적에 그치지 않고 아티스트의 음악과 영상을 즐기는 체험 공간이자 기호를 함께하는 이들과의 커뮤니티 공간의 역할까지 수행한다. 2023년 6월 BTS의 데뷔 10주년을 기념해 여의도에서 열린 BTS FESTA 영상을 동시간대 태국 방콕의 시암 디스커버리에 마련된 팝업 스토어에서 중계하여 수백 명의 팬들이

[그림 13] BTS FESTA를 보기 위해 모인 태국 팬들(좌)과 중계 화면(우)

함께 모여 즐겼다. 이는 공간
이 갖는 물리적 한계까지 해
소해 함께 경험하고 즐긴 사
례라 할 수 있다.

　일반적으로 월드 투어
는 보통 2주 정도 행사가 열리
는 인근 지역의 팬들까지 집중
되어 모이는 강력한 이벤트이
므로, 다양한 연계사업을 전개
하기 적합하다. 해당 지역 중
심지 리테일에서 팝업스토어
를 운영하고, 다양한 호텔체
인은 테마 객실을 운영하며,
F&B 프랜차이즈 기업과 함께
특별메뉴를 운영한다. 고객들

[그림 14] 라스베이거스에서 열린 BTS의 'PERMISSION TO DANCE' THE CITY - LAS VEGAS 이벤트 스케줄

은 공연일에 공연장에서만 즐기는 것이 아니라 주변 여러 곳에서 K-콘텐
츠를 즐기고 소비할 수 있게 된 것이다.

**[그림 15] THE CITY - LAS VEGAS 당시 전경. BTS를 상징하는 보라색으로 라스
베이거스가 물들어 있다.**

4. 트렌드와 시사점

최근 엔터테인먼트 산업에서는 몇 가지 트렌드를 시도하고 있다. 인접한 분야와의 협업과 일상용품과의 협업, 고객이 디자인한 상품을 구매하는 것 등이 그것이다.

1) 인접한 분야와의 협업 시도

특정 팀 또는 선수를 응원하고, 그들의 퍼포먼스를 열성적으로 즐긴다는 점에서 엔터테인먼트 시장과 스포츠 시장은 맞닿아 있는 부분이 많다. 나아가 각 분야의 플레이어가 서로의 팬이 되어 협업까지 이어진다면, 이는 각자의 기존 고객군에 또다른 분야의 재미를 알리는 좋은

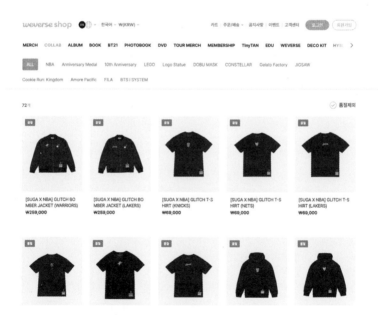

[그림 16] 슈가와 NBA가 협업한 브랜드 의류

효과를 낳는다.

2023년 4월 6일 NBA(미국 프로농구)는 공식 트위터에 BTS 슈가의 인터뷰 영상을 올리며 NBA의 글로벌 앰버서더(홍보대사)로 위촉되었음을 밝혔다. 이전부터 슈가는 인터뷰 등을 통해 좋아하는 NBA 농구 팀과 선수 등을 언급하고, 시즌 시범경기 개막전을 직접 찾는 등의 열정을 보인 바 있다. 이에 2023년 8월 말 슈가가 디자인에 참여한 NBA 브랜드 의류가 하나의 컬렉션으로 출시됐다. 이는 슈가의 솔로 월드투어 SUGA | Agust D TOUR 'D-DAY'의 일환으로 공연한 미국 도시를 기준으로 NBA 팀을 선정했다고 한다. 이는 스포츠와 아티스트 활동과의 연결성을 부여한 사례라고 할 수 있다.

그 밖에도 뉴진스(NewJeans)는 카툰 네트워크의 인기 애니메이션인 파워퍼프걸(The Powerpuff Girls)과의 콜라보를 진행해 화제를 모았다. 뉴진스의 2번째 EP앨범 'Get Up'의 선공개곡 New Jeans는 2023년 7월 7일 파워퍼프걸 콜라보 뮤직비디오 형태로 발표되어 큰 인기를 얻었다.

[그림 17] 뉴진스와 파워퍼프걸 콜라보 이미지

177

이날 공개된 영상은 미국 유튜브 인기 급상승 동영상 1위에도 오르며, 이 협업이 글로벌 시장에서도 통했다는 것을 입증했다.

뮤직비디오에서 뉴진스는 파워퍼프걸이 되어 등장하는데 단순히 개별 캐릭터로 등장하는 것을 넘어 기존 애니메이션의 세계관을 공유하는 디테일을 선보였다. 뉴진스는 X표시가 된 빙키봉(뉴진스 공식 응원봉)에 의해 파워퍼프걸이 되고, 이후 파워퍼프걸 세계관에서 활약하며 슈퍼 히어로이자 아티스트로서 활약한다.

뉴진스와의 콜라보는 파워퍼프걸을 다시 유행시켰다. 올해로 25주년을 맞은 애니메이션인 파워퍼프걸은 요즘 어린 세대에게는 아주 익숙한 캐릭터는 아니다. 그러나 2023년 6월 공개된 뉴진스의 신곡 티저에서 콜라보를 예고하면서 파워퍼프걸 또한 큰 주목을 받았다. 이후 자신만의 캐릭터를 만들고, 자신이 어떤 파워퍼프걸인지 심리테스트처럼 알려주는 'Powerpuff Yourself'가 인기를 끄는 등 뉴진스 컴백으로 인해 다시 유행하게 되었다.

[그림 18] 광주요와 BTS 콜라보레이션 팝업 스토어 매장

이 외에도 조금 색다르게 한국의 전통 도자 브랜드와의 협업 사례도 있다. 전통 도자 브랜드인 광주요는 2019년 10월 8일 BTS의 앨범 'MAP OF THE SOUL : PERSONA'에서 영감을 받아 제작한 'BTS 홍매화 시리즈'가 내국인뿐만 아니라 외국인에게까지 인기를 끌자 판매처를 확대한 바 있다. 이는 콜라보 제품 출시를 통해 자연스럽게 한국의 미와 전통을 전 세계에 알린 사례다.

2) 쉽게 접할 수 있는 협업의 증가

① **스타벅스**: 2020년 스타벅스는 BTS와의 협업을 발표했다. 스타벅스가 연예인과 협업해 프로모션을 진행한 최초의 사례였다. BTS 프로모션은 'Be The Brightest Stars(비 더 브라이티스트 스타즈)'라는 캠페인으로 진행되었고, 이를 통해 청년들에게 "너는 그 자체로 빛나는 별"이라는 공감과 희망의 메시지를 전하고자 했다. 스타벅스는 3년이 지난 2023년에는 블랙핑크와 협업을 진행했고, 특히 이번에는 한국을 포함한 아시아태평양지역 9개국에서 동시 진행되었다.

② **맥도날드**: 맥도날드는 코로나19라는 특수한 상황으로 인해 전 세계 매장의 약 30%가 문을 닫아야 할 정도로 큰 위기를 맞았다. 그러나 코로나19가 여전히 기승을 부리던 2021년의 맥도날드의 성적은 놀라움 그 자체였다. 그해 2분기 글로벌 매출액이 전년 같은 기간보다 57% 증가했고 순이익은 5배나 증가한 것이다. 그 배경에 대해 BTS와 손을 잡고 맥너겟과 감자튀김, 소스 등이 포함된 세트메뉴를 전 세계 50여 개국에 출시한 덕분이라고 로이터통신과 미국의 CNBC 방송이 분석했다. BTS 팬들이 매장에 몰려 경쟁적으로 구매한 덕분에 코로나19로 어려움을 겪었지만 전세계 맥도날드 매장마다 긴 줄을 서는 기현상이 일어난 것이

다. 특히 인도네시아에서는 팬들이 매장으로 몰리자 정부 당국이 집단 감염을 우려해 맥도날드 매장 문을 닫는 등의 조치를 취했을 정도였다.

3) 고객이 디자인한 상품을 구매

기존 엔터테인먼트 업계가 고정된 디자인의 굿즈를 판매했다면, 위버스에서 내놓은 위버스 바이 팬즈에서는 팬들이 자율적으로 디자인을 수정할 수 있는 상품군을 내놓았다. 이는 점차 니즈가 세밀해지고 개인화된 서비스를 원하는 팬덤의 경험을 점차 확장하는 방식이다. 위버스 바이 팬즈는 위버스컴퍼니가 2023년 10월 16일 정식 론칭한 서비스로 원하는 의류, 가방 등 상품을 선택한 뒤 위버스 바이 팬즈 편집툴을 통해 아티스트 이미지와 손글씨, 텍스트, 스티커와 같은 디자인 요소를 배치하는 식으로 개인의 취향에 맞게 디자인할 수 있는 '나만의 공식 머치(Merch) 제작' 서비스다.

상품을 주문하는 방법은 간단하다. 페스티벌 현장 반경 3㎞ 내에 있는 이용자는 위버스샵 앱에 접속해 바이 팬즈 카테고리에서 주문하고 싶은 상품을 선택할 수 있다. 이후 제작화면에서 그룹의 로고, 이미지, 손글씨 등 상세한 디자인 요소를 선택하고 크기와 위치를 골라 자신만의 상품을 제작할 수 있다. 이후 상품을 주문, 앱에서 상품 제작 완료 알림을 받으면 현장 픽업 존에서 주문 제작한 상품을 수령할 수

[그림 19] 위버스 바이 팬즈를 체험하는 K-팝 팬들

[그림 20] 위버스 바이 팬즈 화면(좌)와 제작 중인 모습

있다.

    엔터테인먼트 산업에서는 다양한 시도 및 성과가 발생하고 있지만 그만큼 해결해야 할 개선사항 또한 존재한다. 특히나 상품 배송과 관련된 부분이 가장 취약한 점으로 꼽힌다. 한국소비자원이 조사한 결과 〈표 1〉에 따르면 소비자 불만 사항 중 22%가 배송 지연에 관한 것이었고, 개선 요구 사항 역시 29%가 배송 지연의 해소에 대한 요구였다.[10] 물론 예상을 뛰어 넘는 주문량으로 인해 일부 지연되는 불가피한 측면도 존재한다고 볼 수 있으나, 상술한 내용처럼 더 이상 특별한 용도의 상품이 아닌 우리의 라이프스타일에 맞닿아가고 있는 만큼 더욱 개선이 시급한 상황이다.

---

10) K-POP 팬의 52.7%는 굿즈 수집을 위해 음반 구매, 한국소비자원, 2023.3.7., https://www.kca. go.kr/home/sub.do?menukey=4002&mode=view&no=1003470434

〈표 1〉 팬덤 마케팅 관련 소비자 불만 현황(유형별)　　　　(단위: 건, (%))

구분	건수	(비율)
제품 미배송·배송지연	200	(22.1)
품질불량·제품하자	168	(18.6)
환불·교환지연	141	(15.6)
주문취소·청약철회 거부	91	(10.1)
부당행위	72	(8.0)
제품 누락	61	(6.8)
잘못된 정보제공·표시광고	58	(6.4)
계약해지·위약금	32	(3.5)
기타*	80	(8.9)
합계	903	(100.0)

* 기타: 거래 관행, 단순 문의 및 상담 등

갈수록 글로벌 고객들이 많아지고 있는 추세인 만큼 국가별 관세, 수입 허용 품목 및 품질 등을 고려해야 할 필요성도 있다. 이를테면 한국에서 기획하더라도 상품 제작단계에서는 일부 적용 불가 상품군을 제외하고는 전 세계 곳곳에 제작 라인을 구축하는 등의 적절한 SCM 구축도 당면한 과제 중 하나일 것이다.

북극에서 부는
미래선박 시장의 바람

자율운항선박 시장의 현주소와 미래

김엄지

한국해양수산개발원 북방극지전략연구실장, umjikim@kmi.re.kr

현 한국해양수산개발원 북방극지전략연구실장으로, 북방지역(러, 북)과 북극지역의 해양 및 수산분야를 연구하고 있다. '러시아 내륙수운을 연계한 복합물류체계 구축 기반 실태조사', 'ASTD 기반 북극항로 이용 선박과 친환경 선박 개발 동향 조사' 등의 연구를 수행했으며, '점-선-면 전략 기반 러시아 북극개발전략 분석 및 한러협력 방향', '광역두만지역 내 새로운 복합물류체계 개발 및 기대효과' 등 논문을 발표했다.

박혜리

한국해양수산개발원 물류·해사산업연구본부 박사, hrpark@kmi.re.kr

현 한국해양수산개발원 물류해사산업연구본부에 재직중이며, 해양안전 및 해사산업 분야의 연구를 하고 있다. 특히 국제해사기구(IMO), 국제항로표지협회(IALA) 등 다양한 국제연구 활동과 함께 자율운항선박 등 해사분야의 정책·제도 및 전략에 대해 연구하고 있다.

1. 미래 모빌리티 기술 발전과 일상 패러다임의 전환

영화에서 볼 수 있었던 자율주행차는 어느덧 우리에게 익숙해져 있고, 드론을 활용한 물류배송 등 우리 일생생활 속에서의 모빌리티 기술은 급속도로 발전하고 있다. 특히, 장기간의 글로벌 경기침체가 지속되는 상황에서 미래 모빌리티 기술 중 가장 대표적인 자율주행자동차 산업은 전자업계의 구원투수로 떠오르고 있다. 전자업계에서는 향후 PC 시장보다 자율주행차 시장이 더 크게 성장할 것으로 전망하고 있으며, 이에 따라 삼성전자 등 주요 글로벌 기업들이 해당 분야에서의 경쟁력을 강화하기 위한 전략을 모색하고 있다. 이와 같이 미래 모빌리티 기술의 발전은 전 산업 생태계 변화와 함께, 자율주행차, 무인 화물차, 드론 배송 등 일상의 패러다임까지 바꿀 것으로 전망된다.

　미래 모빌리티의 핵심 기술 중 하나로 무인 이동체 기술을 뽑을 수 있다. '무인 이동체'란 외부환경을 인식해서 스스로 상황을 판단하여 이동하거나 사람이 원격으로 조종하여 움직일 수 있는 물체로, 자율주행자동차, 무인항공기, 무인잠수정 등이 대표적이다. 다시 말해 기존의 사람 중심의 모빌리티가 미래 기술의 발전으로 무인화 되면서, 시간적, 공간적 영역이 점차 줄어들고 그 수요 및 활동 영역이 광역화 되고 있음을 의미한다. 또한 〈그림 1〉과 같이 육상, 항공, 해양 등 모든 분야에 걸쳐 고도화된 지능화 기술, 네트워크 및 통신 등 다양한 기술이 결합된 복합운용 형태로 발전하고 있다.

　무인 이동체의 등장은 해양 분야에서도 '뜨거운 감자로' 떠올랐으

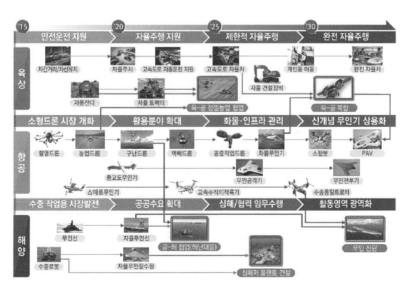

[그림 1] 무인이동체 미래 발전 전망 (출처: 국가과학기술자문회의 내부자료)

며, 디지털 기술 및 정보통신 기술(ICT) 발전과 함께 미래선박 시장의 변화에 큰 관심이 집중되고 있다. 최근 국제해사기구(IMO, International Maritime Organization)에서의 자율운항선박의 운용을 위한 기준(자율운항선박 코드, MASS Code) 개발과 함께 전 세계 선박시장은 자율운항선박 기술에 주목하고 있다. 국제해사기구(IMO)는 UN 산하 기구로, 세계 해양 및 선박 운용에 있어 해상안전, 해양환경 보호를 위한 국제기준을 마련하고, 국제 협력을 강화하기 위한 역할을 하고 있다. 미래에 새롭게 등장하는 자율운항선박은 선박 운항에 있어 혁명적인 변화를 가져올 것으로 예상되며, 이에 따라 선박의 안전운항 및 조화를 위한 국제기준의 필요성이 더욱 강조되고 있다. 현재 국제해사기구(IMO)에서는 자율운항선박에 대한 기존 국제기준의 적용검토와 함께, 새로운 규정을 마련하기 위한 논의가 활발히 진행되고 있다.

186

이와 동시에 조선, 해운 및 물류산업 시장에서는 자율운항선박의 기술개발 및 상용화를 위한 투자가 급속도로 증가하고 있다. 이러한 선박 산업의 발전 속도 및 특징은 해사분야가 가지는 특수성을 살펴보면 쉽게 이해할 수 있다. 해사산업은 해상교통 및 항만물류와 연계하여 선박 안전 항행 및 친환경 목적의 시설, 장비, 서비스를 생산 및 제공하기 위한 산업 전반을 포괄한다. 선박을 중심으로 하는 해사분야의 특성상 국제적으로 통일된 기준 및 표준이 필수적이며, 국제해사기구(IMO) 등 국제기구가 중요한 역할을 하게 된다. 국제기준의 변화에 따라 체약국의 이행 의무가 강화되고, 이러한 강제적 규제를 기반으로 관련 산업의 발전과 수요가 급증하게 되는 현상이 나타나게 된다. 즉, 최근 국제적인 해상 안전 및 환경 규제 강화와 함께, 세계 시장은 '디지털화(Digitalization)', '탈탄소화(Decarbonization)' 추세에 따라 급속히 변화 중이다.

2. 북극, 변화의 기로에 서다

앞서 설명한 '기술 발전'의 바람은 북극에서도 불고 있다. '북극'을 떠올렸을 때, 가장 먼저 연상되는 것은 무엇인가? 아마도 살 곳을 잃어버린 북극곰이나 녹고 있는 빙하 모습이 머리 속에 자연스럽게 그려질 것이다. 그러나, 북극은 우리의 예상과는 다르게 매우 빠르고 역동적으로 변화하고 있다. 두 가지의 큰 움직임을 살펴보자.

첫째, 북극해를 포함한 북극지역의 환경보호를 위한 움직임이다. 2022년 미국 로스앤러모스국립연구소 연구팀이 발표한 연구 결과에 따르면, 북극지역의 온난화 현상은 지구 평균 온난화 속도보다 4배 빠르다. 북극지역의 온난화 현상은 북극지역에만 영향을 주는 것이 아니라, 해빙의 가속화, 지구 전체의 기후변화, 해수면 상승, 자연재해 발생 등과 같은 결과를 낳았다. 예를 들면, 북극지역의 기온이 상승하면서 제트기류가 약해졌고, 그 결과 북극의 한기가 한반도까지 내려와 우리나라 1월 평균 기온을 떨어트렸다. 2021년 역대급 한파가 미국 중남부를 강타한 사건도 발생했다. 이 사건 역시, 북극 한기를 가두고 있던 제트기류가 풀리면서 찬 공기가 남하하여 발생한 것이다. 이처럼 북극의 환경은 국지적 영향만 미치는 것이 아니라 전세계 기후에 직접적인 영향을 미치고 있다. 따라서 북극의 환경을 보호하고자, 개별 국가뿐만 아니라 환경보호단체와 국제기구는 탄소중립정책을 기반으로 규범과 규제를 적용하고 있다.

북극은 북극이사회를 중심으로 거의 모든 사안이 결정된다. 미국, 캐나다, 노르웨이, 핀란드, 덴마크, 스웨덴, 아이슬란드, 러시아 등 8개 국가의 정회원으로 구성된 북극이사회는 북극의 모든 활동과 관련한 법, 규제, 지원 정책 등을 협의, 연구, 투자, 관리한다. 북극환경오염물질

187

조치 프로그램(ACAP, Arctic Contaminants Action Program), 북극동식물보존 (CAFF, Conservation of Arctic Flora and Fauna), 위기준비대응(EPPR, Emergency Prevention, Preparedness and Response), 북극해양환경보호(PAME, Protection of the Arctic Marine Environment), 북극모니터링평가시스템(AMAP), 지속가능 개발 워킹그룹(SDWG, Sustainable Development Working Group) 등 6개의 전문 가 워킹그룹이 북극이사회 하위에 속해 있다. 워킹그룹은 각 이사국의 전문가 수준의 대표들, 정부 공무원들 그리고 전문 연구자로 구성되어 있다. 즉, 워킹그룹은 북극 거버넌스, 환경, 경제 등 여러 사안에 대해 모 든 이해관계자가 합의점을 찾아가는 체계로 운영되고 있으며, 환경적인 측면은 6개의 모든 워킹그룹이 관여하고 있다. 또한, 국제해사기구(IMO) 또한 북극해 환경 관련한 연구를 수행하고, 관련 규제를 제정하고 있다. 예를 들면, 북극해를 통과하는 선박 수가 증가하자 2017년 7월 IMO는 환 경보호와 선원 및 승객의 안전을 위하여 폴라코드(Polar Code)를 발효했 다. 또한, 북극지역을 포함한 극지지역의 환경보호를 위해 2024년 7월 1 일부터 북극해 운항 선박이 중유를 이용하거나 운반하는 것을 금지한다 는 조치를 시행할 예정임을 밝혔다. 북극지역 수중 지침 관련 개정을 추 진하고 있으며, 북극해를 통과하는 선박의 블랙카본(Black Carbon) 배출 대처 방안에 대해 논의하고 있다.

　　반면, 역설적이게도 북극의 지속가능한 발전을 위한 경제활동 또 한 목격된다. 북극권 국가 중 가장 적극적으로 북극항로를 개발하고 있 는 러시아는 국가계획과 재정을 활용하여 북극항로 상용화에 필요한 법 및 제도적 근거를 마련하고, 항만, 도로, 철도 등 교통 인프라를 재건하 고 있으며, 쇄빙선을 포함한 선박을 건조하고 있다. 그 결과 2014년 기준 400만 톤이었던 북극항로 물동량은 2022년 약 8.5배 증가하여 약 3,400 만 톤을 기록했다. 러시아-우크라이나 전쟁으로 물동량 증가세는 주춤

하고 있으나, 여전히 러시아는 북동항로를 통해 북극 석유 및 가스, 석탄 등 에너지 자원을 중국으로 수출하고 있다. 러시아의 루사톰 카고(Rusa-tom Cargo)사는 2025년 시험운항을 거쳐, 2026년부터 본격적으로 북동항로를 통과하는 컨테이너선을 운항한다는 계획을 발표하는 등 러시아는 더욱 적극적으로 북동항로를 활용할 것으로 예상된다. 중국 국영선사인 COSCO사 역시 2013년 이래 현재까지 총 56차례에 걸쳐 풍력설비, 펄프, 중량물, 일반화물, 컨테이너 등의 다양한 화물을 수송했으며, Hainan Yangpu NewNew Shipping Co은 첫 번째 북극항로(북동항로)용 쇄빙컨테이너선을 건조해 러시아 상트페테르부르크항에서 북동항로를 통해 중국으로 컨테이너를 운송한다는 계획을 밝히는 등 북동항로를 활용할 계획이 있어, 이에 따라 물동량은 꾸준히 증가할 것으로 전망된다.

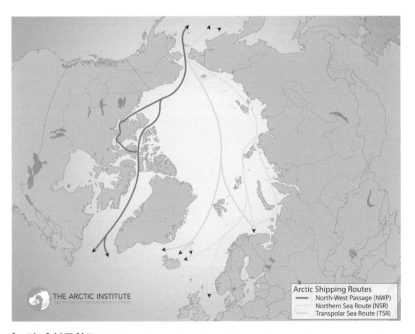

[그림 2] 북극항로(자료: https://www.thearcticinstitute.org/future-northern-sea-route-golden-waterway-niche/)

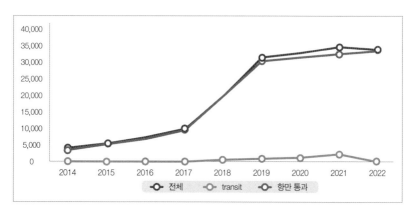

[그림 3] 북극항로 물동량(2014-2022) (자료: 러시아 통계청(https://rosstat.gov.ru/) 자료를 기반으로 저자 작성)

그러나, 북극에서 진행되는 모든 경제활동의 전제조건은 '지속가능성'과 '친환경'이다. 물론, 2022년 발발한 러시아-우크라이나 전쟁으로 유럽은 러시아로부터의 에너지 공급이 불안정해지자, 러시아 의존도를 낮추기 위해 자체 화석연료 생산량을 증산하는 정책으로 전환한 것도 사실이다. 노르웨이 정부는 북극해 석유가스 시추 사업을 허가했으며, 북극해 심해에서의 광물자원 채굴 프로젝트를 검토하고 있다. 스웨덴 또한 철광석, 희토류 등 북극 광물자원 개발 투자 사업을 추진하고 있다. 그러나 기존 탈탄소화 정책의 추진 속도가 늦춰졌을 뿐, 여전히 재생에너지 투자 또한 활발히 진행되고 있다. 노르웨이와 핀란드는 북극에 해상풍력단지를 설치했으며, 아이슬란드는 난방용 에너지의 90%를 지열에너지로 충당하고 있다. 그 밖에도, 수소, 암모니아를 연료로 하는 선박 엔진 개발, 수소 가스 기술을 활용한 철강 생산 기술 개발 등 친환경 기술을 개발하고 있다.

또한, 제4차 산업혁명 기술을 활용하여 북극 기후를 극복하고, 환경을 보호하고자 하는 변화 또한 진행 중이다. 2021년 4월 스웨덴 예테

[그림 4] 스웨덴 무인 잠수정 란(Ran)(자료: https://www.yna.co.kr/view/AKR20210409136300009)

보리대학 국제연구팀은 스웨이츠 빙하 밑으로 유입되는 해류의 수온과 염도, 산소 함유량 등을 측정하기 위해 무인 잠수정 란(Ran)을 극지 해저 탐사에 처음 투입했다.

    핀란드의 바르질라 사(社)는 영하 52도 이하의 환경에서도 작동되

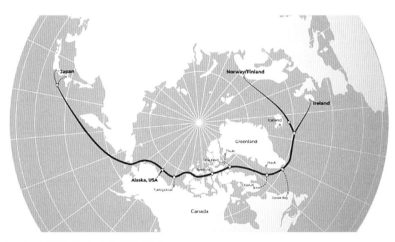

[그림 5] 북극해 해저케이블 구상도(자료: https://www.highnorthnews.com/en/far-north-fiber-one-step-closer-pan-arctic-connectivity)

는 쇄빙 LNG추진 유조선의 무선 및 통합 내비게이션 시스템을 개발했다. 또한, 핀란드는 북극해를 통과해 노르웨이, 아일랜드, 그린란드, 캐나다, 알래스카, 일본을 연결하는 해저케이블 설치 사업을 추진하고 있다.

　　앞서 설명한 것처럼 북극권 국가들은 폴라코드를 통해 북극항로 통항 선박에 대한 기준과 규범을 마련한다. 또한 북극항로를 통항하는 선박을 위한 통신 인프라를 구축하고, 북극항로를 통과해 북극 자원을 운송하거나 수출하고, 북극항로를 통항하는 친환경 선박을 개발하는 등 북극항로가 상용화된다는 것을 예상하고 대비하고 있다. 이러한 동향은 노르웨이의 북극이사회 의장국 보고서(2023~2025)에서도 나타난다. 노르웨이가 2023년 5월 북극이사회 의장국 지위를 러시아로부터 수임 받은 후 발표한 의장국 보고서(2023~2025)에 따르면 중점 과제 중 하나로 지속가능한 경제 개발(Sustainable Economic Development)를 포함했다. 그 세부과제로 더 친환경적인 북극 해운 촉진 계획 지원(Support initiatives to promote greener Arctic shipping) 사업에 대해 기술되어 있다. 즉, 북극권 국가는 북극항로가 상용화될 시점에 대비하여 어떻게 더 친환경적이고, 더 지속가능한 방법으로 북극항로를 활용할 수 있을지 고민하고 있다는 것을 알 수 있다. 북극항로는 러시아 연안을 따라 흐르는 북동항로(Northern Sea Route, NSR), 미국, 캐나다 중심의 북서항로(North-West Passage, NWP), 중앙 북극해를 가로지르는 북극항로(Transpolar Sea Route, TSR) 등 크게 세 가지 루트로 구분된다. 앞서 설명했듯, 현재는 북동항로를 중심으로 개발되고 있지만, 향후 빙하가 완전 녹아 공해지역인 중앙 북극해를 활용할 수 있게 될 경우, 북극항로의 새로운 기회가 창출될 것이다. 러시아-우크라이나 전쟁으로 유럽과 아시아를 잇는 물류 노선 중 러시아를 통과하는 루트가 막혀버린 상황이 지속된다면, 북극항로는 우리에게 또 하나의 국제물류노선으로서 역할을 할 수 있을 것이다.

3. 미래 선박의 변화와 자율운항 기술의 활용

이와 같이 '디지털화(Digitalization)', '탈탄소화(Decarbonization)' 중심의 미래 선박 변화는 다양한 기술이 접목된 형태로, 제4차 산업혁명을 이끄는 사물 인터넷(IoT), 인공지능(AI), 빅데이터 등과 같은 디지털 기술이 조선, 해운 및 항만·물류 산업의 디지털 전환을 촉진하고 있다. 특히 디지털 기술의 집합체인 자율운항선박은 해운(Shipping 4.0), 항만(Port 4.0), 스마트 조선(Smart ship 4.0), 해양(Marine 4.0) 등 주요 산업 트렌드와 함께 그 중심에 자리 잡고 있다. 아직 자율운항선박의 개념은 국제적으로 통일된 기준이 없어 주체 또는 목적에 따라 다양하게 사용하고 있으며, 현재 국제해사기구(IMO)에서 개발 중인 규정 초안에 따르면 다음과 같이 정의하고 있다.

> '자율운항선박(MASS, Maritime Autonomous Surface Ship)이란, 다양한 자동화 수준 또는 방식으로 사람의 간섭 없이 독립적으로 운용될 수 있는 선박'
> – 국제해사기구(IMO) 자율운항선박 코드(안)(2023년 9월)

2023년 5월, 국제해사기구(IMO)에서는 제107차 해사안전위원회(MSC, Maritime Safety Committee) 회의가 2주간 진행되었다. 이번 회의에서는 해상인명안전조약(SOLAS) 등 IMO 강제협약 개정안 채택, 미래 대체연료에 대한 안전규제 개발 작업 착수 등의 중요한 해사안전 이슈를 논의하였으며, 이와 함께 자율운항선박 운용을 위한 규정(MASS Code) 개발 논의도 중점적으로 이루어졌다. 이러한 논의는 2018년 자율운항선박 도입 및 안전한 운용을 위한 관련 규제 검토(RSE, Regulatory Scoping Exercise)

를 시작으로 본격화되었으며, 이후 국제적으로도 자율운항선박에 대한 관심과 투자가 크게 증가했다. 2022년부터 본격화된 '자율운항선박 코드(MASS Code)' 개발 작업은 그간 여러 차례 회의를 통해 자율운항선박 정의 및 원칙, 운항형태 및 세부 기술요건 등에 대한 초안을 마련했다. 기존 선박에서의 가장 큰 변화는 선장(Master)·선원(Crew)의 범위와 함께 선박의 무인화, 선박 운항방식의 다양화라고 할 수 있으며, 향후 미래 기술발전 등을 고려하여 IMO에서는 자율운항선박에 대한 기본원칙만 합의하도록 했다. 자율운항선박의 형태 및 수준은 아직 논의 중 또는 개발 중인 사항으로 점차 구체화될 것으로 예상되나, 현재까지 합의된 내용을 살펴보면 다음과 같다.

〈표 1〉 IMO에서의 자율운항선박 기본원칙

분류	기본 원칙 및 방향
자율운항선박(Maritime Autonomous Surface Ship, MASS)	다양한 자동화 수준으로 사람의 간섭 없이 독립적으로 운용될 수 있는 선박
자율운항선박에서의 선장 (Master)	① 자율운항선박은 운항방식에 관계없이 책임자인 선장(인간)이 반드시 있어야 함 ② MASS 기술 및 승선 인력을 고려하여 반드시 선박에 승선할 필요는 없음 ③ 운항방식에 관계없이 필요시 개입할 수 있는 권한을 가짐
원격운항센터(Remote Operation Centre, ROC)	자율운항선박의 전체 또는 일부를 운용하기 위해 선박과 떨어져 위치한 장소

* 자료: IMO(2023), MASS-JWG 2/WP.1, pp.4-11

이와 같이 자율운항선박은 무인 이동체의 특성을 가지며, 자율화 및 지능화 기술, 육상대응·제어 기술, 선내 데이터 네트워크, 통신 기술 등 다양한 기술이 결합된 미래 해양모빌리티로 발전하고 있다. 이와 함께 선박 운항 환경 측면에서는 세부기술 요소 및 수준에 따라 선박운항 형태가 다양화될 것으로 예상된다. 선박의 특성, 화물, 항로 및 해역 여건 등에 따라 그 수준의 차이가 있을 수 있으나, 기존 선박운항 형태를 포함하여 자동(Automatically), 원격(Remotely), 자율(Autonomously) 등 새로운 운항방식에 따른 선박의 구조 변화와 함께 선원의 근무 형태 변화, 새로운 이해관계자의 등장 등이 예상된다. 현재 국제적으로 논의 중인 선박의 운항방식(Mode of Operation) 개념을 고려했을 때, 이러한 변화는 단순히 기술 발전의 과정이 아니라 미래 선박산업에서 다양한 운항형태의 선박이 공존할 것으로 예상된다. 즉, 선박의 무인화 및 선박운항방식의 다양화는 기존 사람이 승선하여 운항되는 선박에서, 무인 또는 원격으로 운항되는 형태의 선박으로의 패러다임 변화를 의미하며, 해운, 항만 및 조선산업에 혁명적인 변화를 가져올 것으로 보인다.

195

글로벌 시장조사기관 리서치앤마켓(Research and Markets)의 전망보고서에 따르면, 세계 자율운항선박 시장 규모는 2027년까지 연평균 16.3% 성장할 것으로 전망되며, 2022년 100억 달러(추정), 2027년에는 213억 달러에 이를 것으로 예상하고 있다. 이는 코로나19 등 글로벌 이슈의 영향으로 변동될 가능성이 있으나 자율운항선박 시장 예상 규모는 점차 높아지고 있으며, 전문가들 또한 해상 물동량 및 해양관광의 증가, 무인선박 기술의 고도화 등으로 세계 시장 규모가 더욱 확대될 것으로 기대하고 있다.

유럽, 일본 및 주요 국가들 또한 자율운항선박 시장을 미래의 고부가가치 산업으로 인식하고, 학술 연구 및 산업 간의 조화를 위한 협력을 촉진하고 있으며, 핵심기술 개발 및 실증운항 인프라 조성 등 글로벌 시장을 선도하기 위해 일찍이 노력 중에 있다. 대표적으로 노르웨이의 경우, 야라 버클랜드(Yara Birkeland) 사업을 통해 세계 최초로 친환경 무

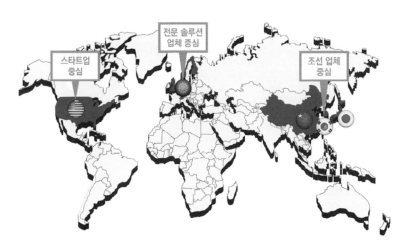

[그림 6] 세계 자율운항선박 기술 개발 지형도(자료: 정보통신기획평가원, 자율운항선박의 D.N.A 동향과 시사점)

인 자율운항 화물선을 건조·운항을 시작하였고, 이를 통해 선박의 접안을 포함한 화물 관리, 하역 및 계류 작업 등 해사 전 분야에 걸친 자율운항기술 실증 운항 데이터를 쌓아가고 있다. 다만 산업의 빠른 변화를 고려하여 〈그림 6〉과 같이 국가별로 다른 특징을 보이고 있으며, 자율운항선박 시장에 전략적으로 접근하고 있음을 염두에 두어야 한다. 각 국가는 자체적인 우위를 확립하고 있는 분야에 집중 투자 및 확대해 나갈 것이며, 국제 표준 개발 선도를 통해 기술 경쟁력을 강화할 것으로 예상된다.

4. 자율운항선박, 북극해 적용 필요성과 가능성

'지속가능성'이라는 원칙에 기반하여 북극항로를 어떻게 활용할 수 있을까? 그 방안 중 하나로 자율운항선박 기술을 꼽을 수 있다. 자율운항선박이 북극항로를 통항하게 되면, 어떤 이점이 있는지 알아보자.

첫째, 경제적 효율성을 제고할 수 있다. 북극항로는 기존 노선보다 운송거리가 30% 짧아지고, 운송기간이 10일 단축되기 때문에 물류비용을 절감할 수 있다. 또한, 온난화 현상으로 온도에 민감한 화물을 운송할 경우, 상대적으로 온도가 낮은 북극항로를 활용한다면, 화물의 손상율을 낮출 수 있다. 예를 들면, 액화 암모니아, 액화 수소등을 북극항로를 통해 운송하게 되면, 극저온상태에서 운송할 수 있어 기화율(Boil off rate)를 낮출 수 있다. 또한, 선박에 선원을 승선시키지 않고, 내륙에서 제어하므로 인건비 등을 포함한 운용비용 역시 감소시킬 수 있다. 다만 특히 북극의 경우, 극지 운항 관련 국제법, 빙하의 특성, 빙하해역에서의 선박 조종 등 전문교육이 필요하기 때문에 추가 비용이 발생한다.

둘째, 운항 과실을 줄일 수 있다. 운항 과실을 줄일 수 있다는 점은 특히 북극항로를 활용함에 있어서 가장 중요한 부분이다. 북극해에서 선박 사고는 선원의 안전문제와 환경오염을 야기하기 때문이다. 특히, 북극의 경우 선박 사고로 오염물질이 북극해로 유출되면 바로 강을 타고 러시아 내륙으로 흘러가기 때문에 더욱 조심할 필요가 있다. 또한, 북극에서 선박 좌초, 출동, 화재 등의 선박 사고가 발생하거나, 선박이 얼음에 갇히면, 쇄빙기능을 가진 선박이 구조하러 올 때까지 상대적으로 많은 시간이 소요되기 때문에 선원 안전 문제가 지적되어 왔다. 그러나 자율운항선박은 인공지능을 이용하여 최적화된 루트를 찾기 때문에 얼음에 갇힐 가능성이나 좌초될 가능성을 낮출 수 있고, 해양 사고의 82%를 차지하는 인적 과실로 인한 사고를 감소시킬 수 있다.

셋째, 에너지 효율성을 제고하되, 탄소배출량을 감축할 수 있다. 자율운항선박은 최소 에너지로 이동할 수 있는 최적화된 경로를 선택하기 때문이다. 이는 북극의 지속가능성과 경제발전이라는 두 마리 토끼를 잡을 수 있는 장점이다. 이러한 장점을 기반으로 북극권 국가는 북극

197

해에 자율운항선을 적용하기 위한 프로젝트를 실시하고 있다. 핀란드에서는 2018년 12월 세계 첫 완전자율운항 여객선 '팔코(Falco)'가 승객 80명을 태우고 핀란드 남부 발트해 연안에서 시험운항에 성공했으며, Folge-fonn호로 Automated Dock-to-Dock 시연을 시행한바 있다. 또한 핀란드 바르질라(Wärtsilä) 사(社)의 주도로 자율운항선박 기술 개발 주도권을 선점하고 있다.

덴마크는 2017년 자유운항선박 개발을 위해 사전분석 프로젝트를 시작했다. 해당 프로젝트는 소형 페리, 예인선, 바지선, 시추 플랫폼 및 풍력 발전소의 지원 및 서비스를 진행하는 선박과 같이 작은 유형의 선박을 대상으로 진행하며, 안전 플랫폼 구축을 위한 개발/시범 프로젝트를 위한 다양한 분야를 포함하고 있다. 해당 프로젝트의 일환으로 롤스로이스(Rolls-Royce)와 스비트쳐(Svitzer)는 덴마크 코펜하겐 항구에서 세계 최초로 원격으로 운항되는 상업용 선박을 시연했으며, 2020년 5월에는 북해에서 약 8,000㎞ 떨어진 캘리포니아주 샌디에이고의 바르질라(Wartsila) 사무소에서 원격 제어 하에 플랫폼 지원 선박의 기동을 성공적으로 수행한 바 있다.

노르웨이의 경우, 2016년 10월 트론헤임 피오르드(Trondheimsfjord)에 세계 최초로 전기 자율운행선박 개발을 위한 테스트베드 설립을 시작으로 순뫼레(Sunnmøre), 핀란드, 오슬로 피오르드 지역인 호르텐(Horten)에도 테스트베드를 설립했다. 노르웨이북극대학교(UiT)는 자율운항선 개발 프로그램을 운영하고 있으며, 2023년 5월 노르웨이의 콩스베르그 마린타임(Kongsberg Maritime)은 노르웨이 해안과 피오르드 지역에서 자율운항 적용한 화물선 시연을 성공적으로 마쳤다고 밝혔다.

또한, 러시아 정부는 4차산업혁명 기술 개발 국가프로그램(NTI) 중 해양기술과 관련한 마린넷(Marinet) 프로젝트의 일환으로 자율운항선

[그림 7] 자율 및 원격운항선박 테스트 장면(좌:러시아, 우:노르웨이)
(자료: www.portnews.ru, https://en.uit.no/prosjekter/prosjekt?p_document_id=668855)

199

박을 개발하고 있다 크론할트 테크놀로지(Kronshtadt Technologies) 사(社)를 중심으로 자율운항선박 관련 기술개발회사나 대학교가 그룹을 형성해 기술 솔루션을 개발했다. 2021년 6월 러시아 교통부는 자율운항선박 시범사업 녹화 동영상을 IMO에 공개했으며, 심지어 러시아의 로스모르포르트(Rosmorport)는 원격제어장치를 다른 선박에 설치해 운항하는 테스트를 추진하고 있다고 밝혔다. 또한, 2021년 7월 러시아의 소브콤플롯(Sovkomflot)은 북극지역에 무인선박센터를 설립할 것이며, 아조프 해에서 시행한 자율운항 시범사업의 결과를 토대로 자율운항선을 상용화할 것이라고 밝힌 바 있다.

그러나, 현 시점에서 북극해에서의 자율운항선박이 북극해를 통과하기에는 여러 가지 넘어야 할 산이 많다. 첫째, 북극해에서 자율운항선이 항해를 해도 되는지, 가능할 경우, 어떤 규범을 적용해야 하는지, 어떤 안전 문제가 예상되는지 등 구체적인 논의가 필요하다. 앞서 설명했듯, IMO가 자율운항선박 코드(MASS Code)를 개발하고 있는 등 자율운항선박 자체에 대한 규제 개발 논의가 진행 중임에 따라, 북극에서의 자율운항선박 운항에 대한 기준 또한 아직 부재하기 때문이다.

또한, 지정학적 리스크가 가장 큰 걸림돌로 작용하고 있다. 러시아-우크라이나 전쟁으로 러시아 정부의 허가를 받아야 통항이 가능한 북동항로의 활용 가능성은 굉장히 낮아졌다. 또한 북극은 다른 지역과 달리 군사안보적 갈등에서 자유롭다는 '북극 예외주의(Arctic Exceptionalism)' 원칙이 적용되었으나, 러시아-우크라이나 전쟁으로 '미국, NATO vs 러시아' 간 갈등 구도는 북극에서도 목격되고 있다.

5. 글을 마치며

이제 우리는 기후변화 시대가 아니라 기후위기 시대에 살고 있다. 기록적인 가뭄, 홍수, 화재 등이 빈번하게 발생하고 있으며, 인명피해, 구조물 파괴 등 사회적 피해를 입히는 것에서 그치지 않고, 기후변화가 자연재해를 불러오고, 자연재해는 또 다른 자연재해를 불러오는 악순환에 빠지고 있다. 특히, 북극의 온난화 현상은 기후변화 현상을 더욱 심화하고 있다. 이에 우리는 환경오염 행위에 대한 규제와 감시체계를 강화하고, 글로벌 공조 체계를 확립해 나가고 있다.

해양환경과 직결된 선박 시장에도 이러한 변화의 바람이 시작되었다. 전세계적으로 디지털·친환경선박 등 미래 선박으로의 전환을 위한 투자가 확대되고 있으며, 지능·자율운항기술, 친환경연료 기술 등을 활용한 선박이 등장하고 있다. 이와 같이 미래선박 시장에서의 글로벌 경쟁은 더욱 심화될 것으로 예상되며, 국가별·기술별 특화된 시장 전략을 통해 글로벌 경쟁력을 강화해야 할 것이다. 기존 대기업 중심의 미래선박의 기술 개발 및 투자에서 나아가 선박 설비와 기자재 등 중소기업의 기술적 역량 강화를 포함한 관련 산업 전반의 활성화가 중요한 과제가 될 것이다. 세부 기술·장비 개발에 강점을 가진 중강소기업을 육성·지원하고, 이러한 정책 지원을 통해 산업 전반의 활성화 및 산업 경쟁력 강화를 기대할 수 있을 것이다.

200

또한 우리는 장기적 관점에서 '북극항로 활성화 시대'를 맞이할 준비가 필요하다. '지속가능성'이라는 원칙에 기반하여 북극을 더 이상 보호의 존재만으로 보는 것이 아니라 인간과 환경이 모두 살아남는 방법을 고민해야 한다. 특히, 자율운항선박이 북극을 항해할 경우, 에너지 효율성 극대화, 인건비 절감, 운항시간 단축 등 북극항로가 가지고 있는 장점을 더욱 극대화할 수 있다. 그 밖에도 우리가 북극항로용 선박 개발에 주목해야할 이유는 또 한가지 있다. 러시아-우크라이나 전쟁 전까지 우리나라 조선 3사는 러시아의 북극 에너지 사업과 연계하여 쇄빙LNG 운반선 수주를 거의 독점하다시피 했다. 그러나 러시아-우크라이나 전쟁이 발발하면서, 러시아와 북극항로 및 쇄빙LNG운반선 관련 협력을 추진하기 어려운 환경이 되었다. 그럼에도 불구하고, 북극해에서의 협력 대상국은 러시아 외에도 7개 국가가 있다는 점, 러시아만 북극항로를 적극적으로 개발하고 있는 것이 아니라 북극권 국가 역시 북극 공해를 통한 북극항로 활용에 대비하고 있다는 점 등을 기억할 필요가 있다. 기존 효자 수출품이었던 쇄빙LNG선을 대체할 수 있는 새로운 유형의 미래선박 발굴, '지속가능성'이라는 원칙 기반의 신기술 활용 등 북극을 항해하는 선박 시장의 점유율을 확보하기 위한 지원과 함께 미래 선박시장 변화에 따른 북극항로 활성화 시대의 준비도 필요할 것이다.

참고 문헌

국토매일, http://www.pmnews.co.kr/111913 (검색일: 2023.9.1)

파이낸셜뉴스, https://www.fnnews.com/news/202309181357007257 (검색일: 2023.9.20)

북극항로, http://www.arcticroute.co.kr/news/articleView.html?idxno=3081(검색일: 2023.10.05)

북극항로, http://www.arcticroute.co.kr/news/articleView.html?idxno=2877(검색일: 2023.10.05)

북극항로, http://www.arcticroute.co.kr/news/articleView.html?idxno=3118(검색일: 2023.10.05)

KT, https://enterprise.kt.com/bt/dxstory/640.do(검색일: 2023.10.05)

S&T GPS, https://now.k2base.re.kr/portal/issue/ovseaIssued/view.do?poliIsueId=I-SUE_000000000000984&m enuNo=200&pageIndex=(검색일: 2023.10.05)

GT Online, https://www.gtonline.or.kr/kor/gtbase/all/data/policy/dataView.do?cPage=24&sch_gtbase_cd=eu&sch_national_cd=&sch_tech_1st_gbn_cd=&sch_tech_2nd_gbn_cd=&searchField=&keyword=&data_sid=225643(검색일: 2023.10.05)

GT Online, https://www.gtonline.or.kr/kor/gtbase/all/data/policy/dataView.do?cPage=118&sch_gtbase_cd=isra (검색일: 2023.10.05)el,israel&sch_national_cd=&sch_tech_1st_gbn_cd=&sch_tech_2nd_gbn_cd=&searchField=&keyword=&data_sid=227650(검색일: 2023.10.05)

MarineLink,https://www.marinelink.com/news/cargo-vessel-completes-complex-autonomous-505404(검색일: 2023.10.05)

PortNews, www.portnews.ru(검색일: 2023.10.15)

Arctic University of Norway, https://en.uit.no/prosjekter/prosjekt?p_document_id=668855(검색일: 2023.10.15)

High North News, https://www.highnorthnews.com/en/far-north-fiber-one-step-closer-pan-arctic-connectivity(검색일: 2023.10.15)

연합뉴스, https://www.yna.co.kr/view/AKR20210409136300009(검색일: 2023.10.15)

The Arctic Insitute, https://www.thearcticinstitute.org/future-northern-sea-route-golden-waterway-niche/(검색일: 2023.10.15)

러시아 통계청, https://rosstat.gov.ru/ (검색일: 2023.10.15)

국가과학기술자문회의(2017), 무인이동체 기술 개발 및 산업성장 전략(내부자료)

국제해사기구(IMO)(2023), Report of MSC-LEG-FAL Joint Working Group On Maritime Autonomous Surface Ships (Mass) on its second session

정보통신기획평가원(2021), 자율운항선박의 D.N.A 동향과 시사점

물류에서 ICT로

3부

AMR과 WCS, 스마트 물류 혁신의 주역

AMR: Autonomous Mobile Robot, 무인로봇
WCS: Warehouse Control System, 물류센터 설비통합 관리 시스템

황현철

현대 글로비스 스마트물류 솔루션 사업팀 책임매니저, hchwang@glovis.net

현대글로비스의 물류자동화시스템 컨설턴트(Material Handling Automation Senior Consultant)로, 스마트물류솔루션이 고객에 차별화된 가치로 제공될 수 있도록 세일즈(Sales) 하는 역할을 담당하고 있다. 동국대 산업공학사, 고려대 기술경영학석사, 인천대 물류학박사(물류시스템 전공) 학위를 취득했다.

1. 전통물류의 시대나 스마트 물류 시대나 중요한 것은 실효성

205

필자가 처음 물류를 접했던 시기는 국내 식품, 생활용품 제조업체 공급망 관리(Supply Chain Manager)담당자로서 수요공급계획자(Demand Planner)로 일하던 시기였다. 생산계획, 수송계획 등 마케팅, 영업의 판매계획과 통계 기반의 출고 예상량, 공장의 생산량과 물류센터 내 현재 재고를 기반으로 목표한 적정 재고를 유지시키는 것이 당시 필자의 역할이었다. 그때 필자에게 물류란 수치 상에만 존재하는 가상의 세계였다. 센터의 거점 위치나 센터 형태는 필자에게 중요하지 않았던 시기였다. 그저 각 거점의 보관 수용능력과 현재 제품 재고량을 앞으로의 출고 예상량과 비교 분석하여 미출(Shortage)이 발생하기 이전에 공장과 외주생산처(OEM)에서 제품과 상품이 각 거점에 적절한 재고량으로 유지될 수 있게 흘러가게 하는 수치적인 세계였던 것이다. 각 센터의 물류 담당자와는 전산과 유선으로만 만나는 시기였다.

당시 필자에게 물류센터는 가상의 공간이기에 필자가 APS(Advanced Planning System)에 입력한 수송, 생산계획 지시 등을 어떻게든 현장에서 해결해 주겠지 하는 바람이 있었던 것 같다. 지나친 입고량으로 인해 물류센터 담당자가 물류센터 내부에 화물을 더 이상 둘 곳이 없다고 물류 현장에서 볼멘소리를 하거나, 통합허브센터(Central Distribution Center)에서 매일 새벽까지 지역거점센터(Regional Distribution Center)로 수송되어 당일 배송까지 이루어지는 작업인 크로스 도킹(Cross-Docking) 업무를 수치만 보고 지나치게 많은 작업량을 한꺼번에 지시하여 현장 작업이 지연되는 경우도 필자의 현장에 대한 이해 부족으로 발생하곤 했었다. 물류 운영이라는 것이 물동량뿐만 아니라 운영 프로세스, 물류센터의 작업환경 등 모든 것이 어우러지지 않으면 효율이 나지 않는다는 것을 그 당시 필자는 이해하지 못하고 있었던 것이다.

이후 3PL을 전문으로 하는 물류 전문기업의 물류 전문연구원으로서 물류 컨설턴트가 되었을 때 '어찌되었든 물류에서 알아서 해결해 주겠지' 하던 누군가의 역할이 필자의 역할이 되었다. 식품, 특히 소비재(CPG) 제조업에 근간한 필자의 산업 경험과 식품제조사, 식자재 유통, 뷰티 소비재를 유통하는 그룹 계열사의 물류용역 이외에도 주로 소비재 영역의 물류운송 및 보관을 담당하던 이전 물류전문기업의 물류 사업영역이 유사하여 필자는 한동안 생활물류라 할 수 있는 소비재, 식품, 유통의 물류 위주로 컨설팅 업무를 수행하였다. 초기에는 SCM의 전공을 살려 미래 물동량 예측 및 생산성 분석 업무를 담당하다가 차츰 물류센터 설계, 물류 운영 개선(Process Innovation, PI)업무로 영역을 확장하게 되었다.

이 시기를 통해 물류 센터의 역할이라는 것이 단순히 물리적 수용능력(Capacity)만을 고려하는 것이 끝이 아니라 인력관리, 작업 프로세스, 수익구조 등 모든 것이 어우러져 판단되어야 하는 것임을 배울 수

206

있었다. 특히 어떤 개선 과제건 간에 단순 아이디어 도출로 마무리되지 않기 위해서는 결국 손익이 타당한가와 개선 아이디어의 실현이 가능한가, 실행 시 위험(risk)은 최소화된 아이디어인지가 중요했다.

과거 10년 전 3PL 물류 컨설팅은 물류센터 내에서 프로세스 상의 의미 있는 개선 효과를 거둘 만큼 다양한 설비가 존재하지 않았던 시기였기에 입고, 보관, 피킹, 출고로 이루어지는 물동량 데이터 분석과 현장 내부의 정성적 분석에 공을 많이 들였다. 고객의 요구사항, 사업 환경, 분석된 물동량 데이터, 현장 인터뷰 등의 시사점을 바탕으로 물류 프로세스를 변경하는 해결방안을 제시하여 고객에게 가치를 제공하는 것이 핵심 전략 중 하나였다. 보관영역은 대부분 팔렛트랙과 선반랙에 의존하였고, 박스나 소물(小物, 작은 물건) 피킹에 관해서는 반자동설비인 DPS(Digital Picking System), DAS(Digital Assorting System)를 주로 사용하고 있었다. 가장 첨단으로 여겼던 자동화 솔루션 또한 자동 분류기(Soter System) 정도였다.

전통물류 시기와 현재 시기의 물류센터 운영의 가장 큰 차이는 입고, 보관, 피킹, 포장, 이송 등 모든 프로세스에 다양한 장비와 설비가 도입되어 활용되어지고 있다는 점이다. 기술적 이해를 바탕으로 설비를 조합하면, 물류 프로세스 전 영역을 작업자 중심이 아닌 자동화 시스템 중심으로 운영 변경이 가능하다는 점이 큰 차이이자 변화라고 생각한다. 하지만 그렇다고 물류센터의 본질이 바뀐 것은 없다. 전통 물류의 시기에서도 현재의 시기에서도 물류센터의 역할과 가치는 화물이 훼손 없이 이동, 보관되는 것이고, 이러한 행위들은 필수적으로 경제성이 담보되어야 한다.

물류자동화 컨설팅 업무를 담당하며, 여러 산업군의 고객들을 만났을 때 인터넷 매체를 통해 다양한 설비를 접할 기회가 늘어나다 보니

[그림 1] DPS(Digital Picking System). SKU(Stock Keeping Unit)의 개수, 발생 빈도 및 주문량에 따라 보충 선반 구획(Cell)을 고정식(Fix), 자유식(Free), 혼합(Mix)식으로 운영할 수 있다. (출처: https://logistikknowhow.com)

새로운 종류의 참신한 설비 검토를 원하지만, 실제 투자를 검토하는 의사결정 과정에서 최종 선택되는 자동화 시스템을 보면 동종업계의 레퍼런스가 있어 운영상에 경제성이 검증된 설비를 선택하는 고객이 대부분이었다. 물류자동화 센터에 대해서는 첨단의 다양한 시도도 중요하겠지만, 결국은 한정된 예산 아래 실패 위험을 최소화하여 투자하고, 문제없이 안정적으로 물류자동화 센터가 운영되는 것이 가장 중요하기 때문이라 판단된다. 설계 기간은 정해져 있는데 투자하지 못할 기술 검토에 시간을 너무 소비하거나 반대로 과거 본인이 경험한 설비만 선호하였을 경우 기대한 만큼의 운영 효과를 내지 못할 가능성이 높다. 그렇다면 어떻게 물류자동화 센터를 설계하는 것이 실효성 높고, 안정적으로 센터 운영을 가능하게 할까?

2. 통섭적 사고를 필요로하는 물류 스마트 솔루션의 설계

　　필자는 팬데믹이 발생하기 이전 2016년 온라인 이커머스 회사의 리테일 물류팀에서 직매입 물류센터의 현장개선 담당자로 일했었다. 고객이 주문한 평균 구매액(객단가)당 발생하는 물류비를 낮추기 위해 온갖 노력을 다하던 시절이었다. 당시 필자가 개선활동을 하던 물류센터는 연면적 9,000평 정도에 네 개층으로 이루어진 건출물로 이커머스 센터(E-commerce Center) 전용 물류관리시스템(Warehouse Management System, WMS)이 막 도입되었고, 소화물 주문(Piece Order) 처리를 위한 피킹 시스템으로는 DPS(Digital Picking System)와 DAS(Digital Assorting System)를 결합한 혼합 피킹 솔루션을 보유하고 있었다.

　　이곳에서 필자가 내부 개선 컨설턴트로서 수행했던 개선 활동 중 하나는 고객의 주문을 분석하여 주문 중 상품 한 개만 주문한 경우, 다양한 품목을 주문한 경우를 WMS에서 추출한 실적 데이터를 분석하여 각각의 주문 유형별 물류 작업방식과 작업장소를 달리하여 생산성을 극복하기 위한 전략을 수립하는 것이었다. 전략을 실현해 보았을 때 다행히 효과가 있었다. 초기에는 20% 이상의 생산성 향상을 가져올 수 있었다. 그러나 특정 행사 기간에 평균 대비 큰 폭의 출고 물량 상승이 집중되고, 매출향상을 위해 MD(Merchandiser)들이 점차 취급 상품을 늘렸으며 이에 따라 고객들이 다양한 상품을 시키는 주문 비중이 높아지고, 상품 간에 그룹핑되는 상관관계성이 떨어져 데이터 분석을 통한 현장 전술 만으로는 한계가 존재했다. 결국 피킹 영역에 DPS와 DAS뿐 아니라 다른 차원의 자동화 솔루션이 필요함을 느끼게 되는 순간이었다.

　　이커머스 개선에 있어서 피킹 외 프로세스만으로 생산성 개선에 한계를 느낀 또 다른 영역은 합포장이었다. 이커머스는 한 고객이 다양한 상품을 주문하는데, 네 개의 층으로 구성되어 있던 과거 물류센터에서는 주문한 상품을 한꺼번에 포장하는 방식이 아니라 층별로 주문상품을 분리 포장해야 하는 경우가 계속 발생했다. 당시 센터의 최종 배송은 택배사를 이용하였으므로 분리포장이 발생할 경우에 박스비, 택배비 등이 낭비되어 이를 개선하여 비용절감 및 서비스 향상을 이루고자 했다. 네 개 층에 보관 중인 재고를 특정 공간에서 합포장하기 위해서는 백화점의 에스컬레이터나 엘리베이터와 같이 물류센터 내 층간 이송을 위한 장비가 필요하였다. 그러나 막상 각 층에 천공을 뚫어 컨베이어를 연결하려면 안전 펜스를 포함해 꽤 많은 공간이 죽는 공간(Dead Space)으로 변화되어 보관량이 줄어들고 작업 동선에 비효율이 생긴다는 것을 전문 설계업체와 논의하며 알게 되었다. 또한 해당 물류센터는 임대센터로서, 임대기간 만료 후 센터이전 시 원상복구를 위한 비용이 추가적으로 발생한다는 점이 부담되는 부분이었다. 센터 레이아웃의 변경을 가져오는 층간 이송과 같은 큰 개선은 가급적 초기 설계 단계 때 진행하는 것이 현명하다는 것을 느꼈고, 아쉽게도 실행에 옮기지는 못하였다.

또다른 어려움을 느꼈던 영역은 관련부서와의 커뮤니케이션 방식이었다. 행사 전에 어떤 상품에 대한 행사이고, 판매 목표 수량이 얼마인지 엑셀파일이 메일로 공유되어 왔지만, 목표 수량과 실제 판매수량에 차이가 컸고, 급하게 상품이 변경될 경우 업데이트가 원활하지 않았다. 취급하는 제품의 수가 적고, 판매 볼륨이 컸던 이전 제조 회사에서는 통계 기반 수요예측이 유효했으나 수만개의 상품을 조합하여 다양한 행사를 진행하는 이커머스 회사에서는 통계 기반의 판매 예측이 효과를 발휘하기가 어려웠다. 그렇다 할지라도 행사계획에서 노출된 상품의 판매량은 행사를 하지 않을 때와 확연한 차이가 있으므로, 다음날 많은 판매가 예상되는 아이템들을 물류센터 운영 시작 전에 미리 피킹설비나 포장장 근처로 재고를 옮겨 놓을 수 있다면 출고 생산성을 높일 수 있을 것이라 생각되었다. 하지만 이를 실행에 옮기고자 회의를 진행해 보니 소수의 작업 인원이 더 이른 시간에 출근해야 했고, 결국 작업자를 위한 통근차량을 배치해야 하는데, 통근차량 섭외 및 교통비, 인력 수급 등의 어려움이 있어 실행할 수 없었다. 이와 같이 물류센터의 개선은 정밀한 물동량 분석, 관계 부서와 판매계획이 유기적으로 교환될 수 있는 커뮤니케이션 환경, 비즈니스 특징과 물류 인프라를 고려한 초기 레이아웃 설계, 작업시간대 별 인력운영이 가능한 구조 등이 어우러져야 이루어질 수 있음을 알 수 있었다. 물류자동화 솔루션 역시도 실질적 사업 운영에 기여하기 위해서는 전체 개선과정의 연장선상에서 이루어져야 한다.

주문의 복잡성과 업무 수행 난이도가 높아진 물류센터에서는 IT 시스템을 통해 처리하는 영역, 작업자의 역량이 필요한 영역, 마지막으로 물류 자동화 시스템 도입이 필요한 지점이 존재한다. 앞선 센터를 예로 들자면 초기에는 IT와 작업자 역량으로 솔루션을 만들어 개선하는 것으로 효과가 발생했으나 점차 주문 규모 및 상품수가 늘어 복잡도가 증가하자 생산성 향상에 한계가 있었다. 몇 천개 정도의 취급 상품은 메뉴얼, 그리고 수동 피킹 시스템을 통해서도 물류 작업이 처리될 수도 있겠지만, 당장 몇 만개 혹은 수십, 수백만개로 늘어나는 취급 상품 수에 대해 물리적 처리를 하고자 할 때는 물류자동화 시스템 도입 없이는 대응이 어렵다. 물류자동화 시스템을 도입한다는 것은 제함기나 봉합기와 같이 단순한 오퍼레이션 역할만 수행하는 단일 장비를 도입한다는 의미가 아니다. 화물의 이송을 담당하는 대부분의 영역을 컨베이어 라인과 무인 이송로봇(AMR)을 통해 이송 자동화 시스템을 구성하고, 자동보관창고(AS/RS, Automated Storage and Retrieval System) 시스템과 결합한 후 이를 인프라와 프로세스 특성에 맞춰 레이아웃을 구성하여 구축 실현하는 것으로 하드웨어와 소프트웨어를 통합(Integration)하여 가치(Value)를 만들어 내는 것을 의미한다. 이때 고객의 비즈니스적 특징을 고려한 S/W가 빠진 모듈화된 하드웨어에만 의존한 시스템을 구성할 경우, 투자비도 많이 들고 물류 운영을 설비에 맞춰야 하는 모순적인 상황이 발생하기도 한다. 이는 비싼 옷이라 하여 입는 사람이 억지로 체형을 바꿔 몸을 우겨 넣는 것과 유사한 경우라 볼 수 있다. 따라서 어느 정도 규모 있는 물류자동화 시스템 도입시에는 물류 개선 전반의 이해도, 설비지식과 도입경험을 함께 보유하고 있는 SI사와 협업하여 적합한 물류 자동화 시스템을 검토하는 과정이 반드시 필요하다.

물류 스마트 솔루션 도입 시 개념 설계 단계에서는 취급 화물의 특성, 시간당 처리량, 레이아웃, 투자금액을 고려한 적합한 자동화 설계가 기본적으로 이루어진다. 그러나 이것은 말그대로 기본이며, 고객 공급체인(Supply chain)상에서 사업 및 작업자들의 특성, 기존 물류 운영시스템과 앞으로 구축될 시스템과 연결성(Interface), 자동화 시스템이 구축될 지역의 인프라적 특성 및 관련지역의 소방법규 등도 함께 고려해야 한다.

새로운 비즈니스를 시작하며 신규 물류센터를 건립 시 목표 물동량을 기반으로 각 영역별 주요 설비 및 장비의 능력(Capacity)이 정해지는데, 설계 기간 중 상당 기간을 미래 물동량의 정확성에 집중하여 다른 설계 단계를 진행하지 못하는 경우도 종종 있다. 그런 프로젝트의 경우 설계 단계 중에도 계속 미래 물동량이 변경되어 설계의 혼란을 가져오고, 이는 결국 목적 자체가 불분명한 물류자동화 센터 구축으로 이어져 만족할만한 결과를 가져오기가 쉽지 않다. 예상 물동량과 달라질 확률이 높은 형태의 자동화센터 구축의 경우에는, 일정 부분의 여유공간

(Buffer)으로 활용될 평치 공간(선반을 사용하지 않고, 화물을 바닥에 보관하는 공간)을 의도적으로 마련하여야 한다. 입고, 보관, 피킹, 포장, 출고로 이어지는 물류 운영 프로세스 측면에서도 특정 영역의 물동량이 불확실할 경우 해당 프로세스의 자동화 정도(Level)를 낮춰서 설계하는 것도 고려해볼만 하다. 또 다른 방안으로는 단계적 투자로 미리 확장성을 고려한 설계를 진행하여 미래 물동량의 불확실성에 대응하는 방식을 고려해 볼 수 있을 것이다. 확장성을 고려한 설계를 한다는 것은 컨베이어 동선이나 자동창고가 추가로 설치될 시에도 작업 동선상에 막힘이 없고, 설비 및 시스템 연계 시에 간섭되는 부분이 없도록 미리 시스템을 구상하고, 설계를 진행하는 것이다.

물류자동화 프로젝트의 흥미로운 점은 동일한 설비를 활용함에도 사업 특성, 인프라 환경, 프로세스 등의 요소를 결합하면 매 프로젝트마다 다른 설계안이 탄생한다는 것이다. 따라서 최고의 설비를 선정하는데 많은 시간을 소요할 것이 아니라 고객과 지속적인 커뮤니케이션을 통해 최적의 설계안을 찾는데 집중할 필요가 있다. 때문에 물류 스마트 솔루션 설계자는 엔지니어링 요소 외에도 비즈니스, 물류적 특성 등 안정적 수용능력(Capacity)을 보장하기위한 통섭적 사고를 기반한 설계가 필요하다고 하겠다.

3. 물류관리시스템(WMS) 진화를 요구한 팬데믹 이후의 세계

2010년대부터 아마존 풀필먼트 센터(Fulfillment Center, FC)라는 개념이 들어왔다. 풀필먼트 센터라는 개념은 당시 국내 물류업계가 흔히 사용하던 용어도 아니었고, 그래서 개념 정립 또한 되어 있지 않았다. 당시에는 물류창고라는 용어를 많이 사용했는데, 현재는 물류센터 외에

FC라는 용어를 흔히 사용하고 있는 것을 볼 수 있다. FC는 단순히 화물을 입고, 보관, 출고하는 단계를 넘어 입고된 화물을 고객의 주문에 맞춰 재조합하여 주문을 이행(합포장)함으로써 서비스의 가치를 더하는 철학을 지닌 공간을 지칭하는 개념이라 할 수 있다.

2020년 1월 20일 국내 첫 코로나19 환자가 발생한 이래 2023년 5

[그림 2] Fulfillment center, Warehouse에 대한 관심도 분석, 위 그림에서 알 수 있듯 Fulfillment Center 라는 용어는 미국에서 주로 사용되며, 국내에서 다음으로 활발히 거론되고 있다. 통상적으로는 여전히 Warehouse라는 용어가 많이 사용되어진다. (출처: Google Trends 직접검색, 2023년 10월 기준)

월 팬데믹 종식 선언까지 물류의 역할은 전 국민에게 부각될 수밖에 없었고, 특히나 FC의 역할이 중요했다. 코로나 이전에도 두 자릿수 성장을 지속해 오던 이커머스 물류였지만, 팬데믹 시기에 이커머스 물류는 전 국가적으로 사회를 안정화하는 역할을 톡톡히 했으며, 당시까지 이커머스를 경험한 적 없었던 베이비부머 세대의 유입을 증가시켜 폭발적으로 성장했다.[1] 시대적으로는 안타깝게도 팬데믹 기간 오프라인 사업을 영위하던 많은 이들이 직업을 잃었으며, 이들이 파트타임으로 접근하기 좋은 영역이 넘쳐나는 수요를 감당하기 어려워 계속 사람을 필요로 하는 이커머스 물류 영역이었으므로 물류센터에서 일해본다는 생각을 가져본 적 없던 많은 인력이 FC로 유입되었다. 과거 대학생들이 하던 아르바이트 영역 중 물류센터의 일이 특수한 영역 중 하나였다면, 현재 택배센터, 쿠팡 FC에서의 파트타임 업무는 더이상 대학생들 사이에서 생소한 업무가 아니다. 또한 불경기로 인해 정규 직장 외에 소득을 요하는 직장인이 파트타임으로 추가 소득을 원할 때도 이커머스 물류 오퍼레이션의 파트타임 업무는 일당제로서 매력적인 아르바이트 중 하나가 되었다.[2] 기업들은 생존을 위해 이커머스 사업에 뛰어들 수밖에 없었고, 이커머스에는 과거 기업과 기업(B2B, Business to Business)간 물류운영 역량과 다른 형태의 물류역량을 필요로 하였다. B2B 대비 늘어난 상품 수, 빠른 납기 대응, 다양한 프로모션, 특히 비정규화된 오퍼레이션 인력 등이 기업과 개인(B2C, Business to Customer)간 물류에서 해결해야 난제가 되었고, 이를 해결하기 위한 솔루션이 요구되었다.

　　우선 파트타임 업무가 많아진 채 이커머스 물류 오퍼레이션의 품

---

1) 코로나는 베이비부모들의 온라인 쇼핑을 늘렸다, MADTIMES, 2020.08.
2) '긱 워커'열풍에… 쿠팡 청년 고용율 3년새 3배 늘었다, 세계일보, 2022.11.

질 수준을 그대로 유지하고자 한다면 프로세스가 명확하고, 이해하기 쉬워야 했다. 이는 IT 시스템과 하드웨어 모두에 해당하는 조건이다. 파트타임 업무를 담당하는 이들의 업무 능력의 편차는 존재하기 마련이라 개개인의 능력을 믿고 물류 오퍼레이션을 수행하게 둘 수는 없었다. 따라서 물류 오퍼레이터가 수행하는 물류 영역은 상황에 따라 물류 노하우를 기반으로 판단을 하는 고차원적 영역보다는 직관적으로 수행할 수 있는 업무 위주로 변하게 되었다. 주문 분석, 작업 현황 모니터링 및 작업지시 등의 역할은 물류 시스템(WMS, Warehouse Management System)에서 수행하여야 하는 역할이 되어 시스템에 대한 의존도가 높아졌다.

과거에 비해 자동화 설비, 노동생산성 관리, 주문의 양의 증가 등으로 복잡해진 WMS 영역은 현 물류상황을 반영하여 센터운영 전반으로 더 넓게 관여하게 되었다. WOS(Warehouse Operation System)은 이제 기존 WMS의 영역을 넘어 오더를 분석하고, 지시하는 주문계획 시스템(Planning System), 자동화 설비를 관리하기 위한 콘트롤 시스템(Control Sys-

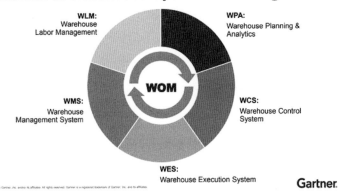

[그림 3] New Warehouse Software Framework from Gartner (출처: https://www. scdigest.com)

tem)인 WCS(Warehouse Control System), 물류센터 실행 전반을 모니터링 하고, 실행 상황에 따라 실행 경로 등을 조율하는 WES(Warehouse Execution System), 작업자의 노동생산성을 관리하는 WLM(Warehouse Labor System) 으로 확장되었다. 앞으로 물류센터를 운영함에 있어서 뛰어난 현장관리 자보다 고도화된 WMS를 확보하는 것이 중요해진 시대로 변화해 가고 있는 것이다.

4. 자율이동로봇(AMR) 통합 운영과 관제 S/W의 중요성

국내의 물류센터는 수도권에 대부분의 수요가 집중되어 있고, 부지가 한정적이다 보니 임대를 목적으로 건설되는 물류센터는 건폐율과 용적율을 최대한 활용하고자 한다. 이로 인해 과거와 같이 단층형태에 넓은 면적을 갖춘 전통적인 형태의 물류센터는 거의 나오고 있지 않다. 통상 물류센터의 대지 공간까지는 임차인이 임대면적으로 임대비를 주지 않고 있기 때문에 평치로 활용할 수 있는 면적이 점점 줄어들고 램프를 통해 차량이 운행되는 아파트 형태의 대형 센터들이 건립되고 있다. 최근 들어 발생한 대형 센터의 화재로 소방규제가 더 강화되었고 방화구획에 대한 준수 요건을 철저히 지켜야 인허가를 받을 수 있게 되었다. 운영 면적이 줄어들고, 강화된 건축법을 준수하면서 생산성을 높이기 위해서 많은 기업들이 자동화를 검토할 수밖에 없다.

비단 생산성 향상이라는 주제를 떠나서도 최근 들어 파트타임 인력 소싱 자체에 어려움을 겪는 업체들이 증가하여 자동화 투자가 필요한 상황이다. 파트타임 인력은 고용주 입장에서 불규칙적 수요에 탄력적으로 대응하는 하나의 운영 전략이라 볼 수 있으나 리스크가 존재한다. 매일 수요에 맞춰 파트타임 인원을 수급할 수 있을 것인가, 어느 정

217

도의 퀄리티 있는 인력들이 파트타임으로 올 것인가라는 것은 항상 고민거리이다. 파트타임 작업자로 인해 물류센터 생산성이 좌지우지하게 둘 수는 없는 것이 화주 대부분이 가진 입장일 것이다. 최근 오퍼레이션 작업자들은 늘어난 물류센터 파트타임 선택지로 인해 점차적으로 하역 작업 중 고된 일은 기피하고 있다. 따라서 특정 영역은 자동화 투자를 하지 않을 경우, 돈을 더 준다고 하더라도 사람을 구하기는 어려워 물류 전체 오퍼레이션에 심각한 영향을 미칠 것으로 예상된다. 지역적 위치도 물류센터 작업인력 구인난을 야기하는 요인 중 하나이다. 농촌에서 일할 사람을 구하기 어렵다는 이야기가 나오듯 돈을 더 준다고 하더라도 지방의 물류센터에서는 하역 인력 수급이 어려워지고 있다.

이를 극복하기 위해 자동화 시스템을 도입할지라도 다수의 고객들이 고정설비 투자를 감행하기란 현실적으로 어렵다. 자가 및 장기 임대로 설계 시점부터 고객 비즈니스에 맞춘 화주맞춤형 물류센터개발(BTS, Build-To-Suit)로 물류센터를 건립한다 하더라도 예측물동량을 기반한 대형 투자에 대한 불확실성과 고정형 설비가 가동되지 않는 상태에서는 공간을 차지하는 비효율적 측면이 존재한다. 임대 센터의 경우, 고정설비투자는 센터이전 시 설비를 해체하고 원상복구를 해줘야 하는 의무를 지니게 되어 설비 이전 및 원상복구에 대한 비용적 부담이 크다. 이 모든 리스크를 최대한 헷징(Hedging)하고 싶어하는 고객의 니즈가 자율이동로봇(AMR)을 활용한 시스템에 대한 수요를 증가시키고 있다.

자율이동로봇(AMR)의 확산은 여느 신규설비와 마찬가지로 레퍼런스가 쌓이기 전까지는 도입이 더딘 측면이 있었다. 근래 쿠팡 대구 메가 풀필먼트센터, CJ대한통운 스마트 풀필먼트센터와 최근 무신사 등에 다양한 형태의 자율이동로봇이 도입되며, 레퍼런스가 지속적으로 쌓이고 있다. 자율이동로봇 레퍼런스를 경험한 인력들이 늘어나고, 벤치

마킹 대상이 늘어나면서 초기 자율이동로봇을 도입할 시 고객이 기대한 다소 이상적이었던 높은 생산성 개선 목표도 현실적 생산성 목표치로 변경되고 있다.

자율이동로봇의 종류는 화물을 다루는 유형에 따라 세 가지로 구분된다. 팔렛트 자율이동로봇(Pallet AMR), 토트박스 자율이동로봇(Bin (Tote) AMR), 소화물 자율이동로봇(PCS(Piece) AMR)이다. 팔렛트 자율이동로봇(Pallet AMR)은 높은 하중의 화물을 다루는 형태로 Forklift AMR이나 선반랙을 이동시키는 아마존의 KIVA와 같은 저상형 AMR이 있고, 토트박스 자율이동로봇(Bin AMR)에는 토트(Tote) 단위 정도의 화물을 이동해주는 AMR로 크게 보면 자동보관창고 시스템의 셔틀로봇(Bin-shuttle vechicle)도 이에 해당한다. 소화물 자율이동로봇(Pcs AMR)에는 최근 의류나 소비재 상품 분류에 주로 적용되고 있는 리비아오 로보틱스(Libiao Robotics) 사의 2D, 3D Sorter나 Pcs Picking 협동로봇 등이 있다. 이런 로봇의 가장 큰 장점은 한 곳에 고정적으로 멈추어 있지 않아 물류 운영 및 공간에 변화를 가져가기 용이하다는 것이다. 비고정 형태이므로 고객별로 사업적 특징에 따라 자율이동로봇 프로세스를 표준화하여 임대 운영하는 센터에 확산 및 전개하기가 타 고정형 설비 대비해 용이하다.

과거 자율이동로봇이라 하면 KIVA 형태로 일컬어지는, 바닥면에 QR Code를 부착하고 로봇이 이를 스캔하여 경로를 이동하며 사람과 작업 동선을 분리하는 형태가 대부분이었다. 최근 들어 로봇운영체제(ROS, Robot Operating System), 동시적 위치 추정 및 지도작성(SLAM, Simultaneous Localization and Mapping)과 같은 로봇의 핵심 알고리즘이 오픈소스로 공개되어 빠른 속도로 발전하고 있어 폐쇄적이지 않은 공간에서도 원하는 역할을 로봇이 대신 수행할 수 있게 되었다. 물론 작업자 안정성이 확보된 상황에서 QR Code를 이용하는 방식이 작업 생산성을 높이기 좋고,

그보다는 안내되는(Guided) 어떤 라인이 있다면 더 시스템을 안정적으로 운영할 수 있을 것이다. 마그네틱 라인이나 레일(Rail), 오버헤드 라인 등이 이에 해당한다. 그러나 안내라인은 활용되지 않을 시에는 다른 고정형 설비 시스템과 마찬가지로 공간을 차지하는 단점이 있다. 공간활용성 측면에서 따져 보았을 때, AMR(Autonomous Mobile Robots)은 사람과 같이 유연한 장비이기에 자유로운 레이아웃 설계가 가능하며, 물동량 변화에 따라 AMR 투입대수를 증가시키거나 감소시키는 것도 보다 자유롭게 선택할 수 있다.

이런 AMR이 물류 프로세스의 각 영역에 다양하게 도입될 수록 ROS(Robot Operating System)의 상위 시스템이라 할 수 있는 RCS(Robot Control System)이 점점 더 중요해지게 된다. RCS는 단순히 로봇의 상태를 관리하고, 작업 명령을 지시하는 역할뿐만 아니라 WMS나 WCS로부터 내려오는 주문지시를 분석하여 해당 시점에 어느 위치에 있는 로봇에 작업지시를 하는 것이 최적인지를 판단하여 각 로봇 별 작업지시와 최적경로를 고민하는 WES기능을 포함한다. 여기에 AMR에 대한 생산성 관리 기능까지 포함된다면 동일한 AMR을 도입하더라도 RCS의 품질 수준에 따라 확연히 다른 센터 운영이 가능할 것이다.

2023년 일본 Logi-Tech에서 +Automation 사는 물류 전 프로세스에 관한 자율이동로봇 통합 시스템 설계 컨설팅(AMR System Integration Consulting) 및 연계구현 기능을 선보였다. 하드웨어는 중국의 Geek+, HIRobot, 리비아오의 2D Sorter등 다양했다. 하드웨어의 강자인 일본이 AMR에 있어서는 하드웨어가 아닌 시스템 통합에 집중하는 모습에서 시대의 변화를 볼 수 있었다.

AMR은 Vehicle이자 단위 장비이기도 하다. 단일 Vehicle, 즉 하드웨어에 대한 가격 경쟁력은 어느 산업이나 중요한 영역일 것이다. 예컨대 휴대폰 시장에서도 애플의 아이폰과 삼성의 갤럭시가 브랜드 고유의 가치 및 해당 회사 상품군 연계와 아우러져 강력한 시너지를 발휘하는 등의 개별 핸드폰 이상의 가치를 제공하기 위해 최선을 다하지만, 개별 핸드폰 가격은 여전히 다수의 고객이 상품을 구입할 때 고려하는 가장 중요한 요소이다. 샤오미 핸드폰이 절반 이하의 가격이라면 글로벌 고객은 이를 고려하지 않을 수 없다. 중국의 자율이동로봇 업체는 기본적으로 양산 체계에 자국 내에 수백대를 컨트롤한 경험을 가지고 있다. 이

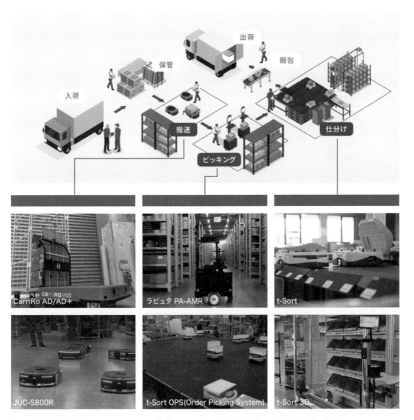

[그림 4] 일본의 +Automation사의 AMR을 이용한 창고운영 모델 예시 (출처: https://plus-automation.com)

것도 불과 10년 내외에 이루어 낸 경험이다. 국내 엔지니어들도 한 대의 자율이동로봇을 만들어 내는 것은 동일하거나 역량에서 우위를 가지고 있을 것이다. 그러나 국내 물류 자율이동로봇을 위해 양산 설비를 투자할 만한 규모는 만들어지기 어렵다. 글로벌로 경쟁하기 위해 대규모 투자를 하기에는 중국에서 이미 투자가 이루어졌을 뿐 아니라 중국내 자율이동로봇 업체 내의 경쟁도 치열하여 중국내부에서 개선이 계속 일어나고 있는 상황이다.

때문에 일본도 자국내 자율이동로봇에 대해서는 어느 정도 중국 업체를 활용하고 있고, 일부 Forklift Type AMR과 같이 하드웨어의 노하우가 많이 들어가고, 아직 시장성이 있어 보이는 영역에 한해 미츠비시 사가 2023년에 이르러서야 프로덕트를 런칭하고, 자국 내에서만 판매를 우선 진행하고 있다. 전세계 적으로 현재 기준에서는 자율이동로봇의 하드웨어에 관해서는 중국이 우위를 차지하고 있는 상황이다. 국내는 절대 다수의 중국의 자율이동로봇을 어떻게 설계하고 운영하느냐인 SI설계 관점으로 대다수 사업을 진행하고 있다. 이때 SI업체의 AMR 제작업체 콘트롤 능력이 중요하다. 중국 쪽 업체와 협력하여 국내에 안정적으로 런칭하는 것은 구축과정에서 상당히 난이도가 있는 영역이다. 언어와 문화의 차이가 물류자동화 비즈니스 상에서도 존재하기 때문이다. 동일한 설비라 하더라도 SI 사업은 시스템을 이해하고, 구축, 안정화하기까지 여러 실행과 커뮤니케이션 과정들이 존재하고, 이때 품질의 차이가 발생한다. 쉽게 생각해 보면 맞춤형 가구, 인테리어, 하다못해 이사를 할 때도 어떤 팀이 와서 작업을 진행하느냐에 따라서 설치 후 품질 및 서비스 만족도가 달라진다. 물류 자동화의 도입에도 어떤 SI사를 선정하여 사업을 수행하느냐에 따라 동일한 하드웨어라 할지라도 품질이 달라질 수 있다.

소비자는 유연한 설비를 원하면서도 단번에 생산성의 향상이 이루어지길 원한다. 아쉽게도 피킹 영역이나 혹은 화물을 분류 영역에서는 면밀한 물동량의 분석, 취급 화물의 특성, 설비의 특징, 시스템이 잘 운영될 수 있는 인프라 환경 등 모든 설계 요건을 고려하지 않는 상황에서 기대만큼 도입효과를 거두기가 매우 어렵다. 이런 점은 경험 있는 SI사의 물류자동화 컨설팅을 통해 해결해야 한다. 앞으로 AMR 영역의 컨설팅의 결과는 문서(Document)보다는 설계하고자 하는 AMR의 동선과 유형에 따른 설계 시나리오별 시뮬레이션과 RCS(Robot Control System)에 사업 측면의 요구사항으로 정확히 전달하여 소프트웨어 시스템 구축 시 반영될 수 있게 좀 더 실질적으로 운영에 기여하는 형태로 바뀔 것으로 예상된다. 더불어 AS(After Service)와 시스템 업그레이드 측면에서 AMR를 통한 작업형태의 개선이 계속해서 진행되어야 한다. AMR 운영 데이터가 쌓일수록 RCS 시스템을 통해 작업 방식, 작업 동선 등에 대한 개선이 계속해서 진행되어야 하며, AMR에 대한 운영 사이클 전반을 지속적으로 향상시킬 수 있는 SI업체가 AMR시장에서 경쟁력을 지닐 수 있을 것이다.

5. AI와 DT는 자동화 시장의 게임 체인저가 될 것인가?

쿠팡 물류의 핵심은 프론트 단계의 판매와 운영의 연결에 있다. 즉, 각 센터 마다 재고 불균형, 판매 기회 등을 분석하여 계속해서 프로모션과 오퍼레이션을 리얼타임으로 이어가는 노력을 지속하는 것이다. 각 연결에는 인공지능(AI) 기능이 들어가 있다. AI 알고리즘은 기본적으로 확률을 기반으로 한다. 정답을 학습하여 정답에 대한 결과를 연역법적 최적화로 도달하는 것이 아니라 귀납법적 확률을 통해 결과를 도출해 낸다. 때문에 AI를 적용해서 좋은 결과를 기대할 수 있는 영역이 있고, 과거 최적화 알고리즘을 적용했을 때 더 좋은 기대효과를 가져오는 영역이 있다. 또한 비즈니스 기반으로 사람이 제약을 명확히 했을 때 오히려 위험 없이 최적화된 로직이 구현되는 경우도 있다. 위 세가지 방식을 혼합하여 최적화를 구현되는 것도 물론 가능할 것이다.

　　AI를 기반으로 알고리즘을 구성한다면, 학습 데이터의 양과 최신의 데이터를 지속적으로 공급하여 AI가 학습을 통해 계속 발전할 수 있도록 데이터를 관리하는 방안을 고려해야 한다. 학습한 데이터가 양질이고, 지속적으로 쌓일 수 있을 때 기대한 결과를 가져올 수 있기 때문이다. 쿠팡과 같이 수백만개의 SKU(Stock Keeping Unit)를 랜덤 스토우(Random Stow) 방식으로 보관한다면 판매량, 판매시기 동선 등이 고려된 적재 위치 지정이 이루어져야야 하고, 이때 AI 기능이 빛을 발한다고 볼

[그림 5] 여러 종류 SKU가 뒤섞여 보관되는 랜덤 스토우 방식에 AI 최적화를 적용한 쿠팡 (출처: 쿠팡 뉴스룸, https://news.coupang.com/archives/29293)

수 있다.

　다만 AI예측 기능을 활용하여 최적 보관 방식을 수정할 경우, 현시점에서 문제점이 없지 않다. 가령, 자동보관시스템(AS/RS)에 AI를 활용하여 적치 및 피킹을 진행할 경우에 왜 해당 위치(Cell)에 재고를 배치하고, 어떤 순서로 주문 상품을 꺼내 온 것인지 설명하기 어려워 이것을 사용자가 최적인지 아닌지를 알 수 없다는 점이 AI의 한계점이다. 이를 극복하기 위해 설명가능한 인공지능(XAI, Explainable AI)이 연구되고 있고, 결국 사용자가 신뢰를 갖고 AI를 활용할 수 있기 위해서는 사람이 이해할 수 있는 AI알고리즘이 적용되어야 한다.

　그전까지는 AI는 물류 운영에서 위험이 적은 영역에 한하여 도입될 것으로 보인다. 사물 이미지 인식을 통한 판단과 분류영역이 이에 해당한다고 볼 수 있다. 딥러닝(Deep learning) 기반의 알고리즘들은 소화물 피킹(Piece Picking), 디팔렛타이징(Depalletizing), 팔렛타이징(Palletizing) 영

[그림 6] 미국 보스턴의 스타트업인 라이트핸드 로보틱스(Righthand robotics) 사의 Picking robot. S/W의 핵심은 사물을 빠르게 인식하고, 특징에 맞게 그립퍼가 집는 강도 위치 등을 선정하는 알고리즘에 있다. (출처: https://righthandrobotics.com)

역에서 로봇의 의사결정을 돕는 역할로 이미 자리잡는 중이다.

장기적으로 AI는 물류센터 자동화의 모든 영역에서 활용될 것으로 보인다. 그러나 AI를 활용하기 위해서는 어디에 어떤 AI를 활용하는 것이 적합한지에 대한 검토가 사전에 이루어져야 한다. 또한 AI 학습을 위한 적합한 데이터를 확보하는 것이 관건이다. 전세계 시장에서 AI에 대한 이론적 발전과 실제 적용된 사례를 기반으로 국내외 물류센터 및 자동화 전반에 실질적 영향을 미치기까지는 아직 시간이 필요할 것으로 보인다. 현 시점에서 AI가 물류센터 자동화 영역에 한해서는 타 산업 군 대비 혁신적인 성과를 이뤄내고 있지는 않다. 그럼에도 불구하고, 다른 산업과 마찬가지로 물류자동화시장(Material Handling Automation Side)에서도 AI에 거는 기대는 여전히 크고, 모든 시장의 공급업체 및 고객은 AI에 대한 준비를 하지 않는다면 도태될 수밖에 없다고 생각한다. 다만, 업계 모두가 AI 알고리즘을 연구할 필요도 없고, 그러한 연구 인력을 채용 및 유지하는 비용을 감당하기 어려울 것이다. 차라리 오픈 AI 알고리즘을 물류 자동화의 어느 영역에 활용할지를 판단하고, 운영되고 있는 데이터 중 어떤 항목을 학습시키고, 발달시키는 것이 중요한지 인지하고 활용하는 것이 효과적으로 AI를 사용하는데 가장 효과적인 접근법이라고 할 수 있다.

앞으로 전체 기구와 화물을 컨트롤하는 WCS(Warehouse Control System)와 독립된 장비(Equipment)가 개별 지시와 새로운 경로를 부여받아 운영되는 Multi AMR을 관제하는 RCS(Robot Control System)에 있어서는 AI가 필수 조건이 될 것으로 보인다. 다만, AI가 가져다주는 효용성과 별개로 물류자동화기술을 도입하는 고객 입장에서 AI기능이 탑재된 자동화 시스템과 AI기능이 없는 동일 기능의 자동화 시스템에 대해서 얼마만큼 가치의 차이를 가져갈 것인가도 AI의 발전 속도에 영향을 미칠 포인트라고 생각된다. AI 기능의 효율성은 고객 모두가 인정 하나 그로 인해 기업이 추가비용을 지불하거나 혹은 AI가 탑재된 물류자동화 기술만을 선호할 만큼 시장에서 가치를 제공할 수 있을지는 아직은 미지수이기 때문이다. 우리는 ChatGPT나 네이버의 파파고 번역 및 이미지 서칭 기능과 같이 상당히 고도화된 AI 기술에 대해서도 비용을 거의 지불하고 있지 않기 때문이다.

디지털 트윈(Digital Twin, DT)에 대해서는 AI 보다 아직은 발전되거나 진입하고 있는 진척 속도가 더욱 더딘 듯 보인다. DT의 경우, 통상 3D로 구현된 이미지와 실시간 연동을 위한 네트워크, 과거 데이터가 아닌 계속 실시간으로 업데이트된 데이터를 기반으로 한 다양한 시나리오의 시뮬레이션이 AI 등의 알고리즘 등을 수반하여 사전에 예측한 상황에 맞춰 실제 물리적 시스템을 리모트로 변경시킬 수 있어야 한다. 이야기한 모든 것이 연결되어 있고 유기적으로 계속해서 관리된 상태로 유지 되어야만 DT가 이상적으로 활용될 수 있는데, 이는 필수적으로 구축 및 관리에 매우 큰 비용을 수반한다. 따라서 이를 구축하기 위한 효율적인 개발 프레임워크와 DT를 활용할 수 있는 설비 시스템이 함께 기획되어야 한다. 2024년에도 좀 더 여유 있는 시각에서 DT를 바라보아도 될 것 같다. 다만, AMR을 활용한 시스템을 구성한 경우 AMR를 도입한 대수가 많을 수록 통합 관제 시스템의 AMR별 지시와 경로 콘트롤, 상황별 대응이 중요하므로 이를 기반한 DT 영역이 우선적으로 발전할 가능성이 높다고 하겠다.

디지털 트윈이라고 하면 3D나 현실과 근접해야 한다는 생각을 할 수 있다. 그러나 꼭 그럴 필요는 없을 것이다. DT에 관해서도 모든 기술이 그러하듯 도입될 때 투자 대비 기대효과를 따져 보아야 한다. 몇 년 전 메타버스(Metaverse)가 유행하며 가상현실(VR, Virtual Reality), 증강현실(AR, Augmented Reality) 기술을 통해 당장 세상이 변화할 것처럼 시대의

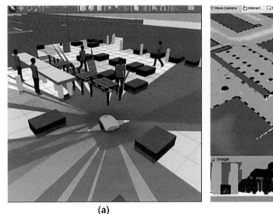
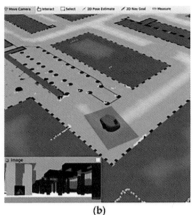

(a)   (b)

[그림 7] AMR Monitoring System, 다양한 설비를 3D 텍스쳐로 구현하는 대비 AMR은 3D 구현 측면에서도 유리한 면이 있으며, 물리적 업데이트가 타 설비대비 상대적으로 유리하다. (출처: A Digital Twin Approach for the Improvement of an Autonomous Mobile Robots (AMR's) Operating Environment—A Case Study, 2021, Sensors(21), Paweł Stączek외 3명)

관심이 집중되었다. 아직도 VR이 가장 활성화된 사업 영역은 게임 및 엔터테인먼트 영역이며, 사회 전반에 풍부하게 활용되고 있지 않다.

　　디지털 트윈은 어느 정도 규모와 장기적으로 진행되는 프로젝트에 적합할 것으로 판단된다. 물류센터 자동화 시스템에 투자하는 영역으로 볼 때 10~100억 단위 투자 중 3D 이미지를 구현한 DT를 적용하려면 커스터마이징 된 이미지를 별도로 작업하여야 한다. 물류자동화 시스템 설계과정에서 설계변경이 지속적으로 이루어져 레이아웃이 변경되는 경우도 잦다. 이럴 때 3D로 구성된 이미지는 오히려 업데이트를 지연시킨다. 2D의 속도로 3D를 구현해 업데이트하고 가격 경쟁력 또한 맞출 수 있다면, 그리고 3D가 시각적으로 더 직관적으로 빠른 모니터링 등의 조치 효과를 가져온다면 도입을 굳이 권하지 않아도 DT 시장이 성장할 것이다. 그러한 시기가 어느 단계에서는 올 것이다. 하지만, 그전까지는 여러 개의 멀티 레이어로 구성되어 2D가 아닌 3D를 통해서만 인지와 개선 효과를 이루는 것이 아니라면, 꼭 3D에 대한 이미지보다는 본질적 기능에 집중하는 것이 현명한 접근 방법이라 생각한다.

통계 기반의 물동량에 대한 여러 시나리오를 물류 시스템에 사전에 흘려 보는 것은 시뮬레이션의 영역이라 할 수 있으나 실시간성 데이터와 연동하여 예측의 신뢰성을 높이고, 또한 실제 설비제어와 연동하는 에뮬레이션 영역으로 이끌어 현장의 물류운영 시스템에 유의미한 영향을 주는 형태가 본질적 기능에서 DT가 가져올 수 있는 가치일 것이다. DT 활용도를 높이기 위해서는 원격제어를 어디까지 정밀하게 할 수 있고, 어느 설비, 장치의 지점에서 제어를 연동하는 것이 좋을 것인가에 대한 고민이 필요하다. 모든 장치가 연동된 물류자동화 센터에서 몇 초 차이의 원격 제어가 이루어질 경우 일부 화물에서 추적(Tracking) 오류가 발생할 수 있고, 심할 경우 화물의 이탈이 발생할 수 있는 등의 위험이 존재하기 때문이다.

물류자동화 영역에서 DT에 관해 아직은 기술적 측면, 투자타당성 측면에서 넘어야 할 산이 많다. 미국 시카고에서 열린 Modex2023나,

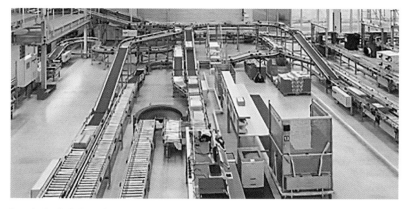

[그림 8] 디지털 트윈은 물류 자동화 운영이 최적화될 수 있도록 돕는다. (출처: DHL, 2019)

일본 도쿄에서 열린 Logi-Tech에서도 DT가 설비 자체를 제어하는 영역으로 활발하게 진행되는 수준까지는 아니었다. 장기적으로는 WCS나 관제 시스템(Monitoring System)의 발전과 물류 장치 및 설비마다 임베디드 시스템이 내장되어 DT가 성장할 수 있는 여건이 갖추어질 때 본격적인 시장이 열릴 것으로 판단된다.

6. 예지보전 시스템과 유지보수 활동을 감안한 설계의 중요성

미래의 어느 지점이 되면 대다수 물류센터의 오퍼레이션은 자동화될 것이다. 이는 로봇과 AI, 빅데이터, IT 시스템의 발전, 인구의 고령화로 인해 다른 산업군에서도 이루어지고 있는 하나의 거대한 흐름이기도 하다.

기계 및 시스템의 의존도가 더 커진 시점에서 기계가 멈추었을 때 수작업으로 언제든 긴급한 상황에 대한 물류 오퍼레이션의 즉각 대처를 한다는 것은 현실적으로 어려운 이야기이다. 마치 도로를 주행하다가 자동차가 갑자기 고장났는데, 달리기를 이용해서 목적지로 이동하거나 말을 타고 간다는 방안을 생각해 볼 수 있겠지만, 달리기로 간다면 굉장히 잘 달리는 주자들이 있어야 하고, 말을 이용한다면 달릴 수 있는 말과 기수가 항상 준비되어야 한다는 이야기와 동일하다. 즉, 달리지 않는 방안으로 자동차를 구매했는데, 자동차가 고장 났다고 당장에 달릴 수 있는 방안도 함께 도입되어야 한다고 말하는 시각은 오히려 설계를 더 어렵고, 비효율적으로 만들 수 있다.

결국 하드웨어와 소프트웨어로 모든 것이 연결된 물류자동화 센터에서는 과거에 비해 고장으로 인한 위험이 높아졌으므로 이에 걸맞은 리스크 관리 시스템을 확보하여 선제적 대응을 하는 방향으로의 인식

전환이 필요하다. 정기적 방문으로 AS부품을 교체하고 관리하는 식의 예방보전활동에서 리얼타임 시스템 모니터링을 통한 예지보전으로 사전에 고장 리스크를 최소화하고, 더불어 비효율적으로 사용되는 유틸리티 비용도 관리하는 방안이 문제가 발생하고 나서 조치 때 지불하는 비용보다 훨씬 경제적이고, 합리적일 것이다.

더불어 설계투자단계에서 주변의 자동화에 대한 지나치게 높은 기대치를 만족시키기 위한 목적 또는 ROI(Return on Investment) 기간을 최소화하기 위한 목적으로 과도하게 오퍼레이션 생산성과 공간 생산성을 높이는 방향은 신중하게 생각할 필요가 있다. 지나치게 생산성 중심의 자동화 솔루션을 설계하면 장기적으로 문제가 발생할 소지가 높다. 예컨대 컨베이어 밸트간의 통로 폭을 매우 좁게 설계하거나 설비가 고장났을 때 처리할 수 있는 작업 공간을 최소화하는 것 등이다. 컨베이어 밸트간 폭이 좁게 설계되면 특정 이슈로 인해 엔지니어가 현장에 투입되었을 때 작업할 공간이 없어 수리가 지연되거나 불가능할 수 있다.

물류자동화 SI 업체는 정상적인 화물 흐름뿐 아니라 이상 상황(Irregural)에도 대응이 가능한 레이아웃 설계와 방안을 마련해 두어야 한다. 고객 역시 장기적 관점에서 물류자동화 시스템 이 안정적으로 운영될 수 있도록 레이아웃 설계 시 유지보수 및 이상상황 대응을 고려될 수 있도록 SI사와 소통하는 것이 중요하다.

231

느린 한걸음, 전통 물류산업의 디지털 전환과 스마트화

김기형

포스코플로우 철강물류실 국내계약섹션 리더, marum78@gmail.com

공급망 ESG경영(공급사슬의 동반성장)에 관해 연구하였으며, 물류
경영학 박사와 국제물류 석사 학위를 받았다. LG상사, 포스코 및 포
스코차이나를 거쳐, 현재 포스코플로우 팀리더로 재직 중이다. 물
류산업 Digital Transformation, ESG경영 등을 연구하고 있으며, 단
국대학교 경영대학원에서 [SCM연구]와 [인공지능과 물류응용]에
대해 강의하고 있다.

1. 실패로 끝난 머스크/IBM 트레이드렌즈(TradeLens)

233

2023년 3월, 머스크(Maersk)와 IBM의 트레이드렌즈(TradeLens) 서
비스가 중단되었다. 트레이드렌즈는 2018년 머스크와 IBM이 공동개발
한 블록체인 기반의 물류 플랫폼으로 수출입 물류 처리 과정을 블록체
인을 활용하여 제공해왔다. 트레이드렌즈는 기술적으로 시스템 구축의
가능성을 입증하였으나, 전 세계적인 충분한 협력을 끌어내지 못한 절
반의 성공이었다. 2019년 4월 이스라엘의 ZIM이 합류했고, 그해 5월에는
CMA CGM과 MSC, 7월에는 Hapag-Lloyd, Ocean Network Express 등이
합류하면서 물류시장의 새로운 방향성을 제시하였다. 시장의 큰 성공
을 거둘 것으로 예상되었으나, 특정 선사를 중심으로 한 통합은 타 경쟁
사들의 참여를 적극적으로 유치하지 못하였고 결국 전 세계적인 협력에
실패하였다. 아시아/중국 컨테이너 운송 회사 중 트레이드렌즈에 가입
한 곳은 한 군데도 없었고 주요 유럽 운송 회사 중 하나는 경쟁 관계인

블록체인 공급망 원장인 글로벌 해운업 네트워크(Global Shipping Business Network, GSBN)에 소속돼 있었다. 이로 인해 경제적 규모를 달성하지 못한 것이 서비스를 종료한 이유가 되었다.

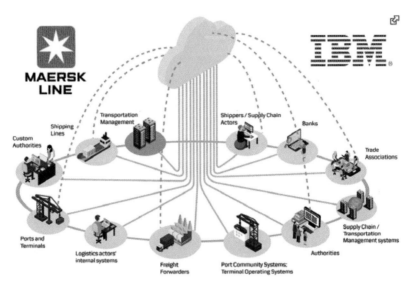

[그림 1] 트레이드렌즈 구성 도식 (출처 : 이데일리)[1]

머스크의 비즈니스 플랫폼 책임자인 로템 헤르쉬코(Rotem Hersh-ko) 역시 이번 트레이드렌즈 서비스 종료에 대해 "트레이드렌즈는 공급망의 디지털화를 도약시키려는 대담한 비전을 바탕으로 설립되었지만 불행하게도 완전한 글로벌 산업협력에 대한 요구는 달성되지 않았으며, 결과적으로 트레이드렌즈는 독립기업으로서 작업을 이어 나가고, 재정적 기대치를 충족하는데 필요한 상업적인 수준에 도달하지 못했다"고 말했다.

---

1) 머스크·IBM, 글로벌물류 블록체인 '트레이드렌즈' 출범⋯94개사 참여, 이데일리, 2018.8.10.

CMA CGM의 Commercial Agencies Network 수석 부사장인 마크 부어돈(Marc Bourdon) 역시 2020년 10월 정보 공유와 관련하여 경쟁업체가 협력하는 것은 매우 드문 일임을 인정했고, 그는 "(수출입 물류 시장의) 디지털화는 고객의 요구에 맞는 엔드-투-엔드 솔루션을 제공하는 것을 목표로 하는 CMA CGM 그룹 전략의 초석"이라며 "이와 같은 업계 전반의 협업은 정말 전례가 없는 일이다"라고 밝혔다. 그러면서 그는 "세계 해운업계의 거의 모든 분야에 속해 있는 모든 기업들이 공통된 목표에 합의하고, 이를 위해 함께 일하고, 공유해야만 디지털 혁신을 실현할 수 있다"고 덧붙였다.[2]

2. 생활물류 플랫폼, 배달의 민족(B2C)의 성공

B2C 생활물류 플랫폼인 배달앱 '배달의민족'은 2022년 연간 흑자로 전환하였다. 매출 2조 9,471억 원을 달성하며 코로나 3년새 3배 가까이 성장하고, 영업이익은 4,241억 원으로 늘어났다. 팬데믹 상황 속에서 소상공인들이 배달 앱을 통해 활로를 찾으면서 입점 식당 수와 함께 주문 수, 결제액도 늘었다. 코로나 이전인 2019년 4억 건이던 주문 수는 지난해 총 11억 1,100만 건으로 증가했다. 코로나 3년간 주문수와 거래액은 나란히 3배가 늘었다. 빅데이터 전문기업 TDI에 따르면 배달의민족 월 활성사용자(MAU)는 사회적거리두기 완화 직전인 2022년 4월 2,082만 명에서 8월 2,067만 명으로 0.6%(14만 명) 감소했다.[3]

---

2) 머스크, 트레이드렌즈 서비스 중단 발표, 트레드링스 물류 트렌드, 2022.11.30.
3) 배달앱 '배달의민족', 작년 연간 흑자 전환…영업익 4241억, 뉴시스, 2023.03.31.

〈표 1〉 2019년부터 연결 포괄손익계산서 기준 집계

(억원)	2014년	2015년	2016년	2017년	2018년	2019년	2020년	2021년	2022년
매출	291	459	849	1,626	3,145	5,654	10,995	20,088	29,471
영업이익	-150	-249	25	217	525	-364	-112	-757	4241

(출처 : 배달의민족, 뉴시스 재편집)

　　이 서비스를 운영하는 우아한형제들의 김봉진 대표는 배달의민족을 혁신이라고 규정하는 데 주저하지 않았다. "인공지능, 유전공학, 로봇과학으로 설명되지 않는 혁신도 있다"며 "불편을 해소해주는 서비스에 이용자가 기꺼이 대가를 지급하면 그게 바로 혁신"이고 또한, "하루에 배달의민족으로 들어오는 주문량이 어지간한 대형 온라인 쇼핑몰과 비슷하다. 우리가 온라인몰과 다른 점은 점심과 저녁 시간에 손님이 몰린다는 것이다. 매일 하루에 두 번 '트래픽과의 전쟁'을 치러야 한다. 한국만큼 특정 지역에 주문이 집중되는 시장은 흔치 않다. IT 기술력이 없으면 플랫폼을 관리하기 힘들다."라고 말했다.[4]

　　플랫폼 비즈니스는 기업이 제3자를 위한 디지털 플랫폼을 제공하고, 이를 통해 다양한 사용자 간의 상호작용 및 거래를 촉진하는 비즈니스 모델을 의미한다. 플랫폼 비지니스의 대표적인 예로는 Airbnb(숙박 공유 플랫폼), Uber(여객운송 공유 플랫폼), Amazon(전자상거래 플랫폼), Facebook(소셜 미디어 플랫폼) 등이 있다. 이러한 플랫폼을 운영하는 기업은 각자의 플랫폼을 통해 공급자와 소비자를 연결하고, 이를 통해 수익을 창출하고 있다. 배달의민족은 사용자 중심의 편리한 서비스, 다양한 선택, 효율적인 배달 시스템, 브랜드 및 마케팅 전략, 데이터 활용, 식당과 협력 등 다양한 요인의 조합으로 성공할 수 있었다.

236

---

4) 김봉진 대표, "한국은 혁신가의 나라⋯규제가 그 도전 못꺾어", 한국경제, 2020.01.01

3. 디지털 트랜스포메이션을 촉진하는 외부변화 요인

디지털 트랜스포메이션(Digital Transformation, DX)은 기업이 디지털 기술을 활용하여 비즈니스 모델, 프로세스 및 전략을 개선하는 과정을 나타낸다. 이는 다양한 외부 변화와 동반되며, 비즈니스 환경과 기술 생태계의 변화가 주요 요인 중 하나이다. 이 글에서는 물류산업의 디지털 트랜스포메이션을 촉진한 주요 외부 변화 요인을 크게 4가지로 정리하였다.

첫째, 2016년 열린 다보스 포럼(Davos Forum)에서 세계경제포럼(WEF, The World Economic Forum)이 발표한 보고서에 '4차 산업혁명'이라는 용어가 등장하였다. 이 보고서는 기술 혁신과 디지털화가 경제, 산업, 사회에 미치는 영향을 다루었다. 4차 산업혁명은 기술의 발전과 경제, 산업, 사회의 변화를 반영한 개념으로, 다양한 연구와 경험이 이 개념을 뒷받침하고 있다. 4차 산업혁명으로의 변화는 기업과 정부, 교육 기관, 개인에게 혁신적인 기회와 동시에 새로운 도전을 제시하고 있다. 이에 대응하기 위해서는 물류기업의 적응력 있는 접근 방식과 지속적인 학습과 개발을 필요로 한다.

둘째, 코로나19 팬데믹은 디지털 변형에 미치는 영향을 크게 가속화하였다. 팬데믹으로 많은 기업들이 원격 근무 및 협업을 위한 IT기술의 도입을 확대하였다. 또한 오프라인 상점의 운영 제약으로 온라인 쇼핑과 전자상거래가 폭증하였다. 더불어, 소비자의 스마트디바이스 확대와 활성화로 대규모 데이터 수집과 분석 활용해져 물류산업이 더욱 가파르게 성장하였다.

셋째, 러시아-우크라이나 전쟁으로 국제 무역 및 공급망이 중단되어, 국가간 물품 및 자원의 이동이 어려워지면서 공급망 불확실성이

237

확대되었다. 더불어, 전쟁으로 인한 지역 안정성이 감소하며 유류 공급에 대한 우려가 증가하여 국제 유가가 크게 상승하였으며, 이에 따른 물류 추가비용 부담이 가중되었다. 또한, 전쟁과 관련된 물류 및 운송 리스크가 증가하여 곡물가격 및 원자재 가격이 크게 상승하는 등 공급망 재편이 시작되었다.

넷째, 환경(Environmental), 사회(Social), 지배구조(Governance)의 세 가지 측면을 고려하는 지속 가능한 ESG경영이 확대되고 있다. 이에 따라 탄소 배출을 줄이기 위한 친환경 운송수단 및 에너지 효율적인 물류 프로세스의 도입이 확대되고, 친환경 옵션을 적극 활용하게 했다. 또한 위험한 작업환경을 개선하도록 규제가 강화되고, 노동자의 권익이 확대되면서 물류회사의 비용 부담이 가중되었다.

238

4. DX 추진전략 이해를 위한 물류산업의 주요 분류 기준

우선, 물류정책기본법상 '물류사업'이란 화주(貨主)의 수요에 따라 유상(有償)으로 물류활동을 영위하는 것을 업(業)으로 하는 것으로 다음 각 목의 사업을 말한다.

물류정책기본법 제2조(정의)
가. 자동차 · 철도차량 · 선박 · 항공기 또는 파이프라인 등의 운송수단을 통하여 화물을 운송하는 화물운송업
나. 물류터미널이나 창고 등의 물류시설을 운영하는 물류시설운영업
다. 화물운송의 주선(周旋), 물류장비의 임대, 물류정보의 처리 또는 물류컨설팅 등의 업무를 하는 물류서비스업
라. 가목부터 다목까지의 물류사업을 종합적 · 복합적으로 영위하는 종합물류서비스업

---

* 물류정책기본법 [시행 2022. 12. 11.] [법률 제18945호, 2022. 6. 10., 일부개정]

물류산업은 다양한 기준에 따라 분류되며, 다음과 같이 구분할 수 있다.

① **운송 수단에 따른 분류**: 물류 활동에 사용되는 주요 운송 수단에 따라 물류산업을 구분한다. 주요 운송 수단으로는 도로 운송(트럭), 해상 운송(선박), 항공 운송(항공기), 철도 운송(기차) 등이 있으며, 이러한 운송 수단을 이용한 물류 서비스 제공 업체가 해당 분류에 속한다.

② **서비스 유형에 따른 분류**: 물류 서비스의 종류와 범위에 따라 물류 회사를 구분한다. 이에는 저장 및 창고 서비스, 운송 서비스, 품질 관리 서비스, 주문 처리 서비스 등이 포함된다.

③ **산업 부문에 따른 분류**: 물류산업은 다양한 산업 부문과 관련이 있으며, 이에 따라 물류 서비스가 분류된다. 예를 들어, 음식 서비스 물류, 의료용품 물류, 자동차 부품 물류 등 다양한 산업 분야에 특화된 물류 업체가 있다.

④ **물류 활동에 따른 분류**: 물류 활동의 특성에 따라 물류 회사를 분류한다. 예를 들어, 물류 컨설팅, 재고 관리 및 창고 서비스, 주문 처리 및 배송 서비스, 공급망 관리 등 다양한 물류 활동을 수행하는 업체가 있다.

⑤ **기술 및 자동화 수준에 따른 분류**: 물류산업은 기술 및 자동화 수준에 따라 분류될 수 있다. 고도의 정보 기술과 자동화를 활용하여 물류 프로세스를 최적화하는 회사들은 디지털 물류 또는 스마트 물류 업체로 분류된다.

⑥ **고객 분류에 따른 분류**: B2B 물류(Business-to-Business Logistics)는 기업 간의 상거래에서 물품을 움직이고 관리하는 과정을 말한다. 이것은 비즈니스 간의 물류 활동을 나타내며, 소매 업체와 소비자 간의 상거래인 B2C(Business-to-Consumer) 물류와 구분된다.

239

이 글에서는 고객 분류 관점에서 B2C 물류(생활물류), B2B 물류(전통물류)로 정의하였다.

5. 생활물류와 생소한 B2B 물류

B2B 물류(Business-to-Business Logistics)는 기업 간의 상거래 활동에서 물품을 움직이고 관리하는 과정을 의미한다. 이러한 물류 활동은 비즈니스 간의 관계에서 중요한 역할을 하며, 소매 업체와 소비자 간의 상거래인 B2C(Business-to-Consumer) 물류와 다른 특성을 갖고 있다. 아래에서 B2B 물류와 관련된 활동의 정의를 간략히 설명하고자 한다.

첫째, 운송 및 배송(Transportation/Delivery)은 제품이 공급 업체에서 구매자로 이동하는 과정을 포함한다. 다양한 운송 수단을 사용하여 물품을 운송하는 것을 포함하며 이는 트럭, 선박, 항공기, 철도 등을 활용할 수 있다. 물품이 안전하게 이동하고 예정 시간 내에 도착하는 것이 중요하다.

둘째, 공급 업체와 구매자는 물류 과정에서 재고관리(Inventory Management)를 하고 이를 최적화해야 한다. 필요한 재고를 유지하면서 과다한 재고를 줄여 물류 비용을 절감하고 효율성을 높일 수 있다.

셋째, 주문 처리(Order Processing)이다. 주문을 받고 처리하는 과정은 제품을 포장하고 발송하는 중요한 단계이다. 이 과정은 주문 수락, 재고 확인, 주문 포장, 운송 및 배송 예약 등을 포함할 수 있고, 주문 및 재고 관리 시스템을 통해 자동화될 수 있다.

넷째, B2B 물류에서는 제품의 공급망을 효과적으로 관리(Supply Chain Management)하고, 다양한 공급망 파트너 간의 협력을 조정하는 것이 중요하다. 이는 생산업체, 유통업체, 운송업체 등과 관련되어 있다.

원활한 협력을 통해 물품의 움직임을 최적화하고 물류 프로세스를 향상시킬 수 있다.

마지막으로 다섯째, B2B 물류에서는 제품의 품질을 보장하고 배송 중에 손상되거나 손실되지 않도록 조치해야 한다(Quality Management). 이는 제품의 안전한 포장과 보관, 운송 중의 모니터링을 포함한다.

B2B 물류는 비즈니스의 원활한 운영과 성공에 매우 중요한 역할을 한다. 효율적인 B2B 물류는 비용을 절감하고 공급망을 최적화하여 기업 간의 상거래 활동을 효과적으로 지원하고 경쟁 우위를 확보하는 데 기여한다. 소비자가 접하는 완제품 생산을 위해 그 이상의 기업간 원자재 운송이 필요하다. 이에 따라 대부분의 종합물류기업은 원자재 운송부문을 별도로 운영하여 기업간 물류를 전담하고 있다.

6. 전통적인 기업간 물류의 스마트화가 더딘 이유는?

B2B 물류와 B2C 물류 간의 디지털 트랜스포메이션 속도의 차이는 여러 가지 복잡한 요인에 영향을 받는데, B2B 물류는 종종 B2C 물류보다 훨씬 더 복잡한 프로세스를 갖는다. 기업 간 거래는 다양한 제품 카테고리, 주문 유형, 계약 및 가격 협상 등을 다루기 때문에 디지털 트랜스포메이션은 이러한 복잡성을 고려해야 한다. 제품과 서비스의 다양성은 솔루션을 맞춤화하고 프로세스를 조율하는 데 더 많은 노력을 필요로 한다. 그리고 고객들은 자사의 고객에게 서비스를 제공하기 때문에 고객 사양에 따라 다양한 주문 및 공급망 관리 요구 사항을 충족시켜야 한다. 이로 인해 개별화된 솔루션과 프로세스가 필요할 수 있으며, 이는 디지털 트랜스포메이션을 더 복잡하게 만든다. 또한, 주로 기업 간 데이터 및 민감한 정보를 다루므로 데이터 보안 및 규정 준수의 중요성

이 더욱 크다. 이에 따라 추가적인 보안 및 규정 준수 요구 사항을 충족해야 하며, 이는 디지털 트랜스포메이션에 대한 속도를 더디게 만든다. B2B 물류기업들은 종종 오래된 시스템과 IT 인프라를 사용하고 있어 이를 업그레이드하고 최신 기술로 전환하는 데 시간과 자원이 필요하다. 그 결과, 디지털 트랜스포메이션 프로세스가 지연될 수 있다. 더불어, 고착화된 전통적 업계 문화와 관행을 가지고 있어 디지털 트랜스포메이션에 대한 저항이 있을 수 있다. 새로운 기술을 받아들이고 적용하기 위한 조직 내 변화가 더 어려울 수 있으며, 문화적인 변화가 필요하다. 마지막으로 B2B 물류기업은 디지털 트랜스포메이션을 위한 초기 투자의 자금 조달이 어려울 수 있다. 따라서 자금 조달 문제로 인해 디지털 트랜스포메이션 속도가 제한될 수 있다.

7. 민첩한 다윗, B2B 물류스타트업

혁신의 숲(www.innoforest.co.kr)에서 발표한 물류솔루션 기반의 주목할 만한 B2B 물류스타트업 11곳(2023.9.20 뉴스레터)에 통해 간단히 비교해 보고자 한다. IT 기술을 토대로 한 물류솔루션을 통해 물류 산업에도 긍정적인 영향을 끼칠 스타트업들의 최근 36개월간의 트래픽(MAU), 소비자 거래분석, 고용현황 데이터 등 다양한 성장 지표를 기준으로 분석, 선정하였다.

이 중 투자유치액과 B2B 물류업종 유사성을 고려하여, 6개사를 선정하여 살펴보고자 한다. 화물운송(로지스팟, 센디, 테크타카), 국제물류(셀러노트) 및 풀필먼트(위킵, 파스토)를 선정하였다.

〈표 2〉 물류솔루션 기반의 주목할 만한 B2B 물류스타트업 11곳

No.	회사명	누적 투자액 (억원)	고용 인원 (명)	사업내용	설립일자
1	로지스팟	569	162	디지털 통합 물류 서비스 운영사	2017-04-01
2	세컨 신드롬	130+	44	도심형 보관 편의 서비스 '미니창고 다락' 운영사	2016-04-12
3	센디	165+	35	화물운송매칭 플랫폼 '센디' 운영사	2013-01-21
4	셀러노트	74+	45	디지털 수입물류 포워딩 서비스 '쉽다' 운영사	2029-05-30
5	스마트 푸드네트 웍스	40	109	식품외식분야 풀필먼트 서비스 운영사	2020-07-29
6	위밋 모빌리티	38.5+	27	최적 배차 솔루션 '루티' 및 약속 장소 추천 '위밋플레이스' 운영사	2017-05-25
7	위킵	305	114	풀필먼트 서비스 운영사	2013-10-15
8	콜로세움 코퍼 레이션	비공개	75	AI 기반 풀필먼트 서비스 '콜로세움' 운영사	2019-05-22
9	테크타카	125+	64	데이터 기반의 통합 물류 IT 플랫폼 '아르고' 운영사	2020-05-15
10	트릿지	1,417	206	데이터 기반 농식품 솔루션 플랫폼 '트릿지' 등 운영사	2015-12-24
11	파스토	1,000+	132	AI 기반 풀필먼트 서비스 운영사	2018-02-06

출처 : 혁신의 숲(www.innoforest.co.kr) 2023.09.20 뉴스레터, 회사명 가나다순

① **로지스팟** : 데이터 기반의 솔루션을 통해 화물운송을 최적화하고, IT 기술을 통한 디지털 트랜스포메이션을 추진하고 있으며, 다양한 물류센터를 보유하고 있다.

로지스팟의 박재용 대표는 "로지스팟은 플랫폼에 쌓인 데이터로

243

고객의 물류 운송 영역 전반을 분석해 최적의 솔루션을 제안하거나 다양해지고 있는 고객 요구를 적극적으로 반영해 새로운 기술을 개발하고 있다"고 말하며 데이터의 중요성을 강조했다. 차별화된 SaaS(Software as a Service, 서비스형 소프트웨어) 솔루션인 TMS(Transportation Management System, 운송관리시스템) 및 WMS(Warehouse Management System, 창고관리시스템)을 고도화해 타 산업에 비해 비교적으로 디지털 트랜스포메이션이 느린 물류산업을 IT기술을 기반으로 혁신하기 위해 노력하고 있다.[5]

또한, 2016년 '국제로지스'를 인수, 2019년 '㈜성현티엘에스'를 조건부 인수, 퀵서비스 기업 '㈜신한국로지스텍' 인수, 2020년에는 종합물류기업 '티피엠로지스'를 인수했고, 2023년 3월 330억 원에 지분 100%를 인수하는 조건으로 고려택배를 인수했다. 또한 부산신항 인근에 대규모 물류센터를 2023년 3월 오픈했으며, 인천, 평택, 청주 등을 비롯해 전국 22개의 직영·위탁 물류센터를 보유하고 있다.

② **센디** : AI 기반 화물운송 관리 플랫폼을 운영하며, 운송 관련 데이터를 활용하여 배차와 물류 경로를 최적화하는 데 중점을 두고 있다.

센디는 AI 기반 화물운송 관리 플랫폼 '센디'를 운영 중인 스타트업이다. 화물운송이 필요할 때 앱이나 웹을 통해 간편하고 빠르게 화물운송을 이용할 수 있도록 서비스를 제공하고 있으며, 1톤 이하의 소형화물차부터 25톤 대형 화물차와 냉장 및 냉동차까지 자체 보유한 전국 단위의 차량 네트워크를 기반으로 100% 책임 배차한다.

센디는 기술개발 전략을 고도화하기 위해 2022년 10월 네이버 부사장 출신의 최성호 커넥트인베스트먼트 대표를 기타비상무이사로 선임했다. 최성호 대표는 "센디의 운영조직을 효율적으로 구성하고 서비

---

5) 인터뷰 / 박재용 로지스팟 공동대표, 물류신문, 2020.12.16.

스 기술개발 전략수립을 본격화할 수 있도록 자문하고 있다. 이를 통해 기존 서비스 중인 기술부터 고도화에 착수한다. 그간 누적된 화물운송 데이터를 기반으로 고객들에게 보다 적합한 배차가 이뤄질 수 있도록 알고리즘의 정확도를 높이고 차주에게 거주지, 동선, 업무역량 등을 바탕으로 최적의 업무스케줄을 제안하는 화물운송 라우팅 경로지원서비스도 세밀화할 방침"이라고 밝혔다.[6]

③ 테크타카 : 물류 IT 플랫폼 '아르고(ARGO)'를 개발해 커머스 물류에 필요한 IT 시스템을 제공하고 있으며, 국내 물류 시장의 IT 자동화를 위해 노력하고 있다.

테크타카는 쿠팡, 아마존, UPS 등에서 물류 IT 경험을 쌓은 창업진으로 구성된 기업이다. 이커머스 물류에 필요한 모든 IT 시스템을 통합 제공하는 플랫폼 '아르고'를 개발했다. 불과 1년 동안 테크타카는 커머스관리시스템(CMS), 주문관리시스템(OMS), 창고관리시스템(WMS), 운송관리시스템(TMS)을 자체 개발해 상용화했다. 해당 시스템은 아르고 플랫폼을 통해 연계돼 상품 등록부터 주문, 배송까지 모든 단계의 데이터가 자동 연동된다. 현재 테크타카는 마켓컬리와 팀프레시, 삼영물류 등 다양한 물류 업체들에 시스템을 공급 중이다.

2021년 시리즈A(125억 원) 투자를 주도한 뮤렉스파트너 오지성 부사장은 "테크타카는 이커머스 물류 시장에 대한 전문적인 이해와 해결능력을 갖춘 회사"라며 "아직까지도 수작업 중심인 국내 물류 시장은 IT 자동화 수요가 큰데 테크타카가 이를 해소할 수 있을 것으로 기대한다"고 투자 이유를 설명했다.[7]

6) 센디, 네이버 부사장 출신 최성호 대표 이사진 영입, 콜드체인뉴스, 2022.10.31.
7) 물류 IT 스타트업 테크타카, 125억원 초기 투자유치, 머니투데이, 2021.10.19

④ **셀러노트** : 디지털 포워딩 솔루션 '쉽다'를 제공하는 회사로, 가격 면에서 대기업 포워더를 능가하는 경쟁력을 보유했다.

'쉽다'는 수입기업의 화물을 직접 책임지고 운송하는 서비스로 웹페이지에서 실시간 온라인 견적 조회 및 의뢰가 가능하고 수출자 정보만 입력하면 운송 스케줄부터 운송수단 확인 및 추적, 통관 등 모든 내역을 실시간 추적할 수 있다.

"2023년 7월부터 대기업을 대상으로 포워딩(운송주선업) 서비스를 시작했다. 모두 최저가 경쟁입찰이었는데 동종업계 1위인 대기업 포워더를 제치고 수주했다. 국내 포워더가 5,000여개에 달하는데 우리 디지털 포워딩 솔루션 '쉽다'가 가격(운임) 경쟁력 면에서도 유리하다는 것을 입증한 것이다." 셀러노트의 이중원 대표는 경쟁력에 대해 묻자 "기존 수입 포워딩과 디지털 솔루션(IT) 두가지를 모두 잘하는 기업은 국내는 물론 아시아에서도 찾기 어렵다. 셀러노트는 이 두가지를 모두 잘하는 기업"이라며 이같이 밝혔다.[8]

셀러노트는 포워딩 서비스뿐 아니라 국내 보관 및 배송까지 가능한 풀필먼트 서비스까지 자체 시스템으로 구축했다. 기존 포워딩 업체는 디지털화가 안돼 있어 화물 추적이나 통관 현황 등의 확인이 쉽지 않았다. 쉽다는 포워딩 서비스를 디지털로 전환해 무역거래를 쉽고 효율적으로 만들면서 비용까지 절감할 수 있게 했다. 특히 운송 범위가 최종 소비자까지 택배 배송이 가능한 게 장점이다. 수입기업들이 상품 판매에만 집중할 수 있도록 대금결제, 해상·항공운송, 수입통관, 내륙운송, 풀필먼트(입출고, 보관, 재고), 최종 소비자 배송까지 원스톱으로 서비스를 제공하고 있다.

---

8) 물류시장에 '디지털 메기' 떴다...대기업도 반한 신통한 운송서비스, 머니투데이, 2023.8.16.

⑤ **위킵** : 중소 이커머스 기업 및 오픈마켓 판매자를 대상으로 물류 일괄 대행 '풀필먼트'를 제공하고 있으며, 중소 판매자에게 최적화된 물류 솔루션을 제공 중이다.

위킵의 장보영 대표는 "2017년부터 국내 중소 이커머스기업, 오픈마켓 판매자를 대상으로 물류 일괄 대행 '풀필먼트'를 제공하는 기업"으로 소개했다. "물건을 사입하거나 만들기만 하면 온라인에서 쉽게 판매할 수 있을 것 같지만 실제 판매는 주문 수집과 포장, 배송, 송장 번호 입력, 반품, 교환 등 CS까지 복잡한 과정들이 엮여 있다"고 했다.[9]

기존에도 3자 물류는 있었지만 단순 보관업이나 기업 B2B 위주 파레트 운송 등으로 위킵은 특히 국내 중소 이커머스 특성을 들여다보면 물량 조절 등 솔루션이 특별히 필요하다는 것을 파악, 해당 부분이 기존 물류 회사와는 맞지 않다는 점을 노렸다. "풀필먼트 기업을 자처하는 곳이 많지만 단순 보관이나 포장만 해주거나 합포장 자체가 어려운 곳이 많다. 특히 중소 판매자에게 최적화한 물류 전반에 걸친 솔루션과 관리를 제공할 수 있는 곳은 사실상 없다고 봐야 한다. 국내 중소 판매자 풀필먼트 가장 큰 포인트는 데이터 연동"이라고 설명했다. 국내 온라인 중소 판매자인 경우 한 고객사지만 여러 개 쇼핑몰, 여러 택배사와 맞물려 솔루션을 적용, 물류를 처리해야 하기 때문이다.

현재 위킵은 네이버 풀필먼트 얼라이언스(NFA) 소속으로 스마트스토어 40만 판매자와도 연계돼 있다. 중소 판매자 중심으로 특화된 플랫폼으로서 현재 월 40~60개 기업과 계약을 체결(신청 400~500개 사)하고 있다. 또한, 2017년 10월 최초 풀필먼트 센터(300평)를 시작으로 인천 7개,

---

9) [유통포럼] 장보영 위킵 대표 "국내 생태계 최적화 풀필먼트...물동량 작지만 중소 셀러와 성장", 이코노믹데일리, 2022.3.30

서울/경기 4개, 부산 1개 센터 등 4개년 동안 12개의 직영센터로 확장했고 2023년 7월 인천 허브센터를 구축했다.

⑥ 파스토 : 물류 플랫폼을 개발하고 AI 기술을 활용하여 물류 센터 효율화에 주력하고 있으며, 데이터를 기반으로 한 AI로 다양한 정보와 유통 관리를 제공하고 있다.

2018년 창업한 파스토의 홍종욱 대표는 "파스토는 물류회사라기보다는 물류 플랫폼을 만드는 개발회사다. 사업자등록증에도 주업종이 소프트웨어 개발업으로 돼 있다."고 설명했다. 파스토의 풀필먼트는 상품입고부터 재고관리, 주문 자동수집, 포장, 출고 등 전반적인 물류 프로세스를 지원한다. 현재 400여 개 쇼핑몰과의 직간접 연동을 통해 고객들에게 자동 주문수집, 배송, 송장 업로드를 지원하며 네이버 스마트스토어의 주문을 도착보장일까지 배송하는 '네이버 도착보장' 서비스를 제공하고 있다. 특히 소상공인들이 물류센터 서비스를 쓰지 않더라도 직접 재고관리를 할 수 있는 솔루션 '파스토셀프'를 개발해 2022년부터 무료로 제공하고 있다. 파스토셀프를 이용하면 주문 정보를 자동으로 수집하고 최저가 택배를 선택해서 보낼 수 있다. 파스토셀프의 2023년 회원수는 7만 명 정도다. 또한 파스토는 AI(인공지능) 도입에 적극적이다. 홍종욱 대표는 AI를 하는 이유에 대해 "살아남기 위해서다. AI를 활용하고 있는 부분은 물류센터 효율화다. 인력 배치, 물류센터 내 동선, 상품 배치 등에 AI를 적용하고 있다. 결국 원가를 낮춰야 고객들에게 더 저렴한 가격으로 서비스를 제공할 수 있고, 우리도 돈을 벌 수 있다. AI를 통해 유의미한 결과물을 얻기 위해서는 데이터가 쌓여야 한다. '파스토셀프'를 내놓은 이유도 어떤 상품들이 어떤 형태로 포장돼 어느 지역에 판매되는지 등의 데이터를 확보하기 위해서다. 이 데이터에 기반한 AI는 고객들에게 판매에 대한 다양한 정보와 입고 추전과 같은 유통관리 등을

제공한다"고 설명했다.[10]

B2B 물류스타트업은 물류산업에서 IT와 데이터 기반의 혁신을 추진하고 있으며, 물류 업종의 디지털 트랜스포메이션을 이끌고 있다. 이러한 혁신은 물류 산업의 효율성을 향상시키고 소비자에게 더 나은 서비스를 제공할 수 있는 기회를 제공한다.

8. 전통 물류기업의 디지털 트랜스포메이션 전략

2023년 이코노미스트에서는 기존 상장사뿐만 아니라, 비상장사까지 포함해 5,000개 기업으로 대상으로 '2023 100대 CEO'를 발표했다. 기존 매출과 영업이익만으로 조사를 진행했던 것에 고용까지 포함했다. 경영 능력뿐만 아니라 기업의 사회적 기여도도 평가 기준으로 삼아 '2023 100대 CEO'를 선정했다. 5,000개 기업 중 상위 0.2%에 해당하는 100대 CEO에 이름을 올린 최고경영자(CEO)들 중 종합물류기업 5개사를 선정하였다. 현대글로비스(25위, 이규복), CJ대한통운(40위, 강신호), 삼성 SDS(42위, 황성우), 한진(98위, 노삼석), 포스코플로우(100위, 김광수) 등이 해당된다. 주요 종합물류기업 CEO의 디지털 트랜스포메이션 전략에 대해 살펴보고자 한다.

249

---

10) [창발가 열전] 홍종욱 파스토 대표 "잘 만든 식품 잘 전달하는게 푸드테크 핵심", IT조선, 2023.7.12

〈표 3〉 이코노미스트 선정 '2023 100대 CEO' 중 종합물류기업 5개사

No.	회사명	CEO	상장/비상장	매출액(조원)	고용인원(명)	주요사업
1	현대글로비스	이규복	상장	21.5	1,945	최적화된 물류체계를 기반으로 차별화된 경쟁력을 통해 물류, 해운, 유통 등 기존의 영역은 물론 신성장 동력 사업까지 전 부문에 지속 가능한 경영 체계를 구축
2	CJ 대한통운	강신호	상장	8.2	6,883	최고의 경쟁력을 갖추고 지속 가능한 성장을 이뤄나감으로써 'The Global SCM Innovator'라는 비전을 달성
3	삼성SDS	황성우	사장	5.2	11,593	회사가 보유중인 기술의 고도화와 미래 기술 준비를 통하여, 글로벌 기술 중심 회사로의 변신과 이를 바탕으로 한 회사의 성장
4	한진	노삼석	상장	2.4	1,510	아시아를 대표하는 물류 솔루션 기업
5	포스코플로우	김광수	비상장	2.5	198	친환경과 디지털을 중심으로 포스코답게 물류산업에 기여

출처 : 이코노미스트

① **현대글로비스** : 스마트물류 솔루션과 배터리 리사이클링(재활용) 등 신사업을 추진해 기업가치를 키우는 데 경영역량을 집중하고 있다.

현대글로비스의 이규복 대표는 2023년 1분기 실적 발표 보도자료를 통해 불안정한 경영환경 속에서도 안정적이고 효율적 공급망 관리·물류 서비스를 고객사에 제공해 견조한 실적을 유지할 수 있었다고 설명했다. 기존의 사업은 물론 사용 후 배터리 리사이클링, 스마트물류 솔루션, 모빌리티 플랫폼 등 신사업을 적극 추진함으로써 기업가치 증대를 위해 노력할 것이라고 밝혔다.[11]

11) [Who Is ?] 이규복 현대글로비스 대표이사, Business Post, 2023.5.15

현대글로비스는 2023년 4월 24일 경기도 판교 카카오모빌리티 본사에서 모빌리티 플랫폼 사업자 카카오모빌리티와 '중소형 풀필먼트(물류일괄대행) 경쟁력 강화 및 상생 협력 위한 양해각서(MOU)'를 맺었다. 두 회사는 이번 협약에 따라 각각 보유한 역량을 바탕으로 라스트 마일(배송 마지막 구간)과 풀필먼트 등 전자상거래(이커머스) 전반의 물류 영역에서 협력하기로 했다. 카카오모빌리티의 기업 사이 거래(B2B) 기반 당일배송 서비스인 '오늘의픽업' 배송 수단에 현대글로비스의 화물 운송 자원을 활용하는 방식으로 진행된다. 2023년 들어 현대글로비스는 스마트 물류 솔루션 사업에 집중하고 있다. 스마트 물류 솔루션은 입고·관리·분류·운송 등 물류 모든 과정에 인공지능(AI), 빅데이터, 로보틱스 등 다양한 정보기술(IT)을 적용해 물류 효율성을 끌어올리는 것을 말한다.

2023년 4월 임기 첫 분기 실적을 발표하며 이규복 대표는 보도자료를 통해 "기존의 사업은 물론 사용 후 배터리 리사이클링, 스마트물류 솔루션, 모빌리티 플랫폼 등 신사업을 적극 추진하며 기업가치 증대를 위해 노력하겠다"고 말했다. 현대글로비스는 스마트 물류 솔루션 사업을 단순한 물류센터 자동화에 그치지 않고 모든 물류 사업의 토대가 될 수 있는 독보적 사업 모델로 구축하려 한다. 중기적으로는 제조, 유통, 식음료, 의약품 등 6대 타깃 산업분야를 적극 공략해 해당 분야에서 국내 시장점유율 30%를 달성한다는 목표도 세웠다.

② **CJ대한통운** : 수익성을 높이고 첨단 물류기술을 도입해 풀필먼트(물류통합관리) 서비스 경쟁력을 제고하고 있다.

강신호 대표는 2023년 3월 27일 열린 정기주주총회에서 "CJ대한통운은 국내외 경기침체와 금융시장 여건 악화 등 불리한 경영여건 하에서도 수익성 제고와 플랫폼 중심의 미래 성장 토대 구축에 힘썼다. 체질개선 본격화에 기반해 지난해 매출과 영업이익이 증가했다"고

말했다.[12]

물류센터의 효율성 향상을 위해 강신호 대표 체제의 CJ대한통운은 첨단 물류기술을 지속적으로 도입하고 있다. 2023년 5월 개소예정인 이천2풀필먼트센터에 5G특화망 '이음5G'를 도입했다고 2023년 4월 20일 밝혔다. 이음5G는 CJ그룹의 SI계열사 CJ올리브네트웍스의 자체 통신망 구축사업으로 기존 무선인터넷 통신망보다 빠른 속도로 통신이 가능해 물류센터 효율성 향상을 기대할 수 있다. 또한 스마트 창고관리 시스템을 도입해 고객사의 편의를 높이기도 했다.

CJ대한통운은 외부기업과 손잡고 빅데이터를 활용한 물류 체계 고도화에도 나섰다. 2023년 3월 16일 아이지에이웍스와 업무협약을 맺고 빅데이터를 활용한 물류센터 운영 효율 극대화에 나섰다. CJ대한통운의 택배 빅데이터와 아이지에이웍스가 가지고 있는 소비자 프로필 등 외부 데이터를 결합해 데이터 가치를 높이고 물류 데이터 구분 체계도 기존 3단계 200여 종에서 4단계 8천여 개로 세분화하는 것이다.

2022년 10월 26일에는 전국 CJ대한통운 풀필먼트센터에 디지털 트윈(Digital Twin) 기반의 시각화 대시보드 'APOLO-D' 시스템 구축을 완료했다. 이러한 기술은 TES물류기술센터를 통해 개발되고 있다. 2020년 확대 개편된 TES물류기술연구소는 로봇과 AI, 빅데이터를 중심으로 한 첨단기술 개발과 상용화의 주역이다.

또한, B2B 화물 시장 공략을 위한 화물 중개 플랫폼을 미래 성장 동력으로 키우고 있다. CJ대한통운은 2022년 12월 22일 화물운송 중개 플랫폼 '더운반'을 출시했다. 더운반은 화물주선사를 거치지 않고 화주와 차주를 직접 연결하는 플랫폼으로 화주가 출발지와 도착지, 화물종

12) [Who Is ?] 강신호 CJ대한통운 대표이사, Business Post, 2023.5.10

류, 수량 등의 정보를 올리면 차주가 화물 정보를 확인하고 선택, 운송하는 형태로 운영된다. CJ대한통운은 중간과정에서 중개업자에게 지급되던 과도한 수수료가 낮아질 수 있어 화주의 물류비용이 낮아짐과 동시에 차주 수입이 향상됨을 기대하고 있다.

③ **삼성SDS** : 가시성 높은 글로벌 물류 경쟁력 강화를 위해 IT 신기술 기반의 물류 플랫폼을 더욱 발전시키고 있다.

2021년 취임한 황성우 삼성SDS 대표는 클라우드와 물류 사업 두 축을 중심으로 사업을 확장해왔다. 취임 후 임직원을 대상으로 한 첫 신년 메시지에서 'IT서비스 전 분야의 클라우드 기반 전환'을 주문했고, 2022년 3월 주주총회에서도 '클라우드 전문기업'으로 변신하고 있음을 강조하는 동시에 디지털 물류 플랫폼 '첼로스퀘어' 중심의 물류사업 확대를 강조했다. 올해 3월 주주총회에서는 "클라우드와 디지털 물류 사업에 더 많은 투자가 예상된다"고 말하기도 했다.[13]

디지털 물류 플랫폼 첼로스퀘어로 대표되는 물류 사업은 글로벌화에 힘을 쏟고 있다. 지난 2021년 론칭한 첼로스퀘어는 고객이 견적, 예약, 운송, 트래킹, 정산까지 모든 서비스 과정을 직접 이용할 수 있게 해주는 플랫폼이다. 삼성SDS는 첼로스퀘어에 데이터 분석, 자동화, 탄소 배출량 추적 등 기능을 추가하며 고객의 편리한 '디지털 물류 혁신' 경험을 강조했다. 이미 미국과 중국, 네덜란드 등에서 해상·항송·특송에 제공 중으로, 삼성SDS는 내년까지 첼로스퀘어를 30개 국에 확대 공급할 계획이다. 앞서 황 대표는 첼로스퀘어 로드맵을 발표할 당시 지난해 대비 디지털 물류 매출과 고객이 4배 증가했다고 밝히며 첼로스퀘어를 통해 디지털 물류 사업이 본격 성장궤도에 올랐음을 강조하기도 했다.

253

---

13) (DX 훈풍 맞은 IT서비스)②클라우드·물류 앞세운 황성우 삼성SDS 대표, 뉴스토마토, 2023.9.22.

④ **한진** : 로지스틱스로 세상을 연결하여(디지털플랫폼사업) 새로운 가치 창출과 상호 성장을 꿈꾸고 있다.

한진의 노삼석 대표는 2022년 6월 28일 롯데호텔 서울에서 기자 간담회를 열어 중기 사업목표로 '비전 2025'을 처음으로 공개했다. '비전 2025'은 2025년까지 1조 1,000억 원을 투자해 2025년 매출과 영업이익을 각각 발표 당시의 2배 수준인 4조 5,000억 원, 영업이익을 2,000억 원까지 끌어올린다는 내용을 담고 있다.[14]

한진의 투자는 1) 풀필먼트(종합물류)·인프라 구축 2) 글로벌 네트워크 구축 3)물류시스템 구축 크게 3가지 갈래로 추진된다. 풀필먼트·인프라 구축에는 투자계획 가운데 가장 큰 금액인 8,000억 원이 할당됐다. 대전에 스마트 메가허브 및 수도권에 제2의 허브를 구축하고 전국 거점 지역마다 풀필먼트센터를 확보하는 데 사용된다. 대전 스마트 메가허브는 기존에 보유하고 있는 여러 서브 터미널과 시너지가 기대되어 이를 토대로 한진은 발표 당시 14% 수준인 택배시장 점유율을 20%까지 끌어올린다는 목표치를 제시했다. 글로벌 네트워크 구축에는 1,500억 원을 들인다고 밝혔다. 태국, 인도네시아 등에 해외법인을 설립하고 해외 풀필먼트센터, 설비 등 인프라를 구축한다고 설명했다. 또한 플랫폼, 정보기술(IT), 자동화 등 물류시스템 구축을 위해 1,500억 원을 투자할 것을 목표로 설정했다. 유통과 물류를 아우를 수 있는 통합 플랫폼을 구축하고 한진의 물류 시스템을 업그레이드하는 한편 물류 프로세스 자동화에 힘을 실은 것이다.

또한, 한진은 새 먹거리로 공간정보 유통 플랫폼 사업을 추진하고 있다. 한진은 2022년 3월 공간정보 유통 플랫폼 기업 휴데이터스를

14) [Who Is ?] 노삼석 한진 대표이사 사장, Business Post, 2023.8.28.

설립해 택배차량을 활용한 도로정보 데이터베이스(DB) 사업을 수행하고 있다. 도로정보 DB사업은 2019년 신규 비즈니스 제안 사내공모전에서 1위로 선정된 직원의 아이디어를 검토해 조현민 디지털플랫폼사업 및 마케팅 총괄 사장 주도 하에 추진됐다. 2023년 5월 16일에는 인공지능 영상솔루션 기업 에이아이매틱스와 업무협약을 맺고 인공지능 영상인식에 기반한 미래형 정밀 지도 구축에 나섰다. 협약에 따라 한진택배의 차량에 에이아이매틱스의 인공지능 영상인식 기반 데이터수집 장치를 장착해 차선, 교통표지판, 노면표시, 시설물 등의 각종 도로정보를 수집한다. 한진은 2020년 3월 가상·증강현실(VR·AR) 콘텐츠솔루션 기업인 유오케이(UOK)와도 업무협약을 체결했다. 이와 별도로 도로정보를 수집할 택배차량 및 소형차량용 고해상도 카메라와 소프트웨어 개발도 마쳤다.

⑤ **포스코플로우** : 친환경·동반성장·스마트로 미래 물류를 선도한다.

포스코플로우의 김광수 대표는 "우리의 가장 큰 목표는 친환경, 동반성장, 스마트화"라고 강조하며, "우리는 'Value Connected'라는 슬로건에 따라, 선도적 스마트 물류시스템과 친환경 솔루션으로 차세대 물류의 흐름을 이끌고, 다양한 가치의 연결을 통해 기업시민으로서 파트너와 함께 성장해 가장 잘 준비된 친환경, 스마트 물류 전문회사가 될 것"이라고 포부를 밝혔다.[15]

포스코그룹의 디지털통합은 AI를 접목해 단순한 화물 이송을 넘어 데이터와 정보가 흐르게 함으로써 물류 이해 관계자들이 더 나은 서비스를 통해 부가가치를 창출할 수 있도록 할 것이며, 이 정보는 국내

255

15) 김광수 포스코플로우 대표이사 사장 "새로운 가치를 창출·연결하는 복합물류 서비스", 현대해양, 2023.6.12

의 화주·물류업계와 선사·운송사에 실시간으로 공유되는 것이 목표이다. 현재 개발 마무리 단계로 2023년 10월에 1차 가동을 시작했다. 김광수 대표는 "물류는 화물의 이동이 아닌, 데이터의 이동이라고 생각한다. 그 데이터는 누가 어떻게 운영하느냐에 따라 큰 가치 차이를 보인다. 시스템이 완성되면 그룹 사업회사별로 분리된 프로세스와 시스템을 통합하고 물류 운영 전체를 일원화해 시너지와 효율을 높이게 될 것이다. 또한, 주문·계약·실행·정산 전 과정에 걸쳐 실시간 가시성, 시스템 간 연결성과 협업 기능을 강화해 그룹의 신규 물류 수요, 나아가 일반 고객의 물류 수요에 최적 서비스를 제공할 것으로 기대하고 있다. 무엇보다 우리는 많은 데이터를 오픈할 것이다. 중소기업도 언제든 우리의 물류 시스템을 이용해 수출할 수 있도록 할 것이다. 물론 환경문제에 대응하기 위한 실시간 이산화탄소 배출 모니터링과 같은 정보와 데이터도 제공할 예정이다."라고 설명했다.

9. 글을 마치며

머스크와 IBM의 트레이드렌즈 서비스가 2023년 3월 중단된 이유는 전 세계적인 협력 부재와 경제적 규모를 달성하지 못했기 때문이었다. 트레이드렌즈는 물류 플랫폼으로 블록체인을 활용하여 수출입 물류 처리 과정을 개선하려 했지만, 특정 선사 중심의 통합을 유치하지 못해 실패했다. 반면, 배달의민족은 B2C 생활물류 플랫폼으로 2022년에 연간 흑자로 전환해 지속적으로 성장하고 있다. 간단히 말하면 사용자 중심의 서비스, 데이터 활용, 효율적인 배송 시스템 등이 성공의 핵심이라고 할 수 있다.

B2B 물류(Business-to-Business Logistics)의 디지털 트랜스포메이션 속

도가 더딘 이유는 다양한 복잡성, 데이터 보안 및 규정 준수의 중요성, 오래된 IT 인프라, 업무관행, 자금 조달 어려움 등이 있다. B2B 물류의 디지털 트랜스포메이션은 비효율성, 고객 만족도 하락, 경쟁력 상실, 데이터 오류, 재고 문제 및 비용 증가와 같은 문제를 예방하고 경쟁 우위를 확보하며 효율성을 향상시키기 위해 반드시 필요하다.

B2B 물류스타트업 비교분석을 통해 이들은 IT 기술과 데이터 분석을 통해 산업 전반을 혁신하고 있으며, 물류 산업의 성장과 효율성 향상에 기여할 것으로 예상된다. 스타트업들은 데이터와 기술을 효과적으로 활용하여 고객에게 최적의 물류 솔루션을 제공하는 데 주력하고 있으며, 이는 경쟁 우위를 확보하고 있다. 물류산업에 대해 물품 운송뿐만 아니라 데이터 관리와 효율적인 물류 프로세스에 대한 수요가 높아지고 있으며, 이러한 스타트업은 대형 물류기업이 배려하지 못하는 중소 화주 및 판매자의 수요를 충족시키는 역할을 하고 있다.

주요 B2B 종합물류기업의 디지털 트랜스포메이션 전략에 대한 요약과 시사점은 아래와 같다.

현대글로비스는 신사업을 추진하며 기업가치 키우기에 초점을 두고, 스마트물류 솔루션과 배터리 리사이클링 등 다양한 분야로 확장하고 있다. 또한, 스마트 물류 솔루션은 AI, 빅데이터, 로보틱스 등을 활용하여 물류 효율성 향상을 목표로 한다.

CJ대한통운은 수익성 제고와 플랫폼 중심의 미래 성장에 집중하기 위해, 첨단 물류기술 도입을 통한 물류 센터 효율성 향상을 추구하고 있다. 더불어, 빅데이터를 활용한 물류 체계 고도화와 화물 중개 플랫폼 확대를 통해 고객 서비스를 향상하고자 한다.

삼성SDS는 클라우드와 물류 사업을 중심으로 사업 확장을 위해, 디지털 물류 플랫폼 '첼로스퀘어'를 통해 글로벌 물류 경쟁력 강화를 추진하며, 물류 데이터의 가시성 높이기와 해외 시장 확대를 통한 성장 전략을 추진하고 있다.

한진은 '비전 2025'로 1조 1,000억 원을 투자해 성장 목표 설정하고 풀필먼트 및 인프라 구축, 글로벌 네트워크 확대, 물류 시스템 구축에 투자하고 있다. 그리고, 공간정보 유통 플랫폼 사업과 도로정보 데이터베이스(DB) 사업을 통해 새로운 가치 창출을 목표로 하고 있다.

포스코플로우는 친환경, 동반성장, 스마트화를 목표로 삼고, 'Value Connected' 슬로건에 따라 스마트 물류 시스템과 친환경 솔루션으로 성장하고자 한다. 그리고, 통합물류시스템을 구축하여 데이터의 중요성을 강조하며 정보의 공유와 효율성 향상을 추구하고 있다.

우리나라 대형 종합물류기업도 오래된 업무관행에서 탈피하여 B2B물류의 디지털 트랜스포메이션에 집중하고 있으며, 스마트 기술과 데이터 활용을 통해 물류 효율성과 서비스 품질을 향상시키는 노력을 기울이고 있다. 물류 대기업의 스마트화는 물류업계의 경쟁력을 확보하고 새로운 비즈니스 기회를 모색하는 데 필수적인 요소일 뿐만 아니라, 국가 수출산업의 본원 경쟁력 강화에 기여할 수 있다. 더불어, 물류대기업의 스마트화의 기대효과로 환경 문제에 대한 대응과 친환경 솔루션을 제공할 수 있으며, 기업의 사회적 책임과 지속가능성에 대한 해결책으로 활용될 수 있다.

다만, 이러한 전통물류기업의 디지털 트랜스포메이션은 투자를 유치한 일부 물류스타트업, 자금력이 우수한 대기업 위주로 시작 단계에 머무르고 있다. 대부분의 중견, 중소 물류기업은 자금 부족과 리소스 제한, 기술 역량 부족, 변화관리 어려움, 디지털 보안 등 본격적으로 전환이 어려운 부분을 마주하고 있다. 이를 위해 정부와 협회·단체, 교육기관 그리고 화주기업 등 공급망 전체의 지원 논의가 본격적으로 선행되어야 한다. 또한, 중소, 중견기업 경영진이 디지털 트랜스포메이션에 대한 필요성을 인식하고 변화를 주도해야 하며 비전을 제시하고 변화의 노력을 비용이 아닌 투자 관점으로 접근해야 한다.

마지막으로 물류산업 전체의 B2B 물류기업까지 디지털 트랜스포메이션을 통해 국가 물류산업의 강건화가 달성될 수 있도록 공급망 전체의 노력을 기대해 본다.

참고 문헌

머스크·IBM, 글로벌물류 블록체인 '트레이드렌즈' 출범…94개사 참여 (edaily.co.kr)

"실패로 끝난 블록체인 실험"…머스크, 트레이드렌즈 폐쇄 - ITWorld Korea

머스크는 실패, 월마트는 성공 … 기업용 블록체인 성공 조건은 [비즈니스 이노베이션] - 매일경제 (mk.co.kr)

머스크, 트레이드렌즈 서비스 중단 발표 - 트레드링스 블로그 (tradlinx.com)

배달앱 '배달의민족', 작년 연간 흑자 전환…영업익 4241억 :: 공감언론 뉴시스통신사 :: (newsis.com)

김봉진 대표, 한국은 혁신가의 나라…규제가 그 도전 못꺾어 | 한국경제 (hankyung.com)

국내 스타트업의 현황 및 성공요인 분석: ㈜우아한형제들의 사례를 통하여 : 논문보기 - DBpia

물류정책기본법 (law.go.kr)

물류솔루션 기반의 주목할 만한 스타트업 11곳 (innoforest.co.kr)

인터뷰 / 박재용 로지스팟 공동대표 〈 인물 〈 기사본문 - 물류신문 (klnews.co.kr)

로지스팟은 왜 고려택배를 인수했을까 (logibridge.kr)

센디, 네이버 부사장 출신 최성호 대표 이사진 영입 (coldchainnews.kr)

[스타트업 인터뷰] 테크타카, 물류시장 최초 '통합 IT 플랫폼-아르고' 선봬 〉 뉴스 | CIO-CISO

물류 IT 스타트업 테크타카, 125억원 초기 투자유치 - 머니투데이 (mt.co.kr)

물류시장에 '디지털 메기' 떴다…대기업도 반한 신통한 운송서비스 - 머니투데이 (mt.co.kr)

[유통포럼] 장보영 위킵 대표 국내 생태계 최적화 풀필먼트…물동량 작지만 중소 셀러와 성장 | 이코노믹데일리 (economidaily.com)

[창발가 열전] 홍종욱 파스토 대표 "잘 만든 식품 잘 전달하는게 푸드테크 핵심" 〈 푸드테크 〈 인터뷰 〈 사람 〈 기사본문 - IT조선 (chosun.com)

한종희 삼성전자 부회장, 2년 연속 100대 CEO 1위 (economist.co.kr)

[Who Is ?] 이규복 현대글로비스 대표이사 (businesspost.co.kr)

[Who Is ?] 강신호 CJ대한통운 대표이사 (businesspost.co.kr)

황성우 삼성SDS 대표, "클라우드, 물류, 보안 사업에 회사 역량 모으자" - 日刊 NTN(일간NTN) (intn.co.kr)

(DX 훈풍 맞은 IT서비스)②클라우드·물류 앞세운 황성우 삼성SDS 대표 (newstomato.com)

[Who Is ?] 노삼석 한진 대표이사 사장 (businesspost.co.kr)

김광수 포스코플로우 대표이사 사장 "새로운 가치를 창출·연결하는 복합물류 서비스" - 현대해양 (hdhy.co.kr)

지속가능한
해사산업을 위한 협력

최봉준

HD현대글로벌서비스 수석연구원, bjchoi@hd.com

HD현대글로벌서비스 디지털기술센터 담당임원. 조선해양 도메인 기술을 바탕으로 데이터와 AI기술을 접목하여 선박의 탄소저감 솔루션 개발을 이끌고 있다. 해양산업통합클러스터(MacNet)의 디지털 및 친환경시스템 워킹그룹장으로도 활동하며 디지털 기술의 협력 구도 구축에도 힘쓰고 있다.

최대건

HD현대중공업 책임엔지니어, dgchoi@hd.com

HD현대중공업 개발설계부 부서장. 최신의 디지털 기술과 친환경 기술이 적용되는 새로운 선박을 설계하는 부서를 이끌고 있다. 선박 기관실 기장설계 전문가로 최근에는 전장설계 최신 기술에 관심을 가지고 관련 업무를 진행하고 있다

김재은

HD현대중공업 책임엔지니어, jeunkim@hd.com

HD현대중공업 개발설계부서에서 System Integration과를 담당하고 있다. 선박의 항해/통신 장비 및 자동제어 시스템의 설계 업무를 약19년간 진행해 왔으며, 최근에는 선박사이버보안, 자율운항선박 관련 업무를 진행 중이다

1. 선박 패러다임의 변화

선박은 전세계 90%의 화물을 실어 나르는, 지구상에서 가장 큰 단일 운송 교통 수단이다. 이러한 이유로 인류 역사에서 선박은 인간의 활동 영역과 문화를 넓히는 가장 중요한 수단이었다. 특히 국제 물류에 있어서도 선박은 없어서는 안 될 중요한 운송 수단이라 할 수 있다.

2000년 이전까지의 선박, 특히 화물선은 무엇보다 많은 화물을 약속된 시간까지 안전하게 운송하는 것이 가장 큰 목표였다. 이로 인해 화물선에는 선박의 안전 운항에 필요한 설비와 시스템이 개별적으로 설치되었고, 시스템의 복잡도는 그다지 높지 않았다. 선박과 선박, 선박과 육상 간의 통신에 있어서도 SOLAS(Safety of Life at Sea) 협약의 일환으로 유엔 국제해사기구(IMO)에 의해 도입된 GMDSS(Global Maritime Distress and Safety System)의 주요 통신 장비와 위성전화(Voice), 텔렉스, 팩스 및 저속 데이터통신(9.6kbps/64kbps)을 위한 위성 통신 장비 정도가 설치되었다. 대양을 운항하는 선박과 육상 간의 데이터 송수신은 이메일 교신 정도였다.

하지만 시대의 변화에 따라 선박 시스템에도 고도화가 지속적으로 요구되어왔다. 지구온난화 등의 환경 문제에 대한 관심과 우려가 전 세계적으로 높아지자 국제해사기구(IMO)에서도 1973년 해양오염 방지 국제협약(MARPOL, Marine Pollution treaty)과 선박의 운영상 배출되는 오염물질에 의한 해양오염 방지를 목적으로 한 78년 의정서(MARPOL 73/38)가 채택되었다. 1997년에는 MARPOL Annex VI(선박 대기오염 방지를 위한 규칙) 또한 채택되어 2005년 5월 발효되었다. 환경규제가 강화되자 선박에 친환경 시스템이 설치되었다. 디지털 기술이 발전하자 선박의 각종 시스템에도 변화가 일어났다. 선박의 상태 정보(Data)를 외부로 전송할 수 있게 된 것이다. 이렇듯 환경 규제 강화와 컴퓨터 기술의 발전으로 2000년 대에 접어 들며 '친환경 스마트' 선박에 대한 수요가 증가했다.

디지털 기술의 눈부신 발전으로 최근에는 인공지능(AI), 사물인터넷(IoT), 확장현실(XR), 빅데이터 분석 기술을 기반으로 한 선박의 자율운항 연구도 활발히 이루어지고 있다. 특히 HD현대그룹의 자율운항전문 기업 아비커스(Avikus)가 개발한 자율운항솔루션 하이나스(HiNAS - Hyun-

263

dai Intelligent Navigation Assistant System)는 SK해운의 18만 입방미터(㎥)급 초대형 LNG운반선에 탑재되었다. 해당 선박은 지난 2022년 5월 하이나스를 이용해 미국 남부 멕시코만 연안의 프리포트(Freeport)에서 파나마 운하를 거쳐 태평양을 횡단, 충남 보령 LNG 터미널까지 총 운항거리 약 20,000km 중 10,000km를 항해사의 도움 없이 선박 주위 환경과 장애물을 인지해 스스로 타를 제어하는 자율운항 성능을 성공적으로 보여주었다.

2023년 주요 자동차 업체는 자율주행 레벨3 차량 보급을 확대하고 있다. 2015년 테슬라(Tesla)가 세계 최초로 반자율주행자동차를 선보인 이후 불과 8년도 되지 않아 자율주행 레벨3 차량이 상용화 된 셈이다. 이러한 시대의 흐름 속에서 선박도 AI, IoT 기술 및 ICT 기술을 융합한 자율운항선박 기술의 상용화를 앞두고 있다.

이렇듯 선박은 2000년도를 전후로 단순 운송 수단에서 친환경·스마트 선박으로 변화했고, 머지않은 미래에 자율운항으로 패러다임 전환이 이루어질 것으로 예상된다. 특히 저궤도 위성(LEO-Satellite : Low Earth Orbit Satellite) 서비스가 전세계적으로 가능해 질 경우, 스마트·자율운항선박(조선·해운)-항만-물류 간 데이터 송수신의 속도와 양이 급격하게 증

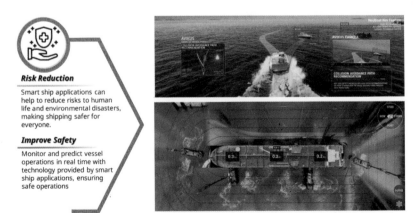

[그림 1] 자율운항 기술인 충돌회피와 자동 접안 기술 구현(출처: 아비커스)

가하게 될 것이고, 데이터의 실시간성과 예측의 정확도가 확보되며 해사 산업 전반과 물류 흐름의 효율화, 고도화 그리고 최적화 등에 있어서 획기적인 변화를 가져올 것으로 기대된다.

2. 탈탄소화(Decarbonization) & 디지털화(Digitalization)

2023년 조선, 해운산업 트렌드의 핵심 키워드를 뽑으라고 한다면 많은 사람이 '탈탄소화(Decarbonization)'와 '디지털화(Digitalization)'를 꼽을 것이다.

2023년 7월 3일부터 7월 7일까지 영국 국제해사기구(IMO) 본부에서 개최된 제80차 해양환경보호위원회(MEPC 80차)가 2050년 온실가스 배출량 넷제로(Net-Zero)를 목표로 하는 데에 합의하는 등 온실가스 감축 목표를 대폭 상향하였다. 강화된 환경규제에 대응하기 위해 탄소포집장치와 같은 고도화된 친환경 시스템을 개발할 뿐만 아니라 대체 연료 엔진 등이 탑재된 친환경 선박의 수요 및 건조의 증가 추세가 계속될 전망이다. 탈탄소화(Decarbonization)는 조선, 해운, 항만, 물류 등 해사 산업뿐아니라 모든 산업에서 변화를 가져오고 있다.

특히 조선 산업의 경우 최근 대체 연료를 사용하는 선박 건조 척수가 지속적으로 증가하고 있다. 하지만 대체 연료 선박 건조에 있어 연료 수급, 벙커링, 선박/장비 시운전 등 적지 않은 제약이 있을 것으로 예상된다. 탈탄소화로 가기 위해서는 대체 연료에 대한 인프라 구축은 물론이고 관련 규제가 개선되어야 한다. 이는 정부와 산업계가 함께 풀어야 할 숙제다.

디지털화(Digitalization)는 Digitization과 비슷해 보이지만 내용에 큰 차이가 있다. Digitization은 아날로그 기반의 콘텐츠(텍스트, 이미지, 영상,

265

음악 등)를 디지털화하는 것이다. 필름카메라에서 디지털카메라로, 브라운관 TV에서 Digital TV(LCD, LED, OLED)로, LP에서 CD로, 서류가 종이에서 전자문서로 변화한 것이 대표적인 예이다.

하지만 Digitalization은 단순히 콘텐츠 뿐 아니라 각종 디지털 기술을 이용해 사회 전반적인 생활 방식이나 업무 절차를 디지털화하는 것을 말한다. 기존에는 선박의 엔진 상태에 대한 주요 데이터(온도, 압력 등)를 수집하기 위해 선원이 직접 장비에 붙어있는 게이지(Gauge) 값을 읽어 기록했다. 현재는 엔진의 주요 데이터를 시스템에서 전자식 센서를 이용하여 직접 기록하고 저장하는 방식으로 변화했다. 이를 Digitalization의 예라 할 수 있다.

인구감소, 노령화, 작업 환경 등의 원인으로 우리나라 취업 선원 중 한국인 선원수는 지난 10년동안 감소하고 있다. 이러한 추세는 전세계적으로 나타나고 있다. 부족한 선원을 대체하고 선원 업무의 강도를 낮출 수 있는 대표적인 방법이 바로 '디지털화(Digitalization)'다. 특히 화물선에 있어서 디지털화는 선택이 아닌 필수라 해도 과언이 아니다.

국제해사기구(IMO)의 해사안전위원회(MSC)에서는 이러한 변화에 맞춰 머지않아 상용화 될 자율운항선박(MASS : Maritime Autonomous Surface Ship)에 대한 국제협약(MASS Code) 개발을 진행 중이다. MSC는 2024년 해당 MASS코드를 비 강제적인 수준으로 승인하고, 2026년 강제적인 수준의 MASS 코드를 채택하여 최종적으로는 2028년 1월 1일 해당 MASS 코드의 강제적인 발효를 목표로 개발을 진행하고 있다.

디지털화는 조선 산업에도 새로운 변화를 일으키는 원동력이 되고 있다. 앞서 언급한 선원 감소 문제와 같이 국내 조선 산업에도 인력난이 심각하다. 2010년대 중반부터 2020년까지 이어진 조선업계 불황으로 많은 인력이 희망 퇴직 등의 사유로 조선소를 떠났다. 최근에는 환경 규제 강화로 친환경, 대체연료 선박 수요가 증가해 조선소에서는 이미 약 5년치 물량을 주문 받았으나 직전의 인력 감축으로 인해 선박을 설계, 건조할 인력이 상당수 부족한 상황이다. 인구 감소, 노령화, 위험한 작업 환경 등으로 조선 산업의 인력 부족 현상은 단기간에 해결될 문제가 아니라는 것이다. 이러한 어려움을 해결하기 위해 국내 조선 3사는 '스마트 조선소' 구축에 박차를 가하고 있다. HD현대그룹의 'Future of Shipyard', 삼성중공업의 'SYARD', 한화오션의 '스마트야드'가 바로 미래형 스마트 조선소의 청사진이 될 것이다.

친환경/디지털 과학 기술의 발전, 환경 규제 강화, 저출산/고령화 등의 사회변화는 선박과 조선 산업, 그리고 해운 산업의 패러다임 대전환을 이끌고 있다.

267

3. 지속가능한 해사 산업을 위한 협력

배출가스로 인한 지구온난화는 인류가 직면한 긴급한 문제다. 전 세계적으로 환경 규제가 강화되고 있으며 문제해결을 위한 탈탄소 대응에도 큰 관심이 모아지고 있다. 이뿐만 아니라 디지털화로 인한 데이터의 폭증에도 대비가 필요하다. 탈탄소화 및 데이터 관리 분야에서 여러가지 혁신적인 해결책들이 제시되고 있으며 이들 기술 또한 발전하고 있다.

조선, 해운, 물류, 항만을 포괄하는 해사 산업에서도 최신 데이터 처리 기술을 이용, 데이터 활용의 새로운 가능성을 열고 있다. 생성된 데이터를 효율적으로 다루기 위해 인공지능(AI)과 머신러닝과 같은 기술이 사용되고 있다. 센서 및 IoT 기기를 통해 선박의 연료 소비 패턴을 실시간으로 모니터링할 수 있는데, 생성된 대량의 데이터를 분석해 비효율성을 식별하여 개선할 수 있는 인사이트를 제공받을 수 있다. 데이터를 활용하면 에너지 효율을 극대화할 수 있고, 이는 환경규제에 대응할 수 있는 한 방법이 된다. 이러한 디지털 기술의 적용은 환경 규제 대응과 더불어 해운 시장에서의 경쟁력 강화 및 효율적인 운영에 중요한 역할을 하게 되었다.

　　디지털 혁신의 한 분야로 자율운항 선박의 연구 및 개발이 주목받고 있다. 자율운항 선박 개발은 디지털 혁신의 중요한 부분으로 부상하고 있다. 이는 기존 선박 건조 차원 혁신의 한계를 넘어서 자동화와 인공지능을 통해 선박항해 및 기관운영을 최적화하여 의사결정을 지원하고 운영자의 개입을 줄이는 방향으로 나아가고 있다. 자율운항 선박은 인지-판단-조치의 과정을 시스템이 스스로 결정하여 최적 항해, 항만 접근, 해양 안전 및 탈탄소화에 혁신을 가져올 것으로 예상하며 기술개발이 추진되고 있다.

　　이러한 발전을 실현하기 위해서는 범 산업계 차원에서의 협력이 필수적이다. 조선소, 해운업체, 선급, 기자재 기업, 디지털 기술 기업, 학계, 정부 등 다양한 이해관계자들 간의 협력이 필요하다. 또한 연구 및 개발뿐만 아니라 규제 및 표준화 노력에도 협력적인 참여가 중요하다. 이를 통해 해사산업업계를 더 친환경적이고 효율적인 방향으로 변화시키고, 기후변화와 데이터 폭증 등 어려운 문제를 해결할 수 있을 것이다. 해사업계는 환경 문제 대응과 기술 혁신에 동시에 집중하고 있고, 특히 데이터 관리와 탈탄소화 분야에서 긍정적인 변화를 이루고 있다. 이러한 노력은 산업 전반에 걸친 협력을 통해 더욱 강화될 것이며, 해사업계 이해관계자들에게 혁신적인 전망을 제시할 수 있는 메시지를 전달하는 데 기여할 것이다.

　　탈탄소화는 우리의 환경 및 경제에 대한 중요한 도전 과제이다. 오염물질 저감과 에너지 절감 기술의 개발은 친환경 원천 기술을 확보하는 데 필수적이다. 동시에 디지털 기술은 선박 산업에 혁명을 가져오고 있으며, 이것은 운영 효율성 향상, 환경 대응 비용 절감, 안전성 확보 등에 기여할 수 있다.

디지털화의 중요성 속에서 데이터 관리가 더욱 주목받게 되었다. 데이터 기반의 의사결정은 선박 운영의 효율화를 실현하며, 실시간 데이터 분석을 통한 연료 소모 최적화와 예기치 않은 문제의 사전 예방을 할 수 있도록 했다. 선박의 항로 및 속도 조정에서도 데이터 분석의 중요성은 점차 높아지고 있다. 이러한 관점에서 선박 데이터의 원격 모니터링은 해운시장의 디지털 전환을 주도하는 핵심 요소로 자리 잡았다.

선박 데이터의 원격 모니터링은 해사 산업을 더욱 친환경적으로 만들 수 있는 열쇠다. 이러한 데이터를 활용하면 선박 운영을 최적화하고 에너지 소비를 줄일 수 있다. 예를 들어 날씨 및 항로 정보를 실시간으로 수집하고, 선박의 항로 및 속도를 조정함으로써 연료 효율성을 극대화할 수 있다. 또한 엔진 및 선박의 상태 모니터링은 정기 점검 및 수리 시간을 최소화하고 안전성을 향상시킬 수 있다. 이렇게 수집되고 분석되는 대량의 데이터 관리에는 복잡성이 도사리고 있어, 올바른 활용에 대한 고민이 함께 이루어져야 한다.

데이터 활용을 위해서는 서로 다른 종류의 데이터를 효과적으로

[그림 2] HD현대글로벌서비스의 육상 관제센터

통합하고 분석하는 것이 중요하다. 데이터 거버넌스 체계의 구축과 데이터를 통합 관리할 수 있는 소프트웨어 개발이 선행 되어야한다. 선박 및 터미널 자산뿐만 아니라 데이터의 축적 및 활용을 위한 소프트웨어 기술에 대한 투자와 기술 확보가 필요하다. 이러한 노력은 데이터를 보다 효과적으로 활용하여 산업 전반에 긍정적인 영향을 미치기 위한 방안이다. 해사업계는 이러한 기술 개발 및 데이터 활용에 대한 협력을 촉진해야 한다. 정부, 산업체, 연구기관 간의 협력은 더욱 혁신적인 해결책을 찾는데 도움이 될 것이다. 친환경 및 디지털 기술의 발전은 우리의 산업을 지속가능하고 효율적으로 만들 수 있는 기회를 제공하고 있으며, 이러한 노력은 해사업계의 경쟁력을 강화하고 환경에 미치는 영향을 최소화하는 데 중요하다.

디지털화와 탈탄소화는 해사업계의 미래를 책임질 핵심 키워드다. 이러한 변화를 적극적으로 수용하고 혁신을 주도하는 것은 우리 산업의 지속 가능성을 확보하기 위한 중요한 도전이다. 저자가 속한 HD현대 그룹에서는 스마트십(Smart Ship) 솔루션을 개발하여 선박의 디지털 전환을 견인하고 있다. 인공지능과 자동화 기술을 활용하여 선박 운영의 자동화를 통해 인력과 비용을 효과적으로 절감하고, 운영 일관성과 효율성을 향상시키고 있다. 데이터 분석과 인공지능 자동화를 통해 선박의

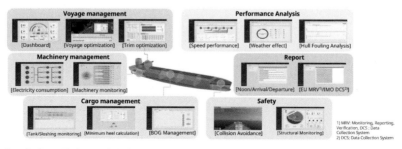

[그림 3] HD현대글로벌서비스의 스마트십 솔루션(Integrated Smartship Solution, ISS) 기능

성능을 모니터링하고, 예지보전을 실시하며, 최적 운항 경로를 계획하는 솔루션을 개발하고 있다. 이로써 선박 운영에서의 의사결정 및 예측 모델을 혁신적으로 개선하고, 우리의 경쟁력을 한 단계 높일 수 있다.

　또한 해사업계 내 다양한 이해관계자와의 협력과 파트너십을 강조하고 있다. 이러한 협력을 통해 혁신과 개선을 지속적으로 추진하고, 산업 전반에 혁신을 불어넣을 수 있다. 해사 산업 내에서 다른 기업, 조직 및 기관과의 협력은 기술과 아이디어의 교류를 촉진하며, 해사업체 간의 경쟁력을 높이고 지속 가능한 산업을 실현하는 데 필수적이다. 이러한 노력과 협력은 해사업계가 디지털화와 탈탄소화의 도전에 대응하고, 혁신을 통해 미래에 더 밝은 가능성을 향해 나아갈 수 있도록 도와준다. 우리는 더욱 지능적이고 친환경적인 해운업을 위한 길을 개척하고 있으며, 이러한 변화는 우리 산업의 긍정적인 방향을 나타내고 있다.

　해사업계가 스마트하고 친환경적인 선박 기술을 활용하는 가능성은 미래의 지속 가능한 성장을 주도하는 열쇠이다. 이를 통해 경쟁력을 향상시키고 동시에 환경 규제를 준수할 수 있는 도구를 확보할 수 있다. 스마트 선박은 운영 및 관리 비용을 효과적으로 절감할 수 있는 가능성을 제공한다. 선박 대형화와 친환경 운항 기술을 통해 연료 효율을 높이고 운영 비용을 최적화할 수 있다. 예를 들어, 실시간 데이터 모니터링을 통해 선박의 연료 소비를 최적화하고, 환경 친화적인 연료 사용으로 환경 관련 세금을 줄일 수 있다. 자동화 기술을 적용한 스마트 선박은 인건비를 절감하고 운영 안정성을 향상시킨다. 데이터 실시간 모니터링 및 기기 오작동 사전 예방은 선박 운영에 대한 투명성을 높이며, 화물 위치의 실시간 추적은 화주와 선주 간의 의사소통을 개선한다. 이로써 운송 프로세스가 간소화되어 효율성이 높아진다.

　스마트 선박 기술은 해사업계가 다양한 도전에 대응하고 미래를 선도하는데 큰 잠재력을 가지고 있다. 최적 항로 탐색과 대기 시간 예측을 통해 선박 운영의 효율성을 향상시키는데 기여한다. 이는 연료 절감뿐만 아니라 선주와 화주 간의 협력을 강화하고 시간과 비용을 절감하는데 도움이 된다. 이러한 기술의 적극적인 도입이 비용 절감, 환경 보호, 안전성 향상, 효율성 향상 등 다양한 이점을 제공하여 친환경성, 운영 일관성, 경영 효율성을 향상시키며 산업의 지속 경영 경쟁력을 향상시킬 것으로 기대된다. 스마트 선박의 이 모든 혁신은 다양한 디지털 기술과의 결합 없이는 불가능하다. 조선산업의 도메인 지식과 디지털 기술의 융합은 스마트십 솔루션의 도입과 발전에 필수적인 요소이며, 이를 통해 해운산업의 미래 경쟁력을 강화할 수 있다.

스마트십 솔루션은 해사업계 미래에 밝은 가능성을 제시하고 있다. 이는 다양한 분야의 지식과 최신 디지털 기술을 결합하여 지속적인 경영 경쟁력을 확보하는 데 중요한 역할을 한다. 선박 건조와 장비 연계를 통해 축적된 조선산업의 도메인 지식은 ICT, IoT, 인공지능(AI), 머신러닝, 데이터 엔지니어링 등 디지털 기술과 융합해 혁신적인 스마트십 솔루션 개발을 가능하게 한다. 다양한 기술을 융합하고 선박의 통합 제어와 연계하여 선박 운항을 최적화하는 데 기여하는 스마트십 솔루션은 선박 내의 센서와 데이터 분석을 통해 선박의 상태를 실시간으로 모니터링하고, 항로 및 해상 조건에 대한 최적의 의사결정을 지원한다. 이는 연료 효율성을 향상시키고 환경에 대한 부담을 줄이며, 동시에 운임 경쟁력을 유지 또는 향상시킬 수 있다.

이러한 기술의 융합 및 발전은 친환경적인 자율운항 선박을 구현할 수 있는 바탕이 된다. 자동화 기술과 인공지능을 활용한 자율운항은 환경에 미치는 영향을 최소화하고, 안전성을 높이며, 운영 비용을 절감하는 데 도움이 된다. 이는 해사업계가 미래에도 지속적으로 경쟁력을

[그림 4] 선박 운항 관리 및 효율+안전+친환경 최적화 도구로써의 스마트십 솔루션

유지하고 성장하는데 필수적이다. 해사업계는 현재 자율운항 선박의 실현을 향해 산업계와 관련 산업들 간의 협력을 강조하고 있다. 혁신적인 발전을 위해 안정성, 신뢰성 및 효율성을 향상시키는 통합 기술 개발이 필요할 뿐만 아니라 기술 발전에 맞춰 자율운항 선박에 관한 규제와 제도를 유지하고 개선하는 것도 중요하다.

　　스마트 선박, 스마트십 솔루션, 자율운항과 같은 디지털 기술의 발전은 각 산업분야의 깊은 혁신과 변화를 주도하고 있다. 그 중에서도 주목할 만한 점은 다양한 업계 간의 융합과 그로 인한 혁신적인 변화이다. 자율운항 기술의 도입은 단순히 선박의 기술적 성능 향상 이상의 의미를 가진다. 그것은 선박의 제어기술과 함께 선박에서 발생하는 방대한 데이터를 효율적으로 관리하고 분석하는 고도의 디지털 기술의 융합을 요구한다. 이는 기존 제조업과 해운산업의 경계를 모호하게 하며, 두 분야 사이의 협력과 연계를 강화한다. 또한 높은 운송 효율성을 위해서는 기상정보, 항만의 혼잡도, 육상물류와의 연계성 등 외부 데이터의 통합적 관리와 활용의 중요성이 강조된다. 초연결의 디지털 시대에서 해운산업은 단순히 한 분야에서만 변화를 겪는 것이 아니라, 다양한 산업 영역과의 연계 속에서 그 중요성이 확대된다. 조선소에서의 선박 제조부터, 물류의 전체 공급망 관리까지 디지털 기술의 통합 활용의 중요성이 강조되고 있다. 이는 단순히 경쟁력 향상 이상의 가치를 지니게 될 것이다. 이러한 디지털 기술의 융합은 우리의 일상생활 향상과 지속 가능한 발전을 위한 필수적인 요소로 자리잡은 지 오래다.

저자가 속한 HD현대 그룹에서는 선박 운영의 안정성과 신뢰성을 향상하기 위해 최첨단 기술을 개발하고 있다. 선박 내부의 센서 및 데이터 수집 시스템은 선박의 상태를 실시간으로 모니터링하고, 문제가 발생하면 신속하게 대응할 수 있도록 도와준다. 또한, 인공지능과 머신러닝을 활용하여 선박 운영 및 항로 계획을 최적화하는 솔루션을 개발하고 있다. 이는 선박 운영의 효율성과 안전성을 크게 향상시킬 것으로 기대된다. 뿐만 아니라, 자율운항 선박의 관련 규정과 제도도 함께 발전시켜야 한다. 현행 규제를 자율운항 기술의 발전에 적합하게 수정하고, 새로운 규정을 도입하여 안전하고 효율적인 자율운항 선박 운영을 지원해야 한다. 이를 위해 정부, 국제 해사 기구 및 산업 단체 간의 협력이 필수적이다. 즉, 자율운항 선박의 실현은 산업계와 다른 분야 간의 협력, 안정성 및 신뢰성을 향상시키는 기술 개발, 그리고 관련 규정 및 제도의 혁신을 필요로 한다.

스마트십 솔루션은 해사업계의 디지털 전환을 주도하며 다양한 기술을 구현하고 있다. 이러한 솔루션은 조선 산업의 지식을 기반으로 혁신을 이루어 내고 있으며, 우리의 산업을 넘어서 미래를 개척하는 기술 교류의 중심 역할을 하고 있다. 이 기술들은 지구 환경 보존과 인간 생활 향상이라는 큰 가치를 추구하기 위해 개발되고 있다. 이러한 스마트십 솔루션은 다양한 영역에서 발전하고 있다. 운항 데이터와 이미지

데이터를 인지하는 디지털화 기술은 선박 운영의 실시간 모니터링과 안전성 향상을 위해 핵심 역할을 한다. 또한, 친환경 장비의 자동화 기술은 배출가스 규제를 준수하면서 연료 사용량을 관리하고 환경에 미치는 영향을 최소화하는 데 기여한다. 뿐만 아니라, 경제운항 기술과 원격 관제 기술은 최적 운영을 지원하고, 육상 관제 기술은 선박 운영에 필요한 지원을 원격으로 제공한다. 또한, 디지털 트윈 기술은 물리적 예지보전을 사이버공간에서 가능하게 하여 안전성과 신뢰성을 높인다.

① **경제운항 지원 솔루션**: 선박 운영 데이터를 수집하고, 인공지능과 머신러닝 기술을 활용하여 데이터를 분석하며, 현재 운영상태를 시각화 한다. 이를 통해 운항사와 기관사는 선박 운영을 실시간으로 모니터링하고 최적의 운영 가이드를 받을 수 있다. 이를 통해 비용 효율성을 높이고 환경 영향을 최소화할 수 있다.

② **항해보조 시스템**: 영상과 AI 기술의 결합으로 항해사의 감시 역할을 보조한다. 선박에서 수집되는 다양한 데이터와 영상을 센서 퓨전 기술로 융합하여 항해사가 운항과 관련된 정보를 실시간으로 파악할 수 있게 한다. 또한, 자율항해 기술을 통해 선박이 경로와 속도를 최적화하고 위치유지 및 정박 등의 과정에서도 항해사를 지원할 수 있다.

③ **탈탄소 솔루션**: 환경 규제가 강화되는 가운데, 친환경 가스 연료로의 전환이 진행되고 있다. 이에 대응하기 위한 고속 제어 시스템과 제어 플랫폼은 패키지로 개발되어 친환경 연료의 운영뿐만 아니라 운반을 관리할 수 있다. 또한, 탈탄소를 위한 디지털 플랫폼은 운영 데이터를 자동 로깅하고 규제 준수를 위한 운영 방안을 제안한다.

④ **육상 관제 서비스**: 선박 데이터를 육상에서 모니터링하고 분석하여 선박 및 선단의 운영 상태를 실시간으로 파악할 수 있다. 선박에 탑재된 스마트십 솔루션과 연결되어 데이터를 통합 관리하고 운영을 지

원한다. 이는 선단 단위로 웹 계정을 발급하여 구독 서비스를 제공하는 형태로 제공되며, 육상에서도 선박 운영을 효율적으로 관리할 수 있도록 돕는다.

⑤ **해양 데이터 센터**: 다양한 선박과 관련된 대규모 데이터를 수집, 저장, 분석하는 허브 역할을 한다. 해양 환경 데이터, 선박 운항 데이터, 항로 정보, 해상 기상 정보 등의 다양한 데이터를 일원화하여 관리하며, 이를 통해 선박 운영의 효율성과 안전성을 높이는 인사이트를 제공한다. 해양 데이터 센터는 클라우드 기반의 분석 플랫폼을 제공하여, 다양한 선박 성능 분석과 운항 관련 솔루션 개발을 지원하고 친환경적인 기술 개발을 촉진한다.

위에 서술한 바와 같은 다양한 스마트십 솔루션은 해사업계의 현대화와 환경 보존을 위한 중요한 도구로 작용한다. 이러한 혁신적인 기술들을 적극적으로 채택하여 운영 효율성을 향상시키고 환경에 미치는 영향을 최소화하는데 기여할 것이다. 또한 기술 융합과 이해관계자들의

선상 Digitalization
· 운항데이터 수집 및 현시
· 영상 인지/분석/AR

장비 자동화
· 친환경(연료/화물) 신기술 및 장비 제어

조선산업 기반 도메인 지식

경제 운항
· 모니터링 및 최적운항 제안

육상 관제
· 원격 검사/감시/지원

Digital Twin
· Cyber-물리모델 기반 예지보전

운항 지원 서비스의 산업화

규제 대응
· 강화되는 안전 규제
· 온실가스 배출 관리
· 항만 정보 연계 최적 항해 지원

자율운항
· 선원 공수 절감
· 안전성/신뢰성/효율성

공공효익 달성을 위한 친환경 자동화

[그림 5] 스마트십 솔루션의 기술 구분

협력을 통해 미래에는 자율운항이 현실화되어 해사 업계가 새로운 진화를 이루어 낼 것이 기대된다.

　　최근에는 AIS(Automatic Identification System)를 기반으로 선박의 배출가스 현황을 추정하고 시뮬레이션 할 뿐 아니라 항구 운영 데이터를 연계하여 항로 지원을 최적화하는 것에 초점을 맞춘 솔루션을 개발해 실증을 진행하고 있다. HD현대에서는 이 서비스를 2023년 1월 미국 라스베이거스에서 개최한 CES(Consumer Electronics Show)에서 오션와이즈(OceanWise)라는 솔루션으로 소개한 바 있다. 이 솔루션은 선박의 도착 시간을 정확하게 예측하여 항만 대기시간 낭비를 최소화한다. 동시에 온실 가스 배출을 추정하고 시뮬레이션하여 선대의 효율적 운영을 지원한다. 정확한 도착 시간 예측은 연료의 최적 사용 속도를 추정 및 제공해 연료 낭비를 줄이고 다운타임을 최소화하여 에너지 절약에 도움을 줄 수 있다. 이 서비스는 해사업계에서 환경에 대한 책임을 다하고 동시에 사업적 이익을 향상시키는 방법 중 하나로도 활용 가능하다. 온실 가스 배출을 최소화하는 데 기여하면서도 해사업계의 운영 효율성을 향상시키는 좋은 예이다. 이러한 혁신적인 솔루션은 지속 가능한 미래를 위해 해사업계에서 적극적으로 도입되어 환경 보호와 경제적 이익을 동시에 추구하는 데 중요한 역할을 할 것으로 기대된다.

　　오션와이즈 기술은 HD현대와 포스코와의 MOU 체결을 통해 추진되고 있다. 포스코는 운용선박을 대상으로 친환경 선단관리 시스템을 실증하고, HD현대는 선단관리용 친환경 알고리즘과 솔루션을 제공하여 환경 보호와 사업 기회의 공동 창출을 목표로 하고 있다. 이는 특정 업계를 초월한 산업계 모두가 얼마나 환경에 대한 책임을 가지고 있는지 보여주는 중요한 사례다. 이 협력은 조선, 철강, 해운사와 같은 다양한 산업 분야가 환경 규제에 대한 선제적 대응을 하기 위한 중요한 걸음 중

277

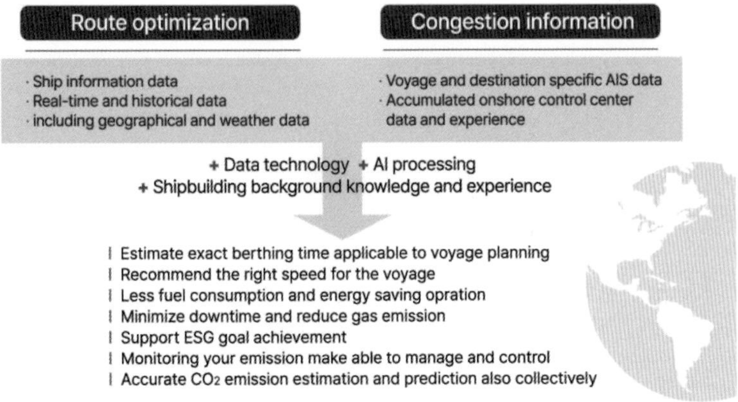

[그림 6] 탄소저감 운영 지원을 위한 항만 데이터 연계 최적항해 지원 서비스 (출처 : HD현대글로벌서비스 오션와이즈(OceanWise))

하나로 간주될 수 있다. 친환경 선단관리 시스템 구축 협력은 ESG(환경, 사회, 지배구조) 경영의 실천을 실현하고, 선단 운영에서 효율적인 판단과 Net Zero 대응 Green Process를 구축하는 데 도움을 줄 것이다. 이를 통해 환경보호와 경제적 이익을 동시에 추구하며, 지속 가능한 비즈니스 모델을 구축하는데 기여할 것이다.

이러한 데이터 기반의 의사결정은 해사산업을 미래로 향한 확고한 발걸음으로 이끄는 중요한 도구다. 이를 통해 운영을 최적화하고 비용을 절감하는 것뿐만 아니라, 안전한 운항을 보장할 수 있다. 선박과 항만 데이터를 기반으로 경로를 최적화하고, 자율항해와 충돌방지, 자율접안 기술을 이용해 안전을 확보하며, 항만 대기 시간을 단축하여 탄소 배출량을 줄이는 것도 가능하다. 이러한 기술들은 해사산업을 혁신적으로 변화시키고, 차후 자율운항 선박을 실현하는 데 필수적인 기반이 될 것이다. 이는 더 나아가 데이터 분석과 연계되어 새로운 정보 서비스 사업의 기회를 창출할 수 있다. 데이터와 기술의 융합을 통해 해사산업을 더욱 친환경적이고 효율적으로 만들고, 동시에 비즈니스 영역을 확장하

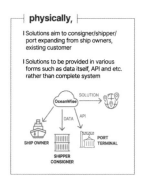
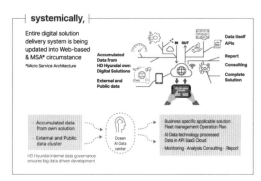

[그림 7] 스마트십 서비스의 진화

는 가능성을 탐색할 수 있다. 지속 가능한 미래를 위해 데이터와 기술을 효과적으로 활용하는 것이 계속해서 발전해 나가야 할 업계의 핵심 과제임을 강조하고자 한다.

미래의 친환경 Carbon Zero 여정은 단일 기업의 노력만으로는 이루기 어려운 목표다. 관련 업계 모두가 기술의 지속적인 발전과 협력의 파트너십을 통해 디지털 비즈니스를 성장시키고 지속적인 개선을 추구해야 한다. 해사 산업은 다양한 분야와 전문성이 필요한 복합적인 산업이다. 따라서 우리는 다양한 분야의 전문 업체와 협력하고 지식을 공유하며 함께 발전해야 한다. 또한, 규제 기관, 사회, 정부와의 협력은 매우 중요하다. 우리의 목표는 해양 환경을 보호하고 지속 가능한 미래를 구축하는 것이기 때문에, 이를 위해서는 업계 이해관계자들이 공동으로 목소리를 내야 한다. 한국선급이 지원하여 해사산업의 다양한 이해관계자들의 이슈와 대응방안에 대해 네트워킹이 가능하게 하는 해양산업 통합 클러스터 '맥넷(MacNet)'과 조선해양플랜트협회가 주관하여 한국의 대형 조선 3사와 한국선급 등이 참여하여 선박의 데이터플랫폼을 공동으로 개발하고 있는 'BLUEONE' 프로젝트와 같은 협력 사례는 이를 실현하기 위한 대표적인 모델이다.

279

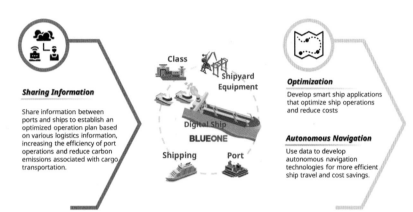

[그림 8] 정보 공유 협업을 통한 물류 최적화 및 자율운항 선박 구현

산업계를 넘어선 민간 부문과 국제 기관, 국가 관련 부처의 역할이 이러한 협력에 있어서 결코 빠져서는 안 될 중요한 요소라는 것은 명백하다. 최근에는 IMO 산하의 간소화위원회(FAL, Facilitation Committee)에서 적시도착(JIT, Just In Time)이라는 새로운 개념을 정립하며, 항만 데이터 교환과 항만 시설의 효율적 운영을 통해 입항의 혼잡도를 감소시키는 방안을 모색하고 있다. 이는 항만에서의 주요 데이터와 그 데이터를 송수신하는 주체를 뚜렷이 명시함으로써, 입항 대기시간의 최소화와 항만 운영의 최적화를 이루어 내기 위한 발판이 된다.

물론, 이러한 개념의 완전한 실현은 데이터 교환의 실시간성이 보장되고, 데이터를 생성하는 참여자들의 적극적인 참여가 필수적이므로 단기간 내에 실현이 어려울 수 있지만, 그 과정과 내용을 체계적으로 정리하여 업계 이해관계자들과 공유함으로써 공감대 형성의 기초를 마련하는 중요한 단계라 할 수 있다. 그리고 이는 해상과 육상의 연결 통로인 공동 혹은 공공시설에서 생성되는 데이터의 중요성을 강조하며, 일부 기업이 아닌 국가, 심지어 국제 기관까지의 차원에서 이러한 변화와 중요성을 인식하고 산업 발전과 기술 혁신의 방향성을 함께 모색해 나가야 하는 필요성을 강조한다.

　즉, 기술의 등장과 산업의 변화, 그리고 비즈니스의 발전 단계에서, 비효율적인 요소를 어느 정도 수용하며 올바른 발전 방향으로의 동력을 유지하기 위해서는 다양한 이해관계를 초월한 공공 부문의 활동과 국제적 협력도 더욱 강화되어야 할 것이다. 이러한 과정에서, 다양한 이해관계자들의 협력과 의지가 중요한 역할을 하는 것은 물론이다.

　이러한 협력이 성공적으로 활성화되려면 디지털로 전환된 비즈니스 사례를 확보하고, 이해관계자의 참여와 고객의 피드백을 적극적으로 수용할 수 있는 체계의 구축이 필요하다. 디지털화와 협력의 원활한 진행을 위해 우리는 개방적인 사고와 민첩성을 갖추어야 하며, 이러한 노력을 통해 친환경 Carbon Zero 여정에서 주도권을 확보해 나갈 수 있을 것이다.

　해사산업은 디지털화와 기술융합의 트렌드를 경험하고 있으며, 이러한 변화는 앞으로 더욱 가속화될 것으로 예측된다. 스마트십 솔루션과 초연결 위성 네트워크, 디지털 트윈 등의 기술 결합은 미래의 자율운항 구현뿐만 아니라 물류의 혁신에도 중요한 역할을 할 것이다. 조선산업과 해운 및 항만 운영 기술의 협력은 체계적인 데이터 기반 선박 및 화물 운송의 관리를 이끌어낼 수 있다. 선박의 설계와 건조, 운항 및 항만 운영의 통합된 데이터 플랫폼은 우리에게 혁신적인 가능성을 제시하고, 이를 통해 전략적인 의사 결정과 가치 사슬을 확장하는 데 큰 기회를 제공한다. 이 과정에서 다양한 이해관계자들 간의 협력과 지식 공유가 더욱 중요해질 것이며, 디지털화된 미래에 우리를 안전하고 지속 가능한 방향으로 안내할 것이다.

　항만 시설 및 다양한 국가시설에서 발생하는 유용한 데이터의 중요성 또한 점점 더 커지고 있다. 이러한 데이터는 조선산업, 해운, 물류

281

에 걸친 산업 전반에서 핵심적인 역할을 할 수 있을 것이다. 그러나 이를 위해서는 활용성을 높이는 방안과 더불어 첨예한 이익관계에서 발생할 수 있는 갈등의 소지, 그리고 데이터의 소유권과 사용권 등의 복잡한 정책적 이슈를 통합적으로 고려하며 진행되어야 한다. 특히 디지털화가 가속되며 데이터의 투명성과 접근성에 대한 중요성이 늘고 국가 및 기업의 역할이 더욱 커지고 있다. 이 과정에서 관련 기관과 이해관계자 간의 협력을 강조하면서 지속적인 대화와 고민을 통해 해결책을 모색해 나가야 할 것이다.

해사산업의 지식은 점차 디지털 플랫폼을 통해 연결되고 있으며, 데이터 공유와 협업이 가능하게 될 것이다. 이로써 정보는 더 다양하게 연결되며 보다 정확하고 포괄적인 전략적 결정을 지원한다. 기업은 이러한 연결성을 채택하고 비지니스에 활용할 수 있도록 하여 지속 가능한 성장과 혁신을 이끌어내야 한다. 해사산업의 미래는 기술, 혁신 및 협력을 계속 추구하여 운영 효율성을 향상시키고 탄소 배출을 줄이며 녹색 및 지속 가능한 해운 생태계를 구축하는 데 있다. 인공지능과 같은 새로운 기술은 단편화된 데이터 사이의 연결을 찾아 정보를 생성하는 데 도움을 준다. 이것은 기술자들의 영역이다. 이러한 연결을 구축하려

기술
· 도메인 지식
· 디지털/데이터 기술
· 데이터 기반 엔지니어링
· 친환경/스마트 선박
· 검증/인증 적용 절차

 더 많고, 더 연결된 **빅데이터**

디지털 전환
(기술융합)
스마트십 솔루션

 더 정확하고, 더 포괄적인 **의사결정**

전략
· 친환경 선박 기술 적용
· 환경 유해물질 저감
· 데이터센터 구축
· 고장진단/예지보전
· 원격 지원/정비

기술구현
· 효율 향상 & 안전 확보 & 환경 대응

[그림 9] 기술융합을 통한 해사산업 지원

면 이러한 기술들을 전반적인 생태계 이야기로 연결하는 연구가 필요하다. 이것은 이 사회의 관리자들의 영역이다. 이러한 공동의 합의는 함께 노력하여 만들어야 하는 것이다.

해사산업은 디지털화의 필요성과 잠재력을 높이기 위한 중요한 과제에 직면하고 있다. 이를 극복하고 미래에 더 높은 성과를 이루기 위해서는 다음과 같은 몇 가지 과제를 해결해야 한다.

첫 번째, 데이터 수집의 간소화 및 자동화가 필요하다. 해사산업에서 발생하는 다양한 데이터를 효율적으로 수집하고 처리하는 방법을 개발하여 비용과 시간을 절약하고 실시간 정보에 빠르게 접근할 수 있어야 한다.

두 번째, 데이터 거버넌스와 보안 조치가 필수적이다. 해사산업은 민감한 정보와 대규모 데이터를 다루고 있기 때문에 데이터의 안전성과 개인 정보 보호를 확보해야 한다. 엄격한 데이터 거버넌스와 보안 프로토콜을 도입하여 데이터 유출 및 해킹과 같은 위험으로부터 보호해야 한다.

세 번째, 인공지능과 머신러닝을 통합해 더 똑똑한 솔루션을 개발해야 한다. 이러한 기술을 활용하면 선박의 설계와 최적화를 개선하고 운항 과정에서의 의사 결정을 최적화할 수 있다. 이를 통해 예지보전 및 자동화 기능을 향상시켜 안전성과 효율성을 높일 수 있다.

네 번째, 데이터 소유권에 대한 법적, 사회적 합의가 필요하다. 앞서 기술한 바와 같이 선박에서디지털화 된 많은 정보들이 선박과 육상, 선박과 선박 간에 송수신될 것이다. 이 경우 선박의 각종 시스템에서 생산된 상태 및 운전 정보, 운항 선박 주위의 날씨, 파고 등의 환경 정보 등 다양한 데이터의 소유권에 대한 합의가 이루어지지 않으면 데이터 활용의 제한은 물론 데이터 소유 및 이용에 대한 분쟁까지 발생될 수 있다.

다섯 번째, 데이터 송수신의 표준화가 필요하다. 선박과 선박, 선박과 항만, 항만과 물류 간 어떤 정보를 어떤 방식으로 교환할 것인가에 대한 정의와 표준화가 이루어져야 해사산업 전반에 데이터 및 기술 공유 및 활용이 가능할 수 있을 것이다. 일부 국가에서는 이미 스마트 선박의 데이터 송수신과 관련한 국제 표준을 등재하기도 하였으나 아직까지 제대로 활용되지는 않고 있다. 표준을 위한 표준이 아닌 산업계 간 쉽게 활용할 수 있는 해사산업 물류 데이터 표준화가 빠른 시일 내에 우리나라의 이름으로 등재되기를 기대한다.

마지막으로 각 이해관계자들에게 맞춤형 부가가치 서비스를 제공하여 고객과 더 가까워져야 한다. 해사업계가 고객의 요구에 따라 개별화된 서비스를 제공하면 경쟁력이 강화되고 고객 만족도를 높일 수 있다.

〈표 1〉 기술 호환성 향상 협력을 통한 해운업의 지속 가능성 향상

표준 및 가이드 라인	공통 표준 수립, 기술 채택 및 규정 준수 독려	⇨ 일관성, 상호 효용성, 안정성 확보
데이터 공유 및 플랫폼 연계	· 데이터 분석 결과 공유를 통한 인사이트 도출 · 사용자 중심의 솔루션 패키징화 또는 기술 컨설팅	⇨ 데이터기반 의사결정 프로세스 개선
사이버 보안 및 데이터 보호	보안 취약성 평가 및 침투 테스트, 사고대응 및 위험 완화	⇨ 사이버 보안 조치 구현
교육 및 기술개발 방향성	협의체 및 협력과제 도출	⇨ 범 산업 계의 디지털 기술과 지식 향상

해사업계의 디지털화 추진은 단순한 특정 업계 내의 변화가 아니라, 조선부터 해운, 물류에 이르는 넓은 범위의 산업 변화를 향한 과정으로 볼 수 있다. 따라서 이 과정의 주요 참여자는 경계를 넘어서는 디지

털화의 흐름과 요구 사항에 직면하게 된다. 이를 실현하기 위해 다양한 업계 관계자뿐 아니라 국가기관, 국제 기구와 같은 주요 이해 관계자와의 상호 협력이 절실하다. 이는 단순한 기술적인 문제 해결에서 멈추지 않고, 산업 및 정부 기구 간에도 적극적인 정책 지원과 협의를 필요로 한다. 기술 발전에 따른 정책적 변화, 그리고 그것을 지원하고 활용하는 방안 등을 고민하고 실행에 옮기는 것은 산업 전반의 성장과 지속 가능성을 위해 빠질 수 없는 과정이다. 이렇게 디지털화의 추진과 함께 과거의 기술을 기준으로 구분되어 있는 업계의 경계를 초월하는 협력이 활발해지면, 이를 기반으로 한 비즈니스 전략과 고민도 활발하게 시작될 것이다. 기술과 협력이 궁극적으로는 환경 친화적이며 지속 가능한 인류의 미래를 위한 방향으로 발전하게 된다면, 이는 모든 이해 관계자에게 큰 의미와 가치를 가지게 될 것이다. 따라서 우리는 이 중요한 여정에서 함께 지혜롭게 한 걸음씩 나아가야 할 필요성이 있다.

ICT에서 물류로

4부

스마트 수출입 통관 시장의 변화와 시스템 진화

김정민

로그인네트웍 대표, jmkim@loginnw.co.kr

수출입 통관 분야에서 엔지니어로 경력을 쌓아 지금은 ㈜로그인네트웍의 대표로 DHL익스프레스, UPS, TNT(FedEx)와 같은 글로벌 물류회사와 관세사의 페이퍼리스 시스템을 기획하고 구축했다. 현재는 IT의 신기술을 활용하여 스마트통관 및 물류 플랫폼을 기획하고 구축하여 화주, 포워더, 관세사, 운송사 등의 업무 프로세스를 더욱 스마트하게 개선하기 위해 노력하고 있다.

1. 시작하며

2009년 한국에서 '전자상거래'가 아직 생소한 개념이었던 시기에, 필자는 항공수입 전자상거래 시스템을 개발하는 프로젝트를 맡게 되었다. 당시에는 관세사무소에서 하루에 처리할 수 있는 통관 건수가 몇 백 건에 불과했지만 급증하는 전자상거래 거래량으로 인해 하루에 5,000건 이상의 통관을 처리해야 할 상황이었다. 이를 해결하기 위한 프로그램의 개발로 대량의 통관 건을 빠르고 효율적으로 처리할 수 있게 되었다.

현재는 하루에 수만건의 통관이 처리되고 있으며, 이러한 발전의 배경은 주로 디지털 기술의 발전에 기인한다. 이 글에서는 이러한 급격한 변화에 어떻게 대응했는지, 미래의 물류와 통관이 어떻게 더 발전할 수 있는지, 그리고 물류의 한 축으로 통관이 물류와 더 긴밀하게 어떻게 연계될 수 있는지에 대해 살펴보려고 한다.

이 글은 통관 중심의 물류 디지털 전환의 필요성과 가능성을 탐구한다. 첫번째로, '통관의 이해와 시장의 변화'에서는 통관이란 무엇인지, 그 기본적인 개념을 확인해 보겠다. 두번째로 '디지털 전환과 스마트 통관'에서는 도대체 디지털 전환이 무엇인지 왜 해야 하는지에 대해 알아보겠다. 세번째로 '크로스보더 이커머스와 스마트통관'을 알아보고, 네번째로 '포워더 스마트통관을 위한 디지털 전환'에 대해 알아본다.

2. 스마트통관의 필요성

2010년 이후로 스마트폰의 보급, 인터넷 사용자의 급증, 물류 및 결제 시스템의 혁신, 그리고 ICT 인프라의 지속적인 발전이 복합적으로 작용하여 해외 직구와 역직구, '일명 크로스보더 이커머스'[1]의 활성화를 이끌었다. 이러한 성장세는 2020년 코로나19 팬데믹의 발생으로 더욱 가속화되었다. 이 팬데믹의 영향으로 대부분의 소비자가 오프라인에서 온라인 쇼핑으로 전환하면서, 2018년과 2022년 사이에 해외 직구 건수는 약 2.7배, 역직구 건수는 약 4.2배 늘어났다.[2]

이러한 상황은 물류 및 운송 산업에도 큰 영향을 미쳤다. 다양한 품목을 소량으로, 그리고 더 빠르게 운송해야 하는 요구가 증가하였고, 이에 따라 특송회사의 역할과 중요성이 상대적으로 커졌다. 다른 한편으로는, 전통적인 대량무역을 위한 포워딩 방식은 상대적으로 완만한 성장을 보이고 있다.

---

1) 국경간 전자상거래(Cross-border e-Commerce): 서로 다른 나라에 있는 소비자와 판매자가 국경을 넘어 인터넷 등 전자적 플랫폼을 통해 현지 유통단계를 거치지 않고 직접 물품을 거래하는 것으로 통상 해외직구(국내소비자가 해외 판매자로부터 직접구매, 수입) 역직구(해외소비자가 국내 판매자로부터 직접구매, 수출)라는 용어로 사용.
2) '국내 대표 물류기업 '3사 3색', 크로스보더 이커머스 시장을 잡아라', 물류신문, 2023.03.20., https://www.klnews.co.kr/news/articleView.html?idxno=307478 (접속일:2023.10.10).

이 모든 변화와 동향은 통관 업계에도 큰 변화를 요구하고 있다. 이제 통관은 단순한 관세와 규제를 적용하는 게이트 키퍼(Gate Keeper)에서 벗어나, 디지털화되고 지능화된 시스템을 통해 더 효율적이고 신속한 업무처리를 위한 '스마트통관'의 중요성이 더욱 부각되고 있다.

스마트통관은 물류 흐름을 더욱 원활하게 하고, 무역 활동을 촉진시키는 데 중요한 역할을 할 수 있다. 따라서, 스마트통관을 위한 디지털 변환과 물류시스템과의 연결은 긴요하게 요구되고 있으며, 이는 무역과 물류, 그리고 전자상거래 뿐만 아니라 일반적인 통관 분야의 경쟁력 향상에도 긍정적인 영향을 미칠 것으로 예상된다. 이로써 디지털 전환(Digital Transformation)은 기업의 생존을 위한 필수 요소로 부상하고 있다.

1) 통관의 이해와 시장의 변화

통관(通關)이란 관세법에 따른 절차를 이행하여 물품을 수출·수입 또는 반송하는 것[3]을 말한다. 관세법에 따른 절차에 따라 세관에 수출, 수입 및 반송신고를 하고 관세선을 통과하는 것을 의미한다.

수출통관은 '내국물품을 세관에 수출신고 후 신고수리받아 물품을 외국무역선(기)에 적재하기까지의 절차'를 의미하며, 수입통관은 '외국물품을 세관장에게 신고하고 세관장은 관세법 및 기타 법령에 따라 적법하고 정당하게 이루어진 경우에 이를 신고수리하고 수입신고필증을 교부하여 수입물품이 보세구역 등으로부터 반출될 수 있도록 하는 일련의 과정'을 의미한다. 반송은 '국내에 도착한 외국물품을 수입통관 절차를 거치지 않고 다시 외국으로 반출하는 것'을 의미한다.

---

3) 관세법 제2조 제13호

수출입과 관련된 법제처의 법령정보에는 수출통관 사무처리에 관한 고시, 수입통관 사무처리에 관한 고시, 특송물품 통관 사무처리에 관한 고시, 국제우편물 사무처리에 관한 고시, 이사화물 사무처리에 관한 고시와 추가 행정규칙 고시 등 5가지 및 관련 행정규칙 고시가 현재 시행 중이며, 수출입 관련 자세한 정보는 해당 고시를 참고하여 확인하는 것이 가장 정확한 방법이다.

2) 통관을 관세사에 위임 대행하는 이유

세관장은 납세신고를 받으면 수입신고서에 기재된 사항과 관세법에 따른 확인사항 등을 심사하되, 신고한 세액에 대해서는 수입신고를 수리한 후에 심사한다.[4] 즉, 현행 수출입 신고에 대한 심사는 신속한 통관제도를 위해 실질적 세액심사는 사후(수입신고수리 후) 심사를 원칙으로 하며, 예외적인 물품에 대하여 사전(수입신고수리 전)[5]에 세액 심사를 진행하기 때문이다.

세관은 수출입 신고 시에 관세법뿐만 아니라 개별법에서 정하는 필수 사항을 우선적으로 확인한다. 이러한 필수 사항에는 수출입신고서의 형식, HS CODE, 과세가격, 신고사항의 적정여부, HS CODE에 따른 허가나 승인 요건, 원산지 표시 등이 포함된다. 이러한 필수 요건을 충족하면 물품은 우선적으로 통관되며, 그 후에 세부적인 신고 내용의 적절

---

4) 관세법 제38조 제2항
5) 관세법시행규칙 제8조(수입신고수리전 세액심사대상물품)에 따른 물품은 1. 법률 또는 조약에 의해 관세 또는 내국세 감면물품, 2. 관세를 분할납부하고자 하는 물품, 3. 관세체납자가 신고하는 물품, 4. 납세자 성실성 등을 참작하여 관세청장이 정하는 기준에 해당하는 물품, 5. 물품의 가격변동이 큰 물품 기타 수입신고수리 후에 심사하는 것이 부적합하다고 인정하여 관세청장이 정하는 물품이다.

성은 추후에 심사된다.

세관에서 수출입 신고 절차를 마친 후에 발급되는 서류는 '수입 신고필증' 또는 '수출신고필증'이라고 불리는데, 이 서류의 명칭 자체가 '신고가 완료되었다'는 것을 의미하며, 이는 심사가 완료되었다는 것과는 다르다. 다시 말해, 신고는 완료된 상태이지만, 실제 심사는 이후에 이루어질 수 있다는 점을 유의해야 한다.

세관은 수출입 물품과 관련된 통관 절차가 완료된 이후에도 수출입자에 대한 관세 조사권을 유보하고 있는데 이는 물품이 성공적으로 통관되었다고 해서 수출입자의 의무가 종료된 것이 아니라는 것을 의미한다. 실제로, 세관은 통관 후에도 수출입자에게 추가적인 자료를 요청할 수 있으며, 만약 신고 내용과 실제 상황이 일치하지 않는 경우에는 정정 요청, 고발 또는 추가 세액을 추징하는 등의 행정 조치를 취할 수 있다. 따라서 수출입자는 통관 이후에도 세관과의 협력과 필요한 정보 제공을 계속 해야 한다.[6]

이러한 상황은 수출입자에게 높은 책임을 지우는데, 통관 절차에서의 미비나 오류가 나중에 회사에 대한 법적 책임이나 추가 세액 추징 등의 심각한 문제를 초래할 수 있기 때문이다. 이러한 이유로 많은 수출입자들은 전문적인 지식과 경험을 가진 관세사에 통관 업무를 위임하는 경우가 많다. 관세사는 세관 규정을 숙지하고 통관 절차를 정확하게 수행하여 수출입자의 법적 책임을 줄이고, 원활한 통관을 도와주는 중요한 역할을 한다고 할 수 있다.

293

---

6) 통관개요(관세행정), 볼수록가관칼럼, 2022.11.10., https://jwgd.co.kr/column/?idx=13399419&b-mode=view (접속일 2023.09.30).

3.디지털 전환과 스마트통관: 필요성과 준비 전략

1) 디지털 전환을 통한 스마트통관: 시간, 비용, 품질

디지털 전환은 일시적인 현상이 아니라 Digitization과 Digitaliza-tion을 포괄하여 계속해서 단계별로 진화-확장하는 개념이다.

- **디지트화**: 연속적인 실수로 표현된 아날로그 자료와 정보를 이진법(0, 1)으로 표현된 자료로 변환하는 전산화 과정
- **디지털화**: 디지털 기술을 활용하여 사회에 구현하는 과정
- **디지털 전환**: 디지털화에 따른 새로운 가치 창출 및 변화

디지털 기술의 적용은 통관 과정을 더욱 신속하고 효율적으로 만드는 중요한 역할을 한다. 가장 기본적인 단계는 디지트화로, 이는 특히 전자상거래의 B2C 거래에서 중요하다. 모든 신고 데이터는 엑셀 혹은 API 형태로 입수되므로 데이터의 무결성을 확보하기 위한 검증 단계가 필요하다. 이 단계에서는 자료 항목의 길이 값, 특수 문자, 공백 값 등을 철저히 검사해야 한다.

무결성이 검증된 통관 자료는 다음 단계인 디지털화로 이어진다. 이 과정에서 업무 프로세스의 담당자와 시스템이 협력하여 업무를 자동화한다. 디지털화 되고 자동화된 업무 프로세스는 더욱 빠르고 정확한 통관 처리를 가능하게 한다.

마지막으로, 디지털화된 플랫폼을 통해 포워더(화주)는 다양한 정보, 즉 통관 진행 상황, 반출 출고 리스트 등 필요 정보의 실시간 확인을 경험한다. 데이터의 디지털화와 자동화를 통해 생산된 지식과 정보는

구분	디지털 전환의 진화 단계		
	디지트화 (Digitization)	디지털화(Digitalization)	디지털 전환 (Digital Transformation)
대상	데이터의 변환	정보처리 과정의 변환	지식 활용의 전환
목표	아날로그 형식을 디지털 형식으로 변경	기본의 업무 프로세스 자동화	새로운 가치창출
디지털 기술	전산화, 메타데이터 컴퓨터 지원설계 3D 모델링		
	이미징 및 스캐닝		
		인공지능	
		사물인터넷, 빅데이터, 블록체인, 모바일, RPA	
			클라우드, 증강현실
응용 분야	데이터베이스		
	디지털 문화유산, 아카이브		
		전자정부 및 디지털 정부, 이커머스, 디지털플랫폼, 스마트 시티, 스마트 제조 및 제조업의 서비스화, 헬스케어, 공급망	
		물류, 이러닝 및 혼합형 학습	공공 행정, 디지털 마케팅, 중소기업, 비즈니스 모델
방법론	이미지 처리, 문자 인식	교육, (디지털) 기업가 정신	
		자동화	비즈니스 프로세스 관리, 변화 관리, 조직 변화, 역동적 능력
사회적 이슈		디지털 혁신, 코로나19 팬데믹	
	정확성, 저작권 및 지적 재산권	상호운용성, 효율성	4차 산업혁명, 지속가능성, 가치창출, 디지털 격차, 디지털 리터러시
시기	1990년대 후반	2000년대 초반 ~2010년대 중반	2010년대 후반

출처: ETRI 기술전략연구센터

[그림 1] ETRI 한국전자통신연구원 '디지털 전환의 개념과 디지털 전환 R&D의 범위(출처: 송영근, 박안선, 심진보, "디지털 전환의 개념과 디지털 전환 R&D의 범위" ETRI 한국전자통신연구원, 2022, p.18)

295

플랫폼을 통해 가치를 창출하는 수단으로 활용되며, 이는 고객 서비스 향상과 비즈니스 확장을 도모하는 중요한 역할을 한다.

2) 디지털 기술의 통합적 적용과 가치 창출

디지트화, 디지털화, 그리고 디지털 전환은 서로 연계하여 통관 과정의 효율성과 가치를 극대화한다. 디지털 기술의 통합적인 적용은 신속하고 정확한 통관 처리를 가능하게 하며, 통관 업계에서의 경쟁력을 높이는 결정적인 요소가 될 수 있다. 가치 창출의 의미는 다음과 같다.

- **시간 절약**: 디지털 기술의 적용으로 통관 시간이 줄어듦으로써, 기업이나 개인이 더 빠르게 상품을 수입하거나 수출할 수 있다.
- **비용 절감**: 자동화와 효율적인 데이터 관리로 인해, 인력이나 운영 비용이 줄어든다.
- **품질 향상**: 더 정확한 데이터 분석과 처리는 오류율을 줄이고, 따라서 통관의 품질을 높인다.
- **고객 경험 개선**: 실시간으로 통관 상황을 확인할 수 있어 고객의 불만을 줄이고 만족도를 높인다.
- **전략적 의사결정**: 수집된 데이터를 분석하여 미래의 통관 전략이나 비즈니스 모델을 개선할 수 있는 인사이트를 제공한다.
- **신규 서비스나 제품 개발**: 데이터 분석을 통해 새로운 서비스나 제품 개발에 필요한 통찰력을 얻을 수 있다.

4. 크로스보더 이커머스와 스마트통관

물류신문에 2023년 초에 보도된 "CJ대한통운의 당일 통관율이 99%에 달한다"[7]는 기사는 사실상 특송사 시스템과 관세사 통관 시스템의 원활한 API 연동 덕분이기도 하다. 특히 이러한 높은 통관율을 가능하게 하는 핵심 기능 중 하나는 관세청 자동 송수신 기능이다. 이 기능은 마스터 B/L의 상태를 지속적으로 모니터링을 하고 있다가, 입항 적하목록이 심사 완료 상태로 변경되면 자동으로 수입신고를 진행하는 기능인데 기술적으로 대단할 것은 없지만 협업 담당자에게는 새벽 시간과 주말을 쉬게 해주는 고마운 기능이기도 하다. 이렇게 디지털 기술을 통한 자동화는 통관 프로세스의 효율성을 크게 향상시키고, 높은 통관율을 유지하는 중요한 역할을 하고 있다.

전자상거래 수입통관 업무의 전체 프로세스를 살펴보면, B2C와 B2B 간에 상당한 차이를 보인다.

B2C 개인건 통관에서는 대체로 운송장 및 인보이스상의 통관정보가 엑셀 및 API 형식으로 특송사로부터 제공된다. 또한 관세법 제94조에 의거한 관세감면 대상인 소액물품이 대부분이며 대량의 빠른 통관을 가능하게 한다. 반면, B2B 사업자건 통관은 대부분 판매용으로서 전자상거래 이외의 일반 통관과 절차가 같아 전반적인 통관의 적법성을 확인해야 하며, 관부가세가 발생하는 경우가 많다.

이에 따라 특송사 또는 국내 사업자에게 관부가세 자금 청구서를 보내고, 입금을 확인한 뒤 정산서를 발행해야 한다. 이는 특송사와 관

---

7) '국내 대표 물류기업 '3사 3색', 크로스보더 이커머스 시장을 잡아라', 물류신문, 2023.03.20., https://www.klnews.co.kr/news/articleView.html?idxno=307478(접속일: 2023.10.10).

세사의 계약관계에 따라 다르며, 글로벌 특송사(DHL, FedEx, TNT(FedEx), UPS)는 지정관세사가 통관만을 담당하고 있으며 그 외 특송사 통관을 하는 관세사의 경우 사업자건 정산까지 일괄처리 하는 경우가 많다. 이는 일반적인 포워더사와 관세사와의 업무방식과 유사하다.

스마트통관 시스템은 B2C 및 B2B 업무에 맞는 기능을 제공하며, 인보이스 형식과 엑셀 또는 API 연계를 통해 통관 자료를 입수하며. 이후에는 다음과 같은 업무 절차를 따른다.

① **수입 통관 물품 리스트 입수**: 엑셀, 이미지, PDF, 또는 API를 통해 정보 수집
② **사전 검증**: 품목 분류, 통관 적법성, 검역, 다른 법적 요건을 확인
③ **C/S 처리**: 개인,사업자 통관고유부호확인 후 정보취합과 관세, 부가세 고지 후 입금을 확인
④ **수입 신고**: 필요한 서류 제출과 검사를 진행
⑤ **반출 리포트**: 특송사에게 제공
⑥ **메일링 서비스**: 수출입 신고 필증, 납부 영수증, 세금 계산서를 자동으로 발행

실제 업무에서 통관은 기본이며, 특정 국가로부터 들어오는 수입품에 따라 집중이 되는 업무가 있다. 중국에서 들어오는 물품은 '지식재산권' 위반(짝퉁) 관련 건을 검토하고 차단하고, 동남아에서 들어오는 물품은 보수작업과 폐기작업과 같은 환경 관련 업무가 필요하다. 이러한 업무를 효과적으로 다루기 위해서는 스마트통관 시스템과 자동화 도구를 활용하여 업무 프로세스를 최적화하고 지능화하는 것이 중요하다.

지난 십여 년 동안 스마트통관 시스템은 디지털화와 업무 혁신을 통해 큰 발전을 이루었다. 이전에는 각 건 별로 데이터 입력 및 적하목록 작성과 같은 수동 작업이 흔했으며, 서류 출력과 특송사와의 업무 소통은 주로 이메일, 전화, 출력 서류 메모를 통해 이루어졌다. 대부분의 직원들은 사무실에 출근해야 했고, 이러한 방식은 업무 효율성에 한계를 가졌으며 특송 업무의 특성상 주말과 야간 근무로 인해 직원 이직률이 증가했다.

하지만 현재는 다양한 디지털 도구와 자동화 기술을 활용하여 업무 프로세스가 크게 개선되었다. API 연동을 통한 통관 자료의 송수신과 자동화된 C/S 데이터 수집이 가능하며, 모든 업무 서류는 전자문서인 PDF로 변환되어 출력 없는 페이퍼리스 업무가 가능해졌다. 이로써 문서 보관이 훨씬 용이해졌으며, 관세청과의 서류 제출도 자동화되어 업무가 간소화되었다. 대형 모니터 활용과 원격 근무 등 다양한 근무 환경 개선이 이루어져 효율성이 크게 향상되었다.

이러한 디지털 전환과 업무 혁신은 특송 통관 시스템이 과거의 수동적이고 비효율적인 작업 방식에서 벗어나, 현재는 더 빠르고 정확한 업무 처리를 가능하게 하고 있다.

1) 디지털 전환 핵심 기능의 예: 디지트화 - Input 데이터 처리

B2C 수출입 자료는 주로 엑셀 형태로 제공되며, 이를 통관 시스템에 적용하기 위해서는 특송사의 다양한 엑셀 양식을 고정된 시스템 양식에 수동으로 변경하는 작업이 필요하다. 이러한 작업의 비효율성을 해결하기 위해, 사용자가 처음 한 번만 엑셀 양식의 헤더 값을 지정하면 그 이후로는 자동으로 해당 양식을 인식해서 처리할 수 있는 툴을 개발

하였다. 이 툴은 또한 통관 건별, 란별, 행(아이템)별 데이터를 원하는 양식으로 사용자가 정의해서 출력하는 기능도 제공하고 있는데 실제 업무적으로 가장 유용하게 자주 사용되는 기능이다.

관세사는 입수된 선적서류를 효율적으로 변환하기 위해 다음 네 가지 디지털 기술을 활용한다. 첫째, 엑셀 데이터 분석 기술을 사용해 인보이스 패킹 리스트 엑셀 문서에서 필요한 통관 정보를 자동으로 추출하고 데이터베이스에 저장한다. 둘째, PDF 텍스트 파싱 기술을 이용하여 PDF 형태의 인보이스나 패킹 리스트에서 통관 정보를 추출하고 데이터베이스에 저장한다. 셋째, OCR(광학 문자 인식) 기술로 이미지 형태의 문서, 예를 들면 스캔된 문서에서 텍스트 정보를 추출하여 데이터베이스에 저장한다.

이렇게 추출된 모든 정보는 통관 데이터베이스에 통합되어 저장된다. 이러한 기술들은 통관 정보의 자동화와 데이터 관리의 효율성을 높이는 데 큰 역할을 한다. 특히 OCR 기술은 아직은 기술적인 완성도에 있어서 사람을 대체할 정도의 수준은 아니다. 하지만 이 부분도 충분히 해결이 가능할 것으로 예상한다. 그리고 API 연동 기술을 이용해 특송사 시스템과 자료연동이 가능한 경우 사용한다. 환경에 따라 Sftp 방식으로 연계를 하기도 하지만 최근에는 API 연계가 일반적이다. 실시간 또는 자동화된 데이터 전송이 필요한 경우에 활용되는데 화주, 특송사, 관세사, 운송사, 선사, 관세청과의 업무연동은 이 기술을 이용해서 원활한 서비스가 가능하다.

2) 디지털 전환 핵심 기능의 예: 디지털화 - 업무프로세스 개선 및 자동화

(1) 세번분류 최적화

세번은 상거래가 이뤄지는 모든 물품을 6자리코드(소호)로 구분할 수 있도록 만든 우리나라를 비롯하여 180여개국이 HS협약에 가입되어 통용되는 HS CODE(품목분류번호)이다. 우리나라는 HS 6자리코드에 관세율과 통계 등의 목적을 위해 조금 더 세분화한 10자리 HSK로 품목을 분류하고 있다.

세번분류는 관세사의 핵심 업무 중 하나로, 이 분류는 여러 가지 중요한 결정에 영향을 미친다. 먼저, 세번분류를 통해 물품에 적용되는 관세율과 그에 따른 관세액이 결정되고, 해당세번에 등록되어 있는 요건이 확정된다. 또한, 이 분류는 FTA 원산지 증명에 사용된다. 마지막으로, 수입한 물품을 가공하여 수출할 경우, 분류된 세번은 관세환급의 기초 자료로 사용된다.

수천만 건에 달하는 전체 고객사의 데이터베이스를 기반으로 세번분류 가이드를 제공하며, 100% 일치하는 경우에만 자동으로 분류하고 있다. 그 외의 경우에는 가이드 기능을 통해 사용자가 선택하여 사용할 수 있다. 또한, 실무에서는 해외 거래처의 세번을 미리 검증하여 분류하고 기초 자료로 활용한다. 추가적으로 AI 딥러닝 기술을 활용해 세번분류기능을 보완하고 있으며, 실무자가 HS 품목을 분류하는 데 있어 유용한 가이드로 활용하고 있다.

> "HS 품목 분류를 위한 높은 정확도를 가진 AI 모델을 개발하는 것을 목표로 하였습니다. 초기 모델 테스트에서는 테스트 데이터의 정확도가 98%, 검증 데이터의 정확도가 91%로 나타났으며, 이 모델은 정확성에 초점을 맞추었습니다. Word Embedding 분석에서는 FastText와 Word2Vec

를 사용하였고, 이후 AI 모델 분석에서는 LSTM과 FastText 또는 BERT 또는 GPT를 조합하여 다양한 모델을 구성하였습니다. 또한, Transformer, FastText, BERT, 그리고 CNN + FastText 등을 분석 대상으로 하였습니다. 데이터 불균형 문제가 심각하게 나타났으며, 이를 해결하기 위해 Under-Sampling, OverSampling, 그리고 관세청 품목 분류 사례 데이터 스크래핑 등을 고려하였습니다. 워드 임베딩 및 모델 최적화 과정에서는 FastText를 사용하여 워드 임베딩 및 유사 단어 벡터 근사치를 수정하였고, 구글의 사전 훈련된 BERT 모델을 튜닝하여 사용하였습니다. 이러한 과정을 거쳐 학습된 데이터에 대해 매우 높은 정확률을 보이는 모델을 개발하였습니다.

데이터 전처리 과정에서는 규격 1, 2, 3의 CSV 데이터를 가공하여 완료하였고, FastText Vector Model을 추출하기 위해 비지도 학습 및 지도 학습 모델을 적용하였습니다. 그러나 정확도에 영향을 미치는 여러 문제점이 발견되었기 때문에, 그에 대한 개선방안으로 데이터 시스템의 정제를 위한 연구를 진행 중입니다. 최종적으로, 현재까지 개발된 모델은 데이터베이스에 있는 HS 코드에 한해서 오타와 순서를 보정하여 검색이 가능하며, 일정 수준의 성능 향상이 있음을 확인하였습니다. 그러나 데이터 불균형과 다양한 문제점을 해결하기 위한 추가 연구가 필요하다는 결론을 도출하였습니다."

〈로그인네트웍 개발자 연구일지〉

사례 1) AI 세번분류 - (주)한진

특송물품 수입통관 사무처리에 관한 고시가 일부 개정되어 특송사의 업무 부담이 상당히 증가했다. 이전에는 특송으로 들어오는 물품을 목록통관 할 때 HS 코드를 2단위까지만 분류했었는데, 이제는 6단위까지 상세하게 분류해야 한다. 이러한 변경사항은 특송사의 업무 부담을 크게 가중시켰고, 그 결과로 특송사에도 관세사와 같이 세번분류 솔루션이 필요해졌다. 이 시스템은 수입물품의 세번을 AI 딥러닝 기술을 활용하여 기존의 이력, 키워드 등을 활용한 분류보다 한 차원 높은 정확도로 세번을 분류한다.

그럼에도 불구하고 자동 분류가 어려운 상품이 있을 수 있는데. 이 경우, 담당자가 상품 이미지 검색이나 쇼핑몰 검색 등의 추가 기능을 활용하여 수동으로 분류를 진행하게 된다. 분류가 완료된 후에는, 특송사 시스템과 엑셀 및 API 연결을 통해 목록통관 신고가 가능하다.

303

(2) 페이퍼리스 입력

전통적인 관세사무소에서의 업무 프로세스는 일반적으로 이메일을 통해 선적 서류를 수신한 후, 각 건에 대해 문서를 출력하여 입력 셋을 구성한다. 그 다음 단계에서는 최근에 신고한 이력을 참조하여 출력된 서류를 검토하고, 이를 기반으로 데이터 입력 작업을 진행한다.

페이퍼리스 입력 방식은 최대한 하드카피 양식의 출력을 배제한다. 이 방식은 27인치 이상의 대형 모니터 또는 듀얼 모니터를 활용하여, 모니터 화면에서 직접 입력 작업을 수행한다. 초기에는 이 새로운 방식에 익숙하지 않아 불편을 느끼는 경우도 있지만, 짧은 시간 내에 적응하게 된다. 선적 서류를 모니터에 표시해 놓고 필기 및 PDF변환 등의 다양한 부가 기능을 활용하여 업무 효율성이 크게 향상될 수 있으며 이러한 페이퍼리스 시스템은 불필요한 인쇄와 문서 관리 작업을 줄이고, 디지털화를 통해 업무 속도와 정확성을 높이는 데 크게 기여할 수 있다.

사례 2) 페이퍼리스를 통한 업무프로세스 혁신 - DHL 익스프레스와 운서 관세사무소

인천공항 화물터미널은 하루 24시간, 일년 365일 항공 수출입 전체 물량의 97%를 처리하고 있으며, 그 중 글로벌 특송사와 지정 관세사무소는 여기에서 긴밀한 협업이 이루어진다. 이들의 업무 협업은 특히 인상적이며, 전통적인 방식으로도 빠르고 정확한 서비스를 제공해 왔다. 하지만 수출입 물동량의 증가와 구인난으로 인해 근무자의 업무 과중이 심화되었고, 그 결과 이직률은 늘어날 수밖에 없는 상황에서 디지털 전환은 급박한 현실이 되었다.

지금은 FedEx에 인수 합병된 TNT가 페이퍼리스 시스템의 시작이었다. 아침에 담당직원들은 통관에 필요한 선적서류를 출력하여 서류세트를 구성한다. 이 서류세트는 통관 바구니에 담겨 관세사에게 전달되며, 관세사에서는 이 서류세트를 받아 통관 담당자들이 업무 진행을 한다. 여기에서 의뢰 - 접수 - 반려 등의 업무프로세스가 모두 A4 용지에 필기이서를 통해 이루어 지며 출력기반의 업무 프로세스는 수시로 반복되어 협업이 이루어진다. 하지만 페이퍼리스 솔루션 도입 후 모든 문서를 PDF(전자문서) 형태로 전환하여, 오더 건별로 전자문서 기반의 비대면으로 업무를 처리할 수 있게 되었다.

이렇게 페이퍼리스 시스템은 TNT(FedEx)를 시작으로 UPS특송사와 우일합동관세사무소의 8년여 간의 운영을 통해 좀 더 정교하게 기능을 보완하게 되었고, DHL익스프레스와 운서관세사무소 시스템과의 API 연결을 통해 종이 없는 사무실 페이퍼리스 시스템이 더욱 완성도 높은 구조를 갖추게 되었다.

위에서 설명한 디지털 전환을 통한 가치창출의 결과를 아래와 같이 정리해 볼 수 있다.

① 시간 절약: 출력물을 직접 이동하는데 드는 노동시간이 없어져 통관 리드타임이 감소된다.

② 비용 절감: 압도적으로 복합기 비용, A4출력물 비용 절감 효과를 이끌어낸다.

③ 품질 향상: 업무 커뮤니케이션의 개선으로 오류율을 줄이고, 따라서 통관의 품질을 높인다.

④ 업무 개선 :

- 페이퍼리스로 입수된 서류를 모니터를 보고 통관 진행함으로써 업무 환경이 개선된다.

- 세관에 서류 제출시 별도 스캔작업 없이 곧바로 관세청 사이트에서 서류 전자제출이 가능해진다.

- 원격지에서 재택근무가 가능하다.

⑤ 고객 경험 개선: 특송사와 관세사간 선적부터 통관에 이르는 전반적인 진행과정을 실시간으로 좀 더 긴밀하게 소통할 수 있게 되어 고객의 요청을 실시간으로 대응하고 만족도를 높일 수 있다.

⑥ 전략적 의사결정: 수집된 데이터를 분석하여 미래의 통관 전략이나 비즈니스 모델을 개선할 수 있는 인사이트를 제공할 수 있다.

⑦ 신규 서비스 및 제품 개발: 데이터 분석을 통해 새로운 서비스나 제품 개발에 필요한 통찰력을 얻을 수 있다.

305

(3) 관세청 자동 송수신

전통적인 관세사 신고 시스템에서는 일반적으로 설치형 프로그램을 통해 관세청과의 데이터 송수신 작업을 수행하고 있다. 특히 새벽이나 주말에 신고를 해야 하는 경우, 신고 가능한 시점에 업무를 진행해야 한다는 부담감은 직원들에게 상당한 스트레스를 주고 있다. 이를 해결하기 위해, 신규 시스템은 일정주기로 적하목록의 상태 값을 자동으로 확인하며, 수입신고가 가능한 관세청 적하목록 심사가 완료된 시점에 자동으로 관세청에 데이터를 송수신하게 된다. 신고 시점을 정확하게 파악하고 신고를 하게 됨으로써 직원이 불필요하게 대기하는 시간이 사라졌다. 더 나아가, 관세청 수신 값이 수리가 되지 않고 보완을 해야 하는 전제(전자제출) 상태로 변경되었을 경우에도, 시스템에서 수신상태 값에 따라 지능적으로 관련 서류를 자동으로 생성하고 첨부하여 관세청에 데이터를 송신하게 된다. 이러한 자동화와 지능화 기능의 도입은 업무 효율성을 크게 향상시켰다. 직원들은 더 이상 불필요하게 시간을 소모하지 않아도 되며, 신고 과정에서의 오류 가능성도 크게 줄어들게 되었다. 이 모든 것은 업무의 정확성을 높이고, 직원들의 작업 부담을 줄이는 데 크게 기여하고 있다.

사례 3〉 CJ 대한통운과 관세법인 우신 업무혁신 - 전현석 우신관세법인 관세사

CJ대한통운의 통관 협력사인 관세법인 우신은 스마트통관 솔루션의 도입으로 통관 업무에 혁신을 이루었다. 코로나 대유행 시점을 시작으로 급격하게 증가하는 특송 통관 물량에 대해 업무 혁신이 필요했다. 특히 직원이 새벽에 깨어나 항공 스케줄에 맞추어 관세청에 신고를 전송하는 업무는 직원들이 가장 부담으로 느끼는 업무 중 하나였다.

이러한 문제를 해결하기 위해, 우신은 예약 전송 자동화 솔루션을 도입하기로 결정했다. 이 솔루션의 도입으로 새벽 근무가 없어지고, 주말근무도 상당히 줄어들어 직원들의 업무 만족도가 크게 향상되었다. 이러한 디지털화로 인해 업무 처리 속도가 30% 이상 향상되었고 서비스 품질도 개선되었다.

24시간 예약 전송 시스템은 새벽과 야간의 직원들의 업무 부담을 경감시켜, 직원들에게 가치있는 휴식과 업무 생활 균형을 증진시킨다. 또한 비효율적인 업무 처리를 줄이고, 자동화된 서비스로 고객 만족도를 높이면서 동시에 직원들에게 더나은 업무 환경을 제공하고 있다.

3) 디지털 전환 - 플랫폼 서비스

포워더사는 선적을 의뢰한 건들에 대해 실시간 진행 내역을 확인 가능할 뿐만 아니라 문서를 출력하고 정산내역을 확인할 수 있다. 원격지 수출국에서 의뢰한 상품에 대한 진행과정을 플랫폼 사이트를 통해 'Door to Door' 서비스가 가능하다.

사례 4) 유로맘스(EUROMAMS GmbH) 독일 포워더

독일 프랑크푸르트에 위치한 포워더인 유로맘스(EUROMAMS GmbH)는 IATA와 Regulated Agent 독일 현지 라이선스가 있는 회사이다. 이 회사는 하위 포워더사 로부터 수출 물량을 플랫폼을 통해 접수 받고, 이 물량을 자가통관장에 입고한 뒤, 자체적으로 X-RAY 스캔을 실행하여 E-commerce 화물과 수출화물의 국내배송을 위한 내륙운송장을 생성하고 특송사에 연계 배송을 요청한다. 항공기가 한국에 도착한 후 통관, 반출 그리고 한국 소비자의 최종 도착까지의 전체 업무프로세스를 플랫폼을 통해 실시간으로 확인할 수 있게 되었다. 또한 플랫폼을 통해 하위 포워더 와 수출 건 관련 업무를 공유할 수 있게 되어 단순 반복적이었던 이메일 업무 및 전화 사용량이 줄어들었다. 이로 인해 직원들의 업무환경이 개선되었으며, 추가적인 업무 기능 업데이트가 기대된다고 한다.

해외에 위치한 포워더를 위한 이 솔루션은 고객사의 운송 요청 데이터를 수집(엑셀, API)하여 국내배송을 위한 내륙운송장 출력 및 특송사 연계 배송 신청 등을 관리할 수 있다. 그리고, 운송 요청이 완료된 데이터는 포워더의 재고파악 및 업무 처리 과정, 항공기 출도착 현황, 관세청 API, 국내 택배사 API 등을 통해 배송 상태가 실시간 수집되며 이 데이터는 API를 통해 고객사에게 제공되어 전반적인 Door to Door 서비스를 가능하게 해준다.

사례 5) 케이제이디로지스틱스코리아 특송사

중국발 특송 전문인 케이제이디로지스틱스코리아는 일 평균 2만여건의 중국 발 B2C화물의 운송 서비스를 하는 특송업체이다. 중국 내 여러 포워더에 전산(API, 엑셀, 시스템 입력)을 통해 운송 요청을 접수 받는다. 접수된 운송 요청 데이터는 즉시 국내배송을 위한 택배사에 배송가능 여부 확인 및 국내 택배사의 송장번호를 부여받고, 해당 송장번호를 기반으로 국내 배송을 위한 송장 출력 및 국내 택배사의 배송 신청을 진행할 수 있다.

접수된 운송 요청 데이터에 특송사 내부의 바코드 인식과정, 관세청 API, 국내 택배사 API를 통해 진행상태 데이터를 추가 수집한다. 이렇게 수집된 데이터를 기반으로 발송지 창고반입 단계부터 국내 배송 완료단계까지 송장단위로 운송 진행 단계를 추적할 수 있다. 운송 진행 단계 추적 시스템은 API 및 모바일을 통해 고객사에 제공된다. 해당 플랫폼은 국내배송을 위한 다수의 국내 택배사 시스템과 연동되어 있고 연동된 택배사 시스템을 통해 송장번호 발급 및 배송신청 등의 국내배송 업무 등을 하나의 시스템에서 통합적으로 진행 및 관리가 가능하다.

5. 포워더 스마트통관을 위한 디지털 전환

물류는 본질적으로 연결의 문제라고 할 수 있고, 그 연결을 실현하기 위해 다양한 디지털 기술을 활용하고 있다. 이 '연결'은 물리적인 거리를 넘어 정보와 프로세스, 그리고 그것을 지원하는 다양한 솔루션까지 포괄한다. 로그인네트웍은 이 연결성을 실현하기 위해 초기에 관세사를 위한 전자상거래 특송 프로그램을 개발했다. 이 과정에서 특송사와의 연계가 필수적임을 깨달았고 특송사 프로그램을 개발하게 되었다. 이렇게 하나하나 연결고리를 만들어 나가다 보니, 원격지 수출국의 셀러들과도 연결해야 할 필요성이 생겼다. 그렇게 셀러 프로그램을 개발하고, 이 과정에서 운송사(택배사) 프로그램과도 연계하게 되었다. 이렇게 하나하나의 솔루션은 물류의 퍼스트마일, 미들마일, 라스트마일과 연결되었다. 그렇게 아직은 부족하지만 조금씩 발전하고 있다.

로그인네트웍은 관세사를 위한 전자상거래 특송 프로그램을 시작으로, 특송사, 셀러, 그리고 운송사까지 다양한 파트너와 연계해 나갔다. 그리고 시간이 흐르면서 포워더의 일반 통관까지 스마트한 방법으로 처리할 수 있는 방법을 찾게 되었고 여전히 진화 중이다. 초기에는 스마트통관을 위한 툴에서 출발했지만 지금은 이를 기반으로 한 스마트 물류 플랫폼으로 성장해가고 있다. 디지털 기술은 이러한 연결을 강화하는 도구이다. 연결 없이는 물류의 본질을 이해할 수 없다는 말처럼, 이 연결을 실현하기 위해서는 디지털화가 절실하게 필요하다고 할 수 있다.

1) 국제물류의 전통적 업무 방식으로 인한 리스크: 스마트 물류 플랫폼의 필요성

(1) 수입 업무 비효율 - 화주관점

국제물류 업무에는 다수의 담당자와의 복잡한 협업과정이 포함되어 있다. 이를 통해 수입 담당자는 개별 업무를 진행하고 관리한다. 내외부 담당자의 부재, 입사, 퇴사 등의 상황이 발생하면 기존의 업무 내역과 현재 진행 상황을 파악하기 어렵다. 대부분의 업무는 이메일로 진행되기 때문에, 이메일의 수·발신 건수가 많아지고, 이메일 용량 부족과 데이터 누락 등의 위험이 있다. 수입 절차에 따라 담당 업무가 분리되기 때문에 문서를 출력하여 후속 진행 담당자에게 전달해야 한다.

이 때문에 개인폴더나 공유폴더에 저장된 이력에 대한 관리가 미흡하고 빠른 자료 확인 또한 어렵다. 실시간으로 진행 상황을 파악하고 통합 관리 역시 어렵다. 선적, 통관, 내륙운송, 화물 입고 등의 상황을 각각 확인해야 하기 때문이다. 선적서류와 월 마감 자료의 수정이 빈번하기 때문에 최종 버전의 저장을 위한 별도 관리가 필요하다. 선적 대기 관리도 복잡해서 발주 담당자와 수입 담당자가 각각 문서로 관리해야 한다. 스케줄 업데이트는 수작업으로 관리되며, ERP의 연동 가능성 확인이 필요하다. 수입 1건을 진행할 때마다 약 15건 이상의 이메일이 오고 간다. 단가나 선적 상황을 확인할 때는 발주 담당자에게 개별적으로 문의해야 한다. 비딩은 개별적으로 이메일로 진행되며, 수작업으로 비용을 합산해서 비교 검토한다.

〈표 1〉 수입 업무 프로세스

No.	요청대상			업무내용	업무수단
1	수입자	↔	수출자	계약 및 발주 → 출고 → 선적	E-mail
2	포워더	→	수입자	입항 일정 사전 공유	E-mail
3	포워더	→	수입자	사전 선적서류(Check B/L, CI, PL) 전달	E-mail
4	수입자	→	포워더	사전 선적서류(Check B/L, CI, PL) 이상유무 공유	E-mail
5	포워더	→	수입자	SUR B/L 포함한 최종 선적서류 전달	E-mail
6	포워더	→	운송사	차량 배차 신청서 전달	E-mail
7	운송사	→	포워더	차량 배차 승인서 전달	E-mail
8	수입자	→	관세사	수입통관 요청	E-mail
9	관세사	→	수입자	수입신고필증 전달	E-mail
10	수입자	→	관세사	수입신고필증 이상 유무 공유	Excel 양식
11	운송사	→	수출자	컨테이너 입고 → 하역 작업 → 컨테이너 출고	운송
12	포워더/관세사	→	수출자	청구서 전달	E-mail
13	수출자	→	포워더/관세사	청구서 이상유무 전달	E-mail
14	포워더/관세사	→	수출자	계산서 전달 → 전표 처리	E-mail

(2) 수출 업무 비효율- 화주관점

수출 업무 1건을 진행하는데 10건 이상의 이메일을 주고받게 된다. 다양한 정보와 내용들을 메일로 주고받는 과정에서 중요한 변경사항들이 누락되는 위험성이 매우 높다. 이로 인해 담당자들은 같은 메일을 여러 번 열어보며 재확인하는 등 비효율적인 방식으로 일을 처리해야 한다.

또한, 서류 작성시 엑셀을 활용한 수작업 방식을 사용하면서, 오타나 누락의 발생률이 높다. 서류 검토 중에 문제점을 발견하면 수정 요청으로 비교적 쉽게 해결할 수 있지만, 선적이 완료된 후에 문제가 발견되면 과태료 부과는 기본이며 관세사, 포워더, 운송사, 보험사와 같은 업체와의 상호작용으로 인한 시간 및 인력 낭비가 증가한다.

문서 관리 측면에서는 선적 서류를 중앙화하여 관리하긴 하지만, 과거내역을 조회할 때 상당한 시간이 소요된다. 특히 고객사 별로 정보를 한 번에 조회하는 것은 굉장히 어려운 일이며, 다수의 포워더 및 관세사, 보험사 등과의 업무 처리에서도 각 업체의 서류 양식이 다르기 때문에 이를 검증하고 조정하는 데 많은 시간이 소요된다.

마지막으로, 하루 중 오후 시간에 집중적으로 수출 진행을 요청하게 되는데, 이로 인해 제한된 시간 내에 수출 업무를 완료해야 하는 압박감 아래에서 꼼꼼한 검토가 어려워지게 된다. 이러한 상황에서 발생하는 실수로 인한 위험성뿐 아니라 수출 건 별로 요청하는 포워더가 다르기 때문에 서류가 잘못 전달될 위험성도 높아진다. 이렇게 복잡하고 중복되는 업무는 국제물류 업무의 효율성을 떨어뜨리며 리스크를 높인다.

〈표 2〉 수출 업무 프로세스

No.	요청대상			업무내용	업무수단
1	수입자	↔	수출자	계약 및 발주 → 출고계획	E-mail
2	수출자	→	포워더	견적 문의	E-mail
3	포워더	→	수출자	견적 제출	E-mail
4	수출자	→	포워더	선사 부킹 요청	E-mail
5	포워더	→	수출자	선사 스케일 공유	E-mail

6	포워더	→	운송사	차량 배차 신청서 전달	E-mail
7	운송사	→	포워더	차량 배차 승인서 전달	E-mail
8	수출자			화물 출고 → 선적서류(CI&PL) 작성	Excel 양식
9	수출자	→	포워더	선적서류(CI&PL) 전달	E-mail
10	포워더	→	수출자	Check B/L 전달	E-mail
11	수출자	→	포워더	Check B/L 이상유무 공유	E-mail
12	운송사	→	수출자	컨테이너 입고 → 쇼링 작업 → 컨테이너 출고	운송
13	수출자	→	관세사	수출통관 요청	E-mail
14	관세사	→	수출자	수출신고필증 전달	E-mail
15	수출자	→	관세사	수출신고필증 이상 유무 공유	E-mail
16	포워더	→	수출자	선박 출항 후에 SUR B/L 전달	E-mail
17	수출자	→	수입자	최종 선적서류 전달	E-mail
18	포워더/관세사	→	수출자	청구서 전달	E-mail
19	수출자	→	포워더/관세사	청구서 이상유무 전달	E-mail
20	포워더/관세사	→	수출자	계산서 전달 → 전표 처리	E-mail

2) 트레이드버스: 스마트통관에서 스마트 물류로의 출발

수출입 통관 절차를 더 효율적으로 만들기 위해 다양한 시도를 했지만, 기존의 관세사 솔루션만으로는 문제를 완전히 해결하기 어려웠다. 특히, 화주사에서 제공하는 인보이스와 패킹 리스트를 디지털 데이터로 변환하는 과정에서 복잡성이 발생했다. 선적서류를 OCR, PDF, 그리고 엑셀(Excel) 파싱과 같은 디지털 기술을 활용하여 변환을 할 수 있었지만, 화주사와 그들의 해외 거래처마다 문서 템플릿이 다르기 때문에 그 부분을 일일이 수동으로 처리해야 하는 문제가 있었다.

업체별로 요구사항이 달랐기에 결국 커스터마이징이 불가피했다. AI 딥러닝 기술을 활용한 자동화를 시도했지만, 자본력이 받쳐줘야 실행 가능한 일인 것 같았다. 이러한 한계를 극복하고자 인보이스와 패킹 리스트를 효율적으로 생성하고 추출할 수 있는 전문 툴을 개발하게 되었다.

이 새로운 툴은 화주사가 만든 인보이스와 패킹 리스트를 관세사의 통관 리스트와 자동으로 연계할 수 있게 해준다. 더불어 해당 정보를 포워더사와 운송사에 자동으로 전달하여 선적 스케줄을 확인할 수 있게 하며, 보험사를 통해 적하보험을 가입할 수도 있게 되었다. 이를 통해 기존의 전화나 이메일을 통한 아날로그 방식의 업무가 디지털 데이터 기반으로 전환되었다.

이런 식으로 복잡한 수출 단계부터 시작해 여러 협력사 사이의 협업을 원활하게 해주는 협업 플랫폼이 등장했다. 이를 통해, 화주, 관세사, 포워더사, 운송사, 보험사 간의 정보 공유와 업무 흐름 또한 더욱 원활해졌다.

국내에는 약 1,100여개의 관세사, 5,000여개의 포워더, 30만여 개의 화주사, 그리고 2,000여개의 운송사가 있는 것으로 파악된다. 이들은 대체로 이메일, 메신저, 전화 등 다양한 채널을 통해 소통하고 있다. 각기 다른 프로그램과 시스템을 사용하고 있어, 수출입 관련 정보—선적항, 도착항, 출발 및 도착 예정 시간, 물품정보, 인보이스, 패킹, 부가서류 등—를 단순하고 반복적으로 소통하며, 이를 엑셀과 같은 별도의 파일로 정리하는 것이 일반적이다.

이러한 복잡한 업무 환경을 해결하기 위해 로그인네트웍은 화주사의 관세청의 수출입 신고 자료를 기반으로 한 마이데이터 협업 플랫폼인 트레이드버스를 개발했다. 트레이드버스는 화주사의 직접신고 또는 관세사를 통해 대행신고한 관세청 신고자료를 기반으로 포워더, 관세사, 운송사, 보험사와 데이터를 실시간으로 관리하고 활용할 수 있으며, 추가적으로 필요한 데이터는 API와 스크래핑 기술을 통해 수집해 가고 있으며 점차적으로 수집 범위를 확대해 가고 있다.

이렇게 수집된 데이터는 업무의 연속성과 처리 시간을 높이는 데 큰 역할을 하며, 디지털화의 진행은 단순한 업무 속도의 향상을 넘어, 데이터의 정확성과 신뢰성을 높이는 데에도 크게 기여하고 있다. 이 모든 것은 전체 업계에 긍정적인 영향을 미치며, 통합적이고 효율적인 업무 처리를 가능하게 하여 전반적인 업무의 리드타임과 가시성을 보여주는 핵심 요소로 작용하고 있다. 다음은 트레이드버스에서 제공하는 기능들이다.

(1) 화주사 마이데이터 서비스(관세청 연동)

2021년에 금융권을 중심으로 한 마이데이터 서비스가 출시된 이후, 개인 정보의 적극적인 관리와 활용이 일상화되어 가고 있으며, 수출입기업을 위한 마이데이터 서비스도 혁신적인 변화를 가져오고 있다.

이 서비스는 대행 관세사에 분산되어 있는 수출입 기업의 신고 내역을 관세청에서 직접 수집하고 관리한다. 이렇게 수집된 데이터는 다양한 통계와 분석을 통해 의미 있는 정보로 재구성되며, 이를 통해 기업들은 수출입내역 사후 검증 작업을 훨씬 더 효과적으로 수행할 수 있다. 뿐만 아니라, 이 데이터를 기반으로 미래의 수출입 트렌드와 시장 변화를 예측, 분석할 수 있어, 전략적인 의사결정에 큰 도움을 제공할 수 있다. 이처럼, 화주사의 마이데이터 서비스는 단순한 데이터 수집을 넘어, 수출입 업계의 데이터 분석과 활용을 혁신적으로 개선하고 있다.

(2) 선적관리(화주, 포워더, 관세사, 운송사, 보험사) 업무 공유방식 협업

특송사와 관세사에 기 구현했던 페이퍼리스 협업 솔루션을 화주사를 중심으로 재구성하게 되면서, 실질적인 업무 흐름에 더욱 부합하는 협업 플랫폼을 성공적으로 개발하였다. 이전에는 이메일, 범용메신저, 전화 등이 주된 업무 소통 수단이었으나, 이러한 방식만으로는 디지털화의 진정한 가치를 실현하기 어려웠다.

따라서, 로그인네트웍은 트레이드버스를 통해 업무 공유와 협업을 더욱 효율적으로 만들기 위한 다양한 기능들을 통합적으로 구현하여 왔다. 수출입 건별 웹 메신저를 통한 실시간 업무 협업은 단순한 소통을 넘어, 각 플레이어 간의 소통 이력을 체계적으로 관리하고 추적할 수 있게 해주며, 이를 통해 업무의 투명성이 높아지고, 신뢰성 있는 데이터 기반의 의사결정이 가능해진다.

더불어, 특송사와 선사의 실시간 화물 추적 기능도 API와 스크래

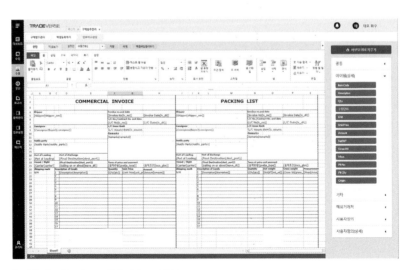

[그림 2] 인보이스, 패킹리스트 생성

[그림 3] 웹 메신저

핑 기술을 활용하여 구현하였는데 이 기능은 화주사뿐만 아니라 각 플레이어에게 실시간 정보를 제공하여, 더 빠르고 정확한 업무 처리를 가능하게 한다. 이처럼, 화주사를 중심으로 한 이 협업 플랫폼은 디지털화를 통한 업무 효율성 향상뿐만 아니라, 단순한 정보 전달을 넘어, 데이터를 통한 협업과 의사결정의 새로운 패러다임을 제시하고 있다.

(3) 선적서류생성(인보이스, 패킹, 원산지, 사유서 등)

화주사의 수출입 업무는 다양한 서류 작성으로 시작된다. 특히 수출업무에 있어 인보이스, 패킹 리스트, 원산지 증명서, 사유서 등의 부가 서류도 때에 따라 필요한데, 이러한 서류 작성은 대부분의 경우 엑셀을 통해 이루어지며, 이는 기간계 ERP 시스템이 있어도 마찬가지이다. 이렇게 생성된 서류는 관세사에게 전달되어 수기 입력을 통한 통관 절차가 이루어진다. 또한, 포워더 역시 선적 관련 신고 업무를 수기로 입력하고, 이를 엑셀로 별도 관리를 하고 있다.

이러한 복잡한 업무 흐름을 단순화하기 위해, 우리는 인보이스와 패킹 리스트를 생성할 수 있는 범용 툴을 개발하였다. 이 툴은 화주사가 기존에 사용하던 엑셀 템플릿을 업로드하면, 처음 한 번만 위치 값을 매핑하여 저장하면 되는데, 이렇게 설정된 템플릿은 이후로도 지속적으로 활용할 수 있어, 업무의 효율성을 크게 향상시킨다.

더 나아가, 이 툴을 통해 생성된 서류는 관세사와 포워더사에게 전달되어, 파트너사간 신고 업무를 더욱 간편하게 처리할 수 있다. 이로써, 수기 입력과 담당자의 별도의 엑셀 관리가 필요 없이 회사차원의 통합 자산관리가 가능해진다.

(4) 수출 통관

수출하고자 하는 모든 물품은 세관의 수출통관 절차를 밟아야 하는데, 수출통관절차라 함은 수출하고자 하는 물품을 세관에 수출신고를 한 후 신고수리를 받아 물품을 우리나라와 외국 간을 왕래하는 운송수단에 적재하기까지의 절차를 말하는 것이다.

관세청 유니패스를 사용하여 신고할 수도 있지만 생각만큼 쉽지는 않다. 기존 페이퍼리스 웹 통관용으로 기 개발되어 운영되고 있던 기능이었으나 화주사의 관세청 통관 직접신고의 불편함을 해소하기 위해 새로운 웹 신고기능을 추가하였다. 이 기능은 트레이드버스에서 인보이스, 패킹, 원산지증명서를 생성 후 수출신고 메뉴에서 자가신고하거나 파트너 관세사를 통해 대행신고를 할 수 있다.

(5) 관세환급연동

수출 환급 절차는 일반적으로 두 가지 방법으로 진행된다. 첫 번째는 '간이정액환급'으로, 수출된 건들을 취합하여 '수출신고필증'을 통해 환급금을 받을 수 있다. 두 번째는 '개별환급'이며, 이 방법은 납부 세액을 증명할 수 있는 다양한 제출 서류를 증빙하여 환급금을 지급받을 수 있다. 이러한 환급 절차는 대행 관세사로부터 필요한 수출입필증 자료를 받아 정리하고 추가 서류를 수기입력 과정을 거치게 되는데, 이 과정이 상당히 복잡하고, 특히 대행 관세사에서 통관하지 않은 화주의 경우, 환급 업무를 맡기가 어렵다는 것이 업계의 일반적인 현실이다.

그러나 화주사의 마이데이터를 활용하면 이러한 복잡한 환급 절차도 크게 단순화될 가능성이 있다. 마이데이터를 통해 화주사는 관세사에게 필요한 모든 정보와 서류를 효율적으로 전달할 수 있게 되며, 이로써, 환급 절차의 복잡성이 줄어들고, 더 빠르고 정확한 환급이 가능해질 것으로 예상하고 있다.

319

(6) 수출입 문서관리

관세법 제12조에 따르면, 관세사 및 화주사는 수출입 관련 선적서류를 수입의 경우 5년, 수출의 경우 3년 동안 보관해야 하는 의무가 있다. 이러한 서류는 대부분 수출입 담당자의 PC나 서버에 단순히 스캔된 형태로 보관되고 있어, 그 이상의 가치를 창출하지 못하는 게 현실이다. 디지털 전환의 첫 단계는 전산화이며, 이를 통해 수출입 자료가 단순한 '보관'을 넘어 '활용'의 차원으로 나아갈 필요가 있어 보인다. 예를 들어, 전산화된 수출입 자료를 데이터 분석 툴과 연동하면, 시장 트렌드, 수요예측, 로지스틱스 비용 최적화 등 다양한 분석이 가능해지며, 또한, 이러한 자료를 클라우드 기반의 문서 관리 시스템에 통합하면 언제 어디서나 안전하고 효율적으로 문서에 접근할 수도 있다.

이외에도, 전산화된 데이터를 활용하여 자동화된 리포트 생성, 실시간 업데이트, 다양한 이해관계자와의 실시간 공유 등을 통해 문서

관리의 효율성을 극대화할 수 있다. 이렇게 하면 문서 보관 의무를 넘어, 실질적인 업무 효율성과 의사결정의 정확성을 높일 수 있을 것이다. 따라서 수출입 자료의 전산화는 단순한 디지털 보관을 넘어, 데이터의 깊이 있는 분석과 효율적인 관리를 가능하게 하는 중요한 전략적 도구가 될 수 있다. 이를 통해 기업은 더 나은 업무 프로세스와 경쟁력을 갖출 수 있을 것이다.

사례 6) 페이퍼리스 시스템을 통한 종이없는 사무실 구축 – UPS 특송사와 우일합동관세사무소

우일합동 관세사무소는 종이서류와 이메일을 넘어 전자문서기반 협업시스템을 성공적으로 도입한 첫 고객사이다. 시스템 도입 초기에는 여러 시행착오가 있었지만, 안정화된 이후에는 통관 업무가 원활하게 처리되고 있다. 특히 TNT(FedEx)를 첫 시작으로 UPS와의 수출입통관 대행업무 계약을 통해 대량의 수출입 건을 페이퍼리스 시스템으로 업무처리를 함으로써 업무효율과 재택근무, 비용절감 등 상당한 기대효과를 얻게 되었다. 그리고 8여년 간의 종이 없는 사무실, 즉 페이퍼리스 시스템은 더욱 완성도 높은 구조를 갖추게 되었다.

이 시스템은 서류입수부터 통관, 그리고 특송창고 출고까지 전 과정이 전자문서기반으로 연동되어 진행되기 때문에, 특송사와 관세사와의 업무 협업이 기존 업무대비 월등하게 원활하다. 그리고 세관 심사 요청시에도 문서스캔이나 출력작업이 필요 없어져 빠르고 정확하게 필요한 문서를 제출할 수 있다. 이러한 효율성은 부대적인 업무 손실을 크게 줄여주고 있다.

더 나아가서, 우일합동관세사무소는 고객사에게 디지털 서비스를 제공하여, 필수 통관서류를 직접 출력할 수 있게 해준다. 이 서비스는 고객사와의 협업을 더욱 원활하게 도우며, 업무 프로세스의 투명성을 높인다. 결과적으로, 우일합동관세사무소는 단순한 업무 효율성 향상을 넘어서 전자문서를 활용한 지속 가능한 발전과 혁신을 이루었고 이를 통해 업계에 새로운 표준을 제시하고 있는 것이다.

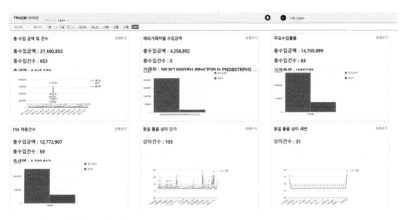

[그림 4] 수입통관 사후검증

(7) 사후검증(관세평가 8대 적법성 세번변동, 단가변동)

통관 리스크관리 시스템은 통관 적법성의 8대 주요분야(과세가격, 품목분류, 단가변동, 요건, FTA, 감면, 운임, 보험료, 관세환급)에 대한 복잡한 리스크 요소를 자동으로 분석한다. 이 과정에서 시스템은 자재 코드와 해외 거래처 정보를 세밀하게 정제하여, 그 결과를 통계적 분석과 함께 포괄적인 리포트 형태로 출력해 준다. 이렇게 기업은 통관 과정에서의 리스크를 더욱 명확하게 이해하고, 적절한 관세청의 사후심사 대응 전략을 세울 수 있다. 이 시스템은 단순히 리스크를 분석하는 것을 넘어, B/L 단위 및 아이템 단위별로 단가 변동 및 세율 변동을 실시간으로 추적할 수 있으며, 이를 통해 세관 심사나 조사과정에서 문제가 발생할 가능성을 사전에 차단하고, 이에 대한 자체 검증을 수행하여 기업의 통관 적법성을 더욱 강화한다. 이러한 다양한 기능은 기업이 물류와 통관 과정에서 발생할 수 있는 다양한 문제와 리스크를 효과적으로 관리하고 대응할 수 있도록 지원한다.

사례 7) RPA 기술을 통한 재수출조건부 면세물품 사후관리 서비스 개선 -FedEx 특송사와 스타합동관세사무소

재수출 조건부로 관세면제를 받아 수입된 물품은 일정 기간(최대 2년)이내에 수출해야 하는데 만약, 이 기간을 지키지 않을 경우, 해당 물품 가격의 20%를 가산세로 내야 한다.[8]

FedEx 특송사 지정관세사무소인 스타합동관세사무소에서는 이를 관리하기 위해 다음과 같은 절차를 통해 수입화주의 재수출조건부 면세 받은 물품의 사후관리를 하고 있다.

① 자동화 서버(RPA 서버) 사용: 매일 새벽에 RPA 서버가 관세청에 접속한다.

② 화주사 검색: RPA 서버는 재수출 이행 기간이 도래하는 화주사(물품 수입업체)를 검색한다.

③ 메시지 리스트 생성: 검색 결과를 바탕으로, 메시지를 전송할 화주사의 명단을 작성한다.

④ 메시지 발송 시기:

- 30일 전 알림: 재수출이행기간이 30일 전이면, 해당 화주사에게 이메일, 문자, 팩스 등을 통해 알림을 전송한다.

- 7일 전 알림: 이행기간이 7일 전이면, 다시 한번 알림을 전송한다.

⑤ 근무 시간 동기화: 위의 모든 작업은 아침 근무 시간이 시작되면 실행된다.

---

8) 관세법 제97조(재수출면세)
　④세관장은 제1항에 따라 관세를 면제받은 물품중 기획재정부령으로 정하는 물품이 같은 항에 규정된 기간 내에 수출되지 아니한 경우에는 500만원을 넘지 아니하는 범위에서 해당 물품에 부과될 관세의 100분의 20에 상당하는 금액을 가산세로 징수한다.

이렇게 하여, 스타합동은 화주사의 재수출 조건부로 들어온 물품의 사후관리를 할 수 있는 서비스를 운영 중에 있다.

위 내용을 디지털 트랜스포메이션 관점에서 본다면 프로세스자동화(RPA 서버), 데이터 기반 의사결정(화주사 검색), 고객 경험 개선 (알림 시스템), 시간 최적화(근무시간 동기화), 그리고 작업 효율성 증대 등이 모두 잘 조화되어 있어 복잡한 수출입통관 관련 규제사항도 철저히 관리할 수 있다. 이를 통해 더 높은 수준의 서비스를 제공하는 것이다.

(8) 보고서

수출입 내역 분석 보고서는 사용자에게 매우 유용한 기능을 제공한다. 사용자는 실시간, 월별, 분기별, 연도별 등 다양한 기간 옵션을 선택할 수 있고, 이에 따라 관세청 데이터를 기반으로 한 템플릿 보고서가 생성되어 과거부터 현재까지의 수출입 데이터를 한눈에 볼 수 있다.

보통 수출입 데이터 분석은 대행관세사에서도 수동으로 엑셀로 정리해야 한다. 이 과정에서는 다양한 엑셀 함수와 피벗 테이블을 사용해 복잡한 분석을 해야 하며, 이는 많은 시간과 노력, 그리고 엑셀에 대한 전문 지식이 필요하다. 하지만 이 시스템을 사용하면 이런 번거로움을 크게 줄일 수 있다. 디지털 기술을 활용해 사용자는 수작업을 최소화하고 데이터를 효율적으로 관리하고 분석할 수 있다. 특히 분석 보고서는 고객사의 추징 등 리스크 관리에 최적화되도록 설계되었다.

사례 8) 수출입 통관 사후검증 및 분석 - 임재운 다민관세사무소 대표 관세사

'다민관세사무소'는 중소 규모의 기업들을 대상으로 통관 업무를 대행하는 관세사무소다. 작년까지는 주로 수동적인 방법으로 고객의 수출입 데이터와 관세 문제를 관리했는데 신고 이후 문제를 파악하게 되어 선제적으로

323

대응할 필요가 있었다.

통관 리스크관리 시스템을 통해 다민관세사무소는 고객의 통관 적법성을 높이는 데 큰 성공을 거뒀다. 이 시스템은 통관 적법성 8대 주요 분야에서 발생할 수 있는 리스크를 자동으로 분석해주기 때문에, 사무소 직원들은 복잡한 엑셀 작업 없이도 통계적으로 높은 정확도로 리스크를 관리할 수 있게 되었다. 이러한 과정을 통해, 관세청의 사후심사에 효과적으로 대응할 수 있게 되었으며, 고객사로부터 큰 신뢰를 얻었다.

또한, 수출입 내역 분석 보고서의 실시간 분석 기능을 활용하여 고객사의 리스크 관리에 있어 빠른 대응이 가능하게 되었다. 기존에는 담당자가 일일이 데이터를 정제하고 분석해야 했던 작업이 시스템을 통해 자동화되니, 담당자는 이제 더 복잡한 문제 해결에 집중할 수 있게 되었다. 특히, 단가 변동과 세율 변동을 실시간으로 추적하여 고객사에게 즉시 알려줄 수 있게 된 덕분에, 실무자의 단순 반복적인 업무량이 상당히 줄어들어 이를 통해 더 높은 수준의 서비스를 제공할 수 있게 되었다.

6. 글을 마치며

최근 삼성SDS의 첼로스퀘어 서비스에 ChatGPT 플러그인을 연동해 사용할 수 있게 되었다.[9] 이런 변화로 인해 디지털 물류는 새로운 인터페이스를 통해 좀 더 사용자와 가까워지고 있다. 로그인네트웍은 2023년부터 삼성SDS 첼로스퀘어와 스마트한 통관 업무를 위해 협력하

---

9) "삼성SDS의 현실화된 생성AI 물류 활용법", 비욘드엑스, 2023.09.14., https://beyondx.ai/samseongsdsyi-hyeonsilhwadoen-saengseongai-mulryu-hwalyongbeob/(접속일: 2023.10.19)

기로 했다.[10] 이렇듯 통관과 물류의 연결은 이제 새로운 디지털 도구인 생성형 AI와 유관업체와의 협력을 통해 급격히 발전하고 있다.

　　생성형 AI가 현재 시장에서 크게 주목받고 있다. 혼자서 잘하는 사람도 있지만 누군가의 도움을 통해 훨씬 더 발전하는 사람도 있다. 그 누군가가 이제는 사람이 아닌 생성형 AI라고 생각한다. 회사의 솔루션도 마찬가지이다. 개발사로서 수출입 관련 솔루션을 개발하며 선적서류 변환, 각종기관과 웹사이트 연동, HS CODE 분류 등의 통관이 물류가 디지털화 되기 위해 필요한 기능들을 구현해 오면서 부족한 기술적 완성도로 인해 시장 확대가 어려웠던 기술들이 있다. 가령 RPA, OCR 등이다. 하지만 생성형 AI가 기술의 한계를 넘을 수 있도록 IT와 비즈니스의 융합에 연결을 돕고 있다. 기존에 사람이 해왔던 역할을 대체하는 것이다.

　　이제 비즈니스 대전환의 시대가 왔다. 도태되지 않기 위해서는 시장의 변화 및 트렌드에 맞추어 발빠르게 움직여야 한다. 그러기 위한 첫걸음이 바로 기존의 업무 방식을 탈피하고 혁신적인 개선을 통한 디지털 기술과 비즈니스 업무의 협력이다. 디지털화를 넘어 지능화까지 가능해지는 시대가 왔기 때문이다.

325

---

10) 삼성SDS, 디지털 물류 품은 '첼로 스퀘어 유니버스' 승부수, Byline Network, 2023.05.18.,
　　https://byline.network/2023/05/18-254/

통신사와 테크 기업이
미들마일 물류에 진심인 이유

이태호

픽쿨 대표, philip@pickool.net

대한민국과 일본, 글로벌 시장을 연결하는 크로스보더 미디어 Pickool, Inc.의 창업자 겸 CEO. 창업 이전에는 글로벌 테크 및 컨설팅 기업인 오라클과 가트너에서 사업 개발 및 영업 업무를 담당했다. 그 이전에는 KT에서 신사업 전략 기획 및 글로벌 시장 개발, 사업 제휴 등의 업무를 담당했다. 저서로는 '물류 트렌드 2023'이 있다. 기술은 세상을 투명하게 하고 더 자유로우면서 항상 하나씩 개선한다고 믿고 있는 한 사람이다.

327

1. 왜 미들마일 물류인가?

시속 200km까지 달릴 수 있는 페라리 차량이 있다고 가정하자. 이 차량이 달리기 위해서는 200km이상의 속도로 달릴 수 있는 도로가 필요하다. 만약 어떤 구간은 고속도로인데, 어떤 구간이 논길이라면 페라리 같은 차량은 트랙터만도 못한 속도를 낼 것이다.

이 현상은 KTX 경부고속선에서도 볼 수 있다. 2004년 4월 개통한 KTX는 서울에서 동대구까지 전용선으로 빠르게 주파할 수 있었으나, 동대구-부산 구간의 2단계 개통이 이뤄지기 전인 2010년 11월까지 기존 철로를 활용할 수밖에 없었다. 서울-동대구역까지는 약 1시간 30분가량 걸리더라도, 기존 노선을 이용하던 동대구-부산역까지 1시간 동안 일반 새마을호나 무궁화호 속도로 KTX를 이용해야 했다.

교통과 물류의 공통점은 특정 A지점과 B지점 사이를 연결한다는 것이다. 연결을 통한 이동의 주체가 사람이나 사물이냐가 다를 뿐 둘은

[그림 1] 쿠팡의 배송 모습 (출처: 쿠팡)

유사하다. 연결하는 방법에 있어서 수많은 이해관계 방법론, 구현 방향의 차이가 존재할 뿐, 큰 틀은 유사하다고 볼 수 있다.

　A지점을 제품을 생산하는 생산자. B지점을 이 제품을 소비하는 소비자라고 가정할 때, 물류단계는 1) 퍼스트마일, 2) 미들마일, 3) 라스트마일로 구분한다. 우선 퍼스트마일은 원자재 조달 및 생산, 완제품을 특정 물류 거점으로 배송하는 구간을 말한다. 이렇게 특정 물류 거점으로 배송된 생산품 또는 완제품은 물류창고나 해당 기업으로 옮겨지는데, 이 구간을 바로 미들마일이라고 정의한다. 마지막은 라스트마일로 기업 또는 물류창고에 있는 제품을 고객에게 배송하는 것을 말한다.

　쿠팡의 로켓배송이나 네이버의 도착보장 같은 서비스는 바로 라스트마일 물류를 일컫는 서비스다. 라스트마일 물류는 점점 개선되는 모양새지만, 현재까지 미들마일 물류는 서울에서 동대구까지만 운행하던 KTX가 동대구-부산 구간에서 일반 철로를 만났을 때, 또는 시속 200㎞으로 고속도로를 달리다가 논길을 마주하게 되는 페라리와 같은 형국이다. 이런 '불편함'과 '불투명'을 개선하는 과정에서 '새로운 시장'이 열리고, 기업의 이윤 추구가 가능해졌다.

　이는 수치가 증명한다. 국토교통부는 2020년 '미들마일'의 시장 규모를 약 30조 원으로 추산한 바 있다. 앞서 설명한 '라스트마일'의 시장 규모가 약 7조 원 규모로 추산하는 데 반해 이는 약 4배 이상 달하는 규모다. 이 시장에 대해 업계 관계자는 "토스 등장 이전의 금융, 배달의

민족이 없던 요식업, 카카오T를 쓰지 않던 택시업계와 닮았다" 고 평가한 바 있다.[1]

　　아이폰이 한국에 처음 출시된 2009년 말. 당시 대다수 시민들은 휴대전화로 택시를 잡거나, 호출한다는 생각을 하지 못했다. 수많은 시민은 거리에 서서 손을 흔들어 지나가는 택시를 잡았다. 택시기사도 효율적으로 손님을 태우지 못했다. 전국을 기준으로 볼 때 택시기사들은 근무 시간의 75% 정도를 빈 차로 운행했다.[2] 물론 이런 관행 때문에 택시회사와 택시기사 간 갈등이 발생하기도 했다. 법원이 빈 차로 30분씩 연속해서 기다린 택시기사에 대한 징계를 합법적이라고 판결한 것이 대표적이다.[3]

　　14년이 지난 지금, 우버(Uber)와 카카오모빌리티의 '카카오T' 등의 서비스는 승객의 손 흔들기와 빈 차로 운행하던 택시, 그로 인한 갈등을 스마트폰 속 애플리케이션에 담았다. 이 모든 것은 자연스레 매출로 이어졌다. 2017년 162억 원에 불과했던 카카오모빌리티의 매출은 2021년 기준 5,465억 원을 기록했다.[4] 카카오모빌리티는 가맹 택시 운임의 20%를 매출로 인식하고, 호출 수수료의 50%를 매출로 인식한다. 길거리에서 그리고 빈 택시에서 겪었던 불편함이 편리함과 투명함으로 바뀌면서 매출이라는 숫자로 발현된 셈이다.

　　카카오모빌리티와 같은 플랫폼 사업자들의 차량 호출 애플리케이션이 인기를 끌 수 있었던 이유는 크게 세 가지다. 우선 정보의 불균형 극복이다. 승객과 택시를 서로 수요-공급을 데이터 및 플랫폼이라는

329

1) "'미들마일'에 돈 몰린다…카카오·티맵도 뛰어든 '30조원' 시장", 최창원, 매경Economy, 2022.11.25.
2) "일반택시 실차율 현황", 국회 국토교통위원회 새누리당 김희국 의원실, 2015.9.7
3) "2009구합43147", 서울행정법원 행정12부(재판장 장상균 부장판사)
4) 카카오모빌리티, 분사 5년만에 매출 33배 '껑충'…5000억 돌파, 정은지, 뉴시스, 2022.3.14.

매개체로 연결했다. 둘째, 도착 시간과 가격에 대한 부분을 데이터를 기반으로 '선제적'으로 노출했다. 다시 말해 목적지까지 돌아가거나 미터기 조작 등 승객이 덤터기를 쓸 가능성이 줄어든 셈이다. 마지막으로 브랜드 택시나 별점을 통해서 소위 악성 승객이나 악성 택시를 피할 수 있었다. 선순환 구조를 통해 더 나은 승객 또는 더 나은 택시만 살아남을 수 있게 된 것이다.

미들마일 물류 시장도 2009년 당시 택시 시장과 유사하다. 택시 시장의 택시기사라고 볼 수 있는 화물 운전자인 '차주', 승객과 비슷한 개념인 화물 소유자인 '화주', 차주와 화주를 연결하는 운송사나 주선사가 있다. 당시 이 구조는 매우 폐쇄적이었다. 수기를 통한 서류로 운송비를 관리했고 사람이 개입하다 보니 각종 관행에 기반한 거래가 존재했다.

관행에 기반한 이러한 암묵적 거래가 존재한 이유는 1) 파편화된 차량 구조, 2) 운송 주선사와 화물차 기사 간의 이해관계 및 전문성, 3) 대기업 하도급 물량을 기반으로 영세 사업자들이 물량을 상호 공유하는 구조이기 때문이다. 중앙 정부 및 지방 정부에서 관리하는 택시와 승객을 연결하던 차량 호출 서비스보다 훨씬 시장에 진입하기엔 난도가 높았다.[5]

가령 택시는 대부분 쏘나타나 그랜저, K5나 K7 등 소형 차량 중심이지만 물류 차량은 1톤 트럭부터 25톤 트럭까지 다양하다. 특히 차량 옵션 측면에서도 화물인지, 냉동 탑차인지, 윙바디인지에 따라 상하차 방법도 파편화되어 있다. 특히 기사 도움을 받아야 하는지 여부도 당사자 간 협의해야 한다. 그만큼 이 시장은 표준화되기보다는 관행의 지배

---

5) '카카오모빌리티가 바라본 플랫폼 물류의 미래', 카카오모빌리티 미들사업 리더 박지은, 넥스트 모빌리티 2023

가 우선되는 구조였다.

관행이 지배하는 구조와 함께 '규모의 경제' 측면에서도 영세 사업자에게 혁신을 기대하기는 어려운 구조였다. 오히려 경쟁 요소에서 '가격'만 강조되는 모양새였다. '가격'만으로 경쟁할 때 '서비스 품질' 내지는 '서비스 품질'로 수반되는 효과를 기대하기는 어려웠다. 이를 찾아내 수익원으로 바꾸게 되면 굳이 가격을 내리기 위한 경쟁하는 것 대신 다른 부가가치로 이익을 거둘 수 있는 환경이 열린다.

이미 차량 호출 앱을 통해 시장은 그러한 추가 수익원을 경험한 바 있다. 물론 호출비가 과도하다는 비판이 존재한다. 하지만 좀 더 나은 차량 탑승 경험을 위해 승객들은 카카오T블루와 같은 플랫폼의 브랜드 택시를 추가 요금을 내고 탑승한다. 대형 차량으로 승객을 운송하는 타다도 마찬가지다. '비용 절감'에는 '물류비용' 절감도 있지만, 디지털 플랫폼을 통해 업무 시간을 줄이고, 업무 효율이 올라간다는 부분도 있다. '기회비용' 관점으로 볼 때 기업이 해당 비용을 추가로 집행할 가능성이 존재하는 것이다.

특히 기술을 기반으로 한 사업자는 가입자 및 이해 관계자를 모으고, 알고리즘에 기반한 연결과 분배를 통해 수익을 창출해 본 경험이 있다. 손을 흔들면서, 그리고 빈 차로 다니면서 공기에 떠다니던 가치를 수천억 원대 매출로 올렸기에 이 시장 진출에 적극적일 수밖에 없는 것이다.

여기서 주목할 것은 통신사들의 움직임이다. SK텔레콤과 KT는 각각 자회사 티맵 모빌리티와 브로캐리를 통해 미들마일 시장 진출을 선언했고, 사업을 확장 중이다. A와 B지점을 연결해 준다는 점에서 통신과 물류는 여러모로 닮았다. 물류가 사물을 연결해서 전달하는 것이라면, 통신은 네트워크 위에 데이터 패킷이나 음성 패킷을 전달하는 차이가 있을 뿐이다. 본질적으로 '연결'과 이를 통한 '전달'이라는 가치는 같다.

특히 '덤 파이프(Dumb Pipe)' 현상으로 통신사의 위력이 예전만 못한 것도 사실이다. 투자 비용을 집행하더라도 그만큼 매출을 통한 회수가 어려운 상황이다. 통신 3사 모두 불이익을 감수하고 5G 주파수 중 28GHz 주파수를 반납한 것이 대표적이다.[6] 이런 상황에서 통신사는 매출원을 키울 수 있는, 그러면서도 기존 서비스와 시너지를 올릴 수 있고 '업의 속성' 상 통신사와 알맞을 신사업을 찾을 수밖에 없다.

2. 통신사는 왜 미들마일 물류에 적극적으로 나설까?

통상 플랫폼 사업자는 실적 발표에서 트래픽 확보 비용을 함께 공시한다. 트래픽을 모으고, 이들의 활성 이용자 수를 늘리는 것이 1단계다. 2단계는 해당 수치를 기반으로 수수료 또는 광고 모델을 운영해 매출을 올리는 것이다.

하지만 통신사는 성격이 다르다. 통신은 필수재에 가까우므로 '화주'나 '차주', '운송사'나 '주선사' 모두 유/무선 통신 서비스 가입자다. 통신사 관점에서는 부가서비스를 추가 판매하는 개념으로 이들 고객에게 접근할 수 있다. 고객 정보를 소유하고 있기 때문이다.

통신사는 데이터 수집과 분석에 있어서 기존 인프라를 그대로 활용할 수 있다. 고객 단말기와 기지국 간 커뮤니케이션 데이터를 통해 '병목 구간'이나 '차량 배치'에 대한 적합하고 확실한 명령을 내릴 수 있다. 또한 추적 솔루션이나 화물의 가시성 측면에서도 기존 인프라를 레버리지하면서 플랫폼으로 진화할 수 있다. 추가로 이들 차량에서 수집되는

---

6) 결국 '무늬만 5G'였다…역대급 과징금 받고 주파수 반납한 통신3사, 허인회, 시사저널, 2023.6.1.

교통 패턴이나 기상 조건, 소비자 행동 패턴 등도 훌륭한 데이터 세트 (Set) 중 하나이며, 통신사의 추가 수익 모델로 차별화할 수 있다.

여기에 더해 통신의 진화에 따른 확장 가능성을 주목할 필요가 있다. 시기에 대한 견해는 엇갈리지만, 완전 자율주행 차량이나 이보다 낮은 단계의 자율주행, 차량간 통신 등 통신사가 매출원을 확대할 수 있는 서비스 모델이 다양해지고 있다.

특히 국내 통신사들은 본원적인 통신사업 외에 AI 및 머신 러닝, 사물인터넷(IoT, Internet of Things) 등 신사업에 꾸준히 투자를 해 왔다. 클라우드 및 호스팅 등 통신 기반의 IT 인프라 사업도 상품으로 보유 중이며, 미들마일 물류에 적용할 수 있을 수 있는 스마트 시티 및 스마트 그리드 사업 등도 이미 사업화해 운용 중이다. 이런 상황에서 미들마일 물류 사업으로 확장하는 것은 그리 어색하지 않다. 통신사 별로 보면 SKT의 티맵과 같은 지도 사업이나 KT의 BC카드를 기반으로 한 결제 인프라 사업은 미들마일 물류 서비스에서 동반 상승을 일으킬 수 있는 요소라고 볼 수 있겠다.

333

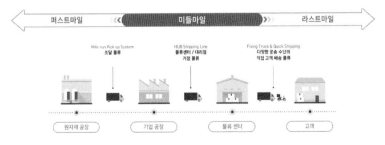

[그림 2] 물류의 전체적인 플로우(출처: 티맵 모빌리티)

3. SK 그룹의 티맵 모빌리티는 얼마나 '미들마일' 물류에 진심일까?

SK그룹은 SK스퀘어의 자회사 티맵 모빌리티를 통해 미들마일 물류 시장에 진입했다. SK스퀘어는 2022년 12월 31일 기준 티맵 모빌리티의 지분 60.11%를 보유중이다.

티맵 모빌리티는 참고로 2020년 12월 29일 SK텔레콤에서 분사했다. 티맵 모빌리티라는 이름에서 알 수 있듯, 차량 인포테인먼트 서비스인 티맵 오토(TMAP Auto)를 비롯, 렌터카, 주차, 발렛, 택시 호출 등 모빌리티 영역이 있다. 여기에 더해 티맵 모빌리티가 100% 지분을 보유한 자회사 YLP를 통해 미들마일 시장으로 확장 중이다.

재무재표 관점으로 보았을 때, YLP의 사업 성적은 돋보인다. 2021년과 2022년 사이 티맵 모빌리티의 전체 매출은 745.3억 원에서 2,046.1억 원으로 175% 성장했다. 하지만 당기순손실도 52.8억 원에서 1,608억 원으로 무려 29.5배 가량 적자 폭이 늘었다. 이 중 YLP가 차지한 매출 비중은 2021년 45.0%에서 2022년 66.5% 수준이다. 다만 당기순손실에서 차지하는 적자폭은 2021년 62.5%에서 2022년 4.4%로 대폭 감소했다. 외형 확장 측면에서도, 수익성 개선 측면에서도 티맵 모빌리티에게는 매우 매력적인 사업인 셈이다.

티맵 모빌리티는 분사 당시 2025년 매출 6,000억 원 달성과 함께 기업공개(IPO)에 나서겠다고 공언한 바 있다. 당시 티맵 모빌리티 측이 발표한 주요 사업 중 미들마일 물류는 주요 이니셔티브가 아니었다.[7] 티맵을 기반으로 한 모빌리티 또는 보험 상품 등으로 6,000억 원 매출을

---

7) '티맵모빌리티 "2025년 매출 6000억 찍고…IPO에 도전"', 서영준, 파이낸셜뉴스, 2021.1.7.

만들겠다는 것이 경영진의 공언이었다. 그럼에도 실제 매출은 미들마일 물류 사업에서 발생했고, 현재는 이를 통해 목표에 나아가는 상황이다.

미들마일 물류시장은 크게 자회사를 두고 물류를 진행하거나 주선사/운송사를 활용해 물류 외주를 주는 경우로 나뉜다. 주선사는 화주와 차주를 연결하는 역할을 하고 있지만, 그 과정이 대부분 수십 년간의 관행을 통해 이뤄진다. 주선사 업무의 밸류 체인 중 그나마 디지털화가 이루어진 부분은 '호출 플랫폼'이다. '전국 24시콜' 및 '화물맨' 등의 업체가 이 시장을 주도하고 있으며, 최근 E&F Private Equity가 인수한 원콜이 시장 점유율을 확대하고 있다.[8] 이들은 '차주'를 대상으로 한 구독형 사업 모델이다. 회비를 낸 차주는 주선사나 화주가 올리는 배차 정보를 우선적으로 받는다. 이들을 대상으로 한 콜 플랫폼은 더 강해질 수밖에 없다. 각 화물 차량의 이동경로 및 빈 차량 정보, 최적 운행 경로 등을 계속 수집하고 최적화해 나가기 때문이다.

시장 상황을 고려해 티맵 모빌리티는 대상 고객을 화주로 삼았다. 시장이 어느 정도 형성된 차주 중심의 시장보다 화주 시장이 더 크다고 본 것이다. 현재 티맵 모빌리티가 집중하는 부분은 바로 불편함이다. 미들마일 시장의 화물 접수는 대부분 카카오톡이나 전화를 통해 이뤄지고 있다. 이러한 화물 요청은 "일일이 적거나 전화 통화를 통해 설명해야 하는 구조"다. 만약 이러한 수동 접수를 어느 정도 자동화하고 단순하게 만들 경우 시장이 열릴 수 있다고 본 것이다. 실제로도 고객이 반응하기 시작했다. 베타 서비스 기간 중 화주 사의 90% 이상이 티맵 화물 운임 조회에 만족감을 나타냈다. 특히 티맵 모빌리티 측이 밝힌 화주

335

---

8) "'이곳이 미개척지다' 빅테크들이 앞다퉈 달려드는 영역 [긱스]', 김태호 | 유비쿼스인베스트먼트 투자본부 팀장, 한국경제신문, 2022.6.21.

의 만족 영역은 1) 경유지가 있는 화물의 간편 접수, 2) 주소 검색 및 입력, 3) 최근 접수한 화물의 주소·차량·품목 정보 간편 입력 기능 등이었다.[9] 모바일 서비스나 인터넷에서는 당연한 것이지만 이조차 자동화가 되지 않았기 때문에 이런 부분이 "만족"으로 나타난 것이다.

현재 티맵의 화물 사업은 티맵 모빌리티와 이를 인수한 YLP의 시너지를 함께 높이는 방향으로 진행 중이다. 티맵 모빌리티는 2002년부터 21년 넘게 내비게이션 서비스를 해왔다. 그만큼 쌓인 데이터 및 플랫폼 운용 노하우, 경로 최적화 측면에서 경쟁력을 갖췄다고 볼 수 있다. 물론 여기에 AI 역량이 내재화된 것도 물론이다. 티맵 모빌리티가 테크 및 기술 부분에 집중한다면, YLP는 현장과 기존 생태계를 더 원활하게 하는데 집중한다. 전국 8개 지사 및 30여 개의 협력 네트워크, 350여 대의 고정 차량을 확보한 전국 단위 공급망을 운영하고, 이를 배치하는 식으로 운영한다. 여기에 더해 7년간 쌓아온 110만 건의 데이터를 그간의 노하우로 공유하는 것도 특징이다.

티맵 모빌리티 측은 '티맵 화물' 소개자료를 통해 1) 간편한 화물 접수, 2) 투명한 배차 현황, 3) 편리한 운송 관리를 3대 장점으로 뽑았다. 화주는 티맵 화물을 통해 최적 운임을 일일이 전화나 카카오톡으로 확인할 필요 없이 한눈에 볼 수 있다. 또한 배차 진행 현황을 실시간으로 확인할 수 있고, 파편화된 운송비 명세나 수동적 세금 계산서 작성이 아닌 "일괄 처리"가 가능해지는 셈이다.

특히 주목해야 하는 것은 '화주'를 위한 배차 시스템이다. 티맵 모빌리티 측은 '주요 화물 정보망 시스템'과 연동되어 있음을 강조한다. 소형 차량으로 차량 종류가 파편화되지 않은 일반 택시와 달리 화물 차량

9) '깜깜이 미들마일' 바꾼다…화주에 올인한 티맵화물, 성아인, 2023.3.20, 바이라인네트워크

은 종류가 다양하다. 화주가 보내야 할 화물과 도착지에 따라 조건도 달라질 수밖에 없다. 티맵 모빌리티는 기존 물류 업계의 파편화된 노하우를 AI와 데이터, 그리고 플랫폼 운용 노하우로 풀어내고 있다. '티맵 화물'은 현재 25개 산업군에 특화된 화물 차량 운송 서비스를 제공 중이다.

여기에 더해 티맵 모빌리티가 추구하는 미들마일 사업은 '화주사 시스템'과의 연동으로 보인다. '티맵 화물' 소개자료도 ERP(전사적 자원 관리)와 같은 내부 시스템 연동, 커스터마이징을 지원할 계획임을 밝히고 있다. 실제로 티맵 모빌리티는 바이라인 네트워크와의 인터뷰에서 ERP(전사적 자원 관리)나 WMS(창고 관리 시스템) 연동 등에 대한 요구가 있음을 밝히기도 했다.[10] 여기에 더해 시스템 연동 API 준비 계획을 설명한 바 있다. 이러한 서비스가 출시될 때 파편화된 호출 중심의 사업 모델에 더해 티맵 모빌리티의 '티맵 화물' 서비스가 SaaS 형 클라우드 상품으로 진화하는 모습도 그릴 수 있을 것이다.

337

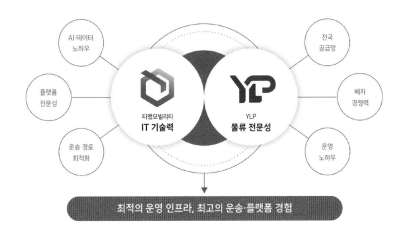

[그림 3] 티맵 모빌리티와 YLP가 각각 담당하는 영역(출처: 티맵 모빌리티)

---

10) '깜깜이 미들마일' 바꾼다…화주에 올인한 티맵화물, 성아인, 바이라인네트워크, 2023.3.20.

2023년 2월 공식 서비스 출시 이후, 티맵 모빌리티의 미들마일 물류 서비스 성적표는 아직 시장에 공개되지 않았다. 다만 SK스퀘어의 1분기와 2분기 공시 자료에 따르면, 화물 중개 서비스는 1분기 기준 지난해 같은 기간보다 57%, 2분기 기준 지난해 같은 기간보다 19% 증가한 것으로 드러났다. 티맵 오토 등 다른 사업 부문 카테고리의 성장률보다는 낮았지만, 매출 비중을 고려하면 성장세는 지속된 셈이다.

크게 SK 그룹 차원으로 볼 때 2016년 SK 플래닛을 통해 트럭킹 서비스를 출시한 바 있다. 당시 모바일 기술력과 빅데이터 분석력을 내세워 화주와 차주를 효율적으로 연결하고, 차주 소득을 늘린다는 취지로 서비스를 개시하고 업계 3위까지 올랐지만, 안타깝게도 거기까지였다. 앞서 설명한 '전국 24시콜' 및 '화물맨' 등이 너무 강했기 때문이다. 추가 투자 대신 SK 그룹이 택한 해법은 사업 조기 종료였다. 운동장은 다르지만, 티맵 모빌리티를 통해 이 시장에 다시 SK그룹은 출사표를 던진 상황이다. 결과는 결국 시장이 판단할 것이다.

4. KT는 미들마일 물류를 통해 무엇을 이루고자 할까?

『물류 트렌드 2023』을 통해 필자는 KT가 통신 3사중 물류에 가장 적극적이라는 의견을 낸 바 있다. 통신사를 상징하는 'Telco'를 넘어선 'DIGICO KT'가 구현모 당시 대표이사 체제의 비전과 가치였다는 점. 또한 물류가 갖는 '업의 속성'과 KT가 보유한 각종 인프라, 그리고 디지털 전환(Digital Transformation)을 주력 사업으로 삼는 KT의 전략적 방향과 맞아떨어졌기 때문이다.

약 1년이라는 시간이 지난 지금, KT의 물류 사업은 정제되는 모양새다. 그러면서도 '기업'이라면 당연히 전략적으로 검토할 '강한 것을 키우고', '기존 사업과의 동반 상승'를 이루는 방향으로 진화하고 있다. KT 만 가지고 있는 카드를 레버리지 해 미들마일 물류 시장의 지배력을 강화해 나가는 추세다.

KT그룹의 물류 사업은 크게 LIS'FO(운송 경로 최적화) 및 LIS'CO(풀 필먼트 및 물류 창고 최적화), 브로캐리(물류 중개 서비스)로 구분된다. 앞선 SK그룹의 티맵 모빌리티가 '테크 사업자'라는 색을 다소 빼고, YLP라는 물류 기업의 색을 입혔다면 KT 그룹의 미들마일 물류적 접근은 테크적 색이 강하다.

KT 물류의 근간 기술은 지난 10년간 KT가 축적해 온 연간 1,000만 건 이상의 통신 물류 데이터다. 여기에 430만 대 차량에서 생성된 '모빌리티 빅데이터', 그리고 '클러스터링 기반의 운송 경로 최적화' 등을 KT AI 물류 기술을 적용했다. 이 기술을 기반으로 실제 환경과 유사한 디지털 트윈 기반의 물류 플랫폼을 개발했고, 그것이 KT의 물류 사업이라 밝혔다.[11] 그리고 그 물류 사업에 더 특화되고자 자회사인 롤랩을 2021년 3월 설립했다.

KT는 롤랩 설립 이전, 자체적으로 활용하던 물류 솔루션과 서비스를 그룹사 중 하나인 KT 링커스를 통해 통신 물류 영역에 적용했다. 이 성과를 바탕으로 탄생한 것이 바로 롤랩이다. 롤랩은 현재 57개의 물류 최적화 파라미터를 통해 고객에게 최적화된 물류 루트를 설정하고 있다. 운송 경로 최적화 솔루션인 LIS'FO를 활용한 결과, 1) 운행 거리는 18% 가량 줄어들었고, 2) 탄소 배출량도 20% 가량 감소했으며, 3) 비용 절감 액수도 15%에 달하는 것으로 드러났다.

11) 디지털 물류 혁신, 이제 AI 대세!, KT AI/DX융합사업부문 디지털물류사업P-TF 배지영 팀장, 2022년 12월, All Show TV

[그림 4] 브로캐리를 통한 차량 배차 (출처: KT 롤랩)

여기에 더해 이제는 미들마일 물류에 더 다가서는 모양새다. KT는 2023년 4월 롤랩과 협력하여 '브로캐리 2.0'을 출시했다. 직전의 브로캐리와 비교할 때 AI 기능이 강화된 화물 중개 및 운송 서비스다. 티맵 모빌리티의 '티맵 화물'과 비교하면, 대체로 비슷한 서비스를 제공하고, 전화와 지인 추천을 통해 이뤄지는 화주-차주간 연결을 디지털 플랫폼이라는 공간으로 옮겼다는 점도 유사하다. 여기서 더 나아가 AI가 추천하는 요금 및 릴레이 배송을 통한 공차 비율 최소화 등 롤랩과 티맵 모빌리티 두 회사의 서비스는 여러모로 닮았다. 여기에 더해 합짐/혼짐 운용 등 화물차 내부 공간을 더 효율적으로 그리고 채워서 운행한다는 특징도 있다.

앞선 SK그룹의 사례에서 보면, 티맵 모빌리티는 20년 넘게 운영하며 데이터가 쌓인 '티맵'이라는 강력한 무기가 있다. 이 무기를 지렛대 삼을 수 있는 방향으로 티맵 모빌리티가 진화했다. KT는 과거 KTF 시절부터 텔레매틱스 사업부를 운영하고, 다양한 모빌리티 기반의 제품을 출시했지만, 시장의 인지도와 점유율 측면에서는 미치지 못했던 것도 사실이다. 대신 KT는 SK그룹이 가지지 못한 경쟁력이 있는데 그것은 바로 금융의 영역이다.

KT는 금융 관계사를 보유하고 있다. 신용카드 사업에서 프로세싱 분야 1위 사업자인 'BC카드' 그리고 5대 밴(VAN, 부가통신사업자) 중 하나인 '스마트로' 등이 대표적이다. 현재 KT는 이들 관계사와 협력하여, 차주가 운송한 다음 날 바로 운송료를 입금해 주는 익일 운임 지급을 시행 중이다. 통상 대금 지급이 60일에서 90일가량 걸렸던 점을 생각하면, 이는 KT의 미들마일 물류 중개 서비스를 이용해야 할 강력한 동인인 셈이다.

KT가 택한 익일 정산은 이미 이커머스에서 네이버가 서드파티 셀러를 대상으로 택한 전략이기도 하다. 대금을 바로 지급한 네이버 파이낸셜의 전략이 대표적이다. 물론 수수료율이나 배송, 마케팅의 편의성 등 여러 가지 조건을 고려해야 한다. 그럼에도 관행을 깨고 셀러에게 대금을 바로 지급한다면, 현금흐름 관점에서 네이버를 이용하는 것을 더 고려할 수밖에 없다. KT는 이런 효과를 노린 것으로 보인다.

여기에 더해 책임 운송도 주목해야 한다. KT의 전통적인 현금창출원인 통신업은 '플랫폼' 사업보다는 '인프라형 사업'에 가깝다. 대규모 장치 산업이며, 장치 산업답게 운용 효율성과 관리에 더 최적화될 수밖에 없다. 카카오 클라우드(구, 카카오엔터프라이즈)의 iLaaS가 순수 플랫폼 기반의 서비스에 가깝다면, KT는 실질적으로 운영 단계에도 일부 개입하는 모양새다. 바로 책임 운송을 통해서다. KT는 국내 언론과의 인터뷰에서 '브로캐리 전담팀을 운영하며, 화물 운송 과정에서 발생하는 다양한 문제 상황에 직접 대응한다'고 밝혔다.[12] 중개를 넘어선 일정 부분 직접 개입한다고도 해석이 가능한 부분이다.

시장은 일단 반응하고 있다. 출시 1년 이후 브로캐리의 차주 회원 수는 1만 명을 넘어섰다. KT는 160개 이상의 중형 및 대형 화주도 확보했다. 티맵 모빌리티와 유사하게 KT의 롤랩도 전국 단위 운송 네트워크를 구축한 상황이다. 단 YLP와 같은 물류 전문 자회사가 없기에 파트너 네트워크에 의존해야 한다는 차이는 있다. 현재 롤랩은 자체 운송 차량 라

341

---

12) 'KT의 화물운송·중개 플랫폼은 과연 다를까?', 신승윤, 바이라인네트워크, 2022. 5. 11.

이선스를 약 260대 보유했으며, 주요 거점 20개 곳에 파트너 운송사를 확보했다.

　　다만 KT의 물류 사업, 특히 미들마일 물류 사업은 해당 생태계에서 시장 점유율을 확대하기보다는 더 큰 사업으로 확장을 노리는 것으로 보인다. KT의 AI 모빌리티 사업단 관계자는 지난 6월 커넥티드 카, C-ITS, 차량용 인포테인먼트(IVI) 등 모빌리티 내의 다양한 서비스와 물류를 접목하는 것을 염두에 둔다고 밝힌 바 있다.[13] 큰 그림을 그리고 미들마일을 함께 노리는 KT의 전략에 대해 정확한 평가는 시장이 내릴 것이다. 여기에 더해 새로운 경영진이 얼마나 기존 경영진의 디지털 물류 사업을 계승하고, 발전시키는지도 중요한 변수가 될 것이다.

5. 가장 늦은 후발 주자, LG 유플러스

　　미들마일 물류에 적극적인 범 SK텔레콤 및 KT와 달리 LG 유플러스는 이 시장을 관망하고 있었다.

　　그런데도, LG 유플러스가 이 시장에 진입할 것이라는 신호는 여러 곳에서 감지되었다. 가장 유력한 신호가 관측될 것은 2023년 8월 열린 2023년 2분기 실적 발표 컨퍼런스콜. 이 자리에서 LG 유플러스 경영진들은 하반기에 '화물 중개 플랫폼' 기반의 서비스 출시 계획을 밝힌다.

　　또 다른 신호는 상표 출원이다. 통상 상표권 출원은 정식 서비스 출시로 이뤄지는 경우가 많았다. 최근 언론의 보도와 특허권 홈페이지에 따르면 LG 유플러스는 '화물 잇고'라는 상표를 출원한 상황이었다.

　　2023년 10월 16일 LG 유플러스는 화물 중개 플랫폼 서비스를 출

13) KT, 물류 영역 확장…'모빌리티 밸류체인' 구축 첫발, 이장준, 더벨, 2022.6.29.

시했다. LG 유플러스의 보도자료를 보면, 앞선 두 통신사와 마찬가지로 기존 화물 시장의 비효율과 정보 비대칭을 개선해 미래 성장 동력으로 삼을 계획이다.

이 서비스의 구조 또한 타 통신사와 유사하다. 다만 화주에 집중하는 SK텔레콤과 달리, LG 유플러스의 화물 잇고는 화물 접수에서부터 배차, 운송, 정산, 거래처 관리 등 화물 중개에 필요한 모든 서비스를 플랫폼 안에서 원스톱으로 제공하는 것이 특징이다. 화주가 화물 잇고 전용 웹을 통해 화물을 등록하면 차주들이 모바일 앱을 통해 원하는 화물을 직접 선택하는 구조로, 화주와 차주 사이에서 적정 화물 매칭·빠른 배차를 제공한다.

LG 유플러스는 서비스 개발에 앞서 기존 운송 프로세스상 이해관계자들이 '아쉬움을 느끼던 점'을 자세히 분석한 뒤, 이를 개선하는 방식으로 서비스를 출시한 상황이다. 특히 단독으로 모든 것을 다루기보다는 기존 서비스 제공 사업자와 함께 서비스를 준비해 왔다.

LG 유플러스는 보도자료를 통해 화물 내비게이션과 물류 솔루션을 제공하는 로지스텍과 협업해 서비스 커스터마이제이션을 했다고 밝혔다. 또한, 실증에는 강동 물류가 참여, 현장의 목소리를 전달한 것으로 알려졌다.

후발 주자답게, 기존 사업자의 단점은 줄이되, 필요한 분야는 디지털 전환형 서비스로 나선 것이 특징이다. 물류 솔루션이 제공할 수 있는 실시간 운송 위치추적. 정확한 거리 제시 등 핵심 서비스는 그대로 두되, 기존 아날로그 방식에 익숙한 화주와 기존 이해관계자들의 수요를 반영한 것도 특징이다. LG 유플러스는 선호도가 낮은 옵션은 배제했고, 고객들이 쉽게 쓸 수 있는 UI 및 UX로 개선했다고 밝혔다.

서비스 운영에서는 기존 사업자들과의 제휴도 눈에 띈다. 우선

343

이날 물류 업종 관계자 중 파트너십을 맺은 것은 강동 물류와 디버다. 강동 물류는 차량 약 700대를 보유하고, 매출이 300억 원 이상 달하는 업계 상위 5% 사업자다. 그리고 디버는 디지털 물류 스타트업으로 원하는 시간을 지정할 수 있는 것이 특징이다. LG 유플러스는 이들과 협업을 통해 운용 비법과 네트워크 공유 등을 진행할 계획이다.

마지막으로 신한카드와의 파트너십을 통해 정산 지연 문제를 해결하고, 화물 운송료 전용 카드를 도입할 계획이다.

결국 앞선 두 통신사업자와 비슷한 시장 진입의 성공 여부는 '숫자'로 결정 날 가능성이 높다. LG 유플러스가 시장에 내놓은 가이던스는 3년 내 1,500억 원 이상 매출 규모를 달성하는 것이다.

6. 글로벌 테크 기업 우버는 왜 미들마일 물류에 진심일까?

'우버화'. 마치 오래되고, 불편했던 택시 산업을 우버가 알고리즘과 플랫폼으로 대체했듯 오프라인을 온라인으로 이식시키는 현상을 말한다. 승차 공유 서비스와 배달 서비스 흑자 전환에 성공한 우버가 화물 부문에 힘을 실으면서, 글로벌 테크 업계는 그들의 '우버화' 노력이 물류 산업에서도 통할지 주목하고 있다.

우버 프레이트(Uber Freight)는 미들마일 물류에 집중하고 있다. 가장 최근 발표한 2023 회계연도 2분기 사업 실적을 기준으로 우버 프레이트가 우버 전체에서 차지하는 비중은 15% 미만이다. 특히 코로나19 범유행 당시 물류 병목 현상이 사라지면서, 미국 내 물류 운송 비용도 내려갔다. 수수료 기반으로 운영되는 우버 프레이트의 매출은 지난해 같은 기간보다 약 30% 감소한 상황이다. 그럼에도 불구하고, 수익성 측면에서는 조정 EBITDA 기준 손익 분기점에 도달한 상황이다. Seeking Alpha

의 분석에 따르면 거시적인 경제 상황이 개선될 경우, 빠른 반등이 예상되는 부분도 있다.[14]

　미국 연방준비제도의 금리 인상이 시작된 이후, 세계 시장. 특히 테크 업계와 스타트업 업계, 벤처 캐피털 업계는 얼어붙고 있다. 한때 절대적인 키워드였던 '성장'이라는 단어 대신, 이제는 '수익성 강화'와 '효율성'이 테크 업계를 지배하고 있는 것도 사실이다. 그런 상황에서 메타나 아마존 등 글로벌 테크 기업은 여러 차례 구조조정에 착수했으며, 신사업에 대한 검토를 보수적으로 하거나, 추진하더라도 소극적으로 전환하고 있다.

　회사 전체로 볼 때 적자에서 흑자로 전환에 성공한 우버는 왜 오히려 매출이 감소하는, 수익을 간신히 낼 수 있는 미들마일 물류 사업에 집중할까? 수익성만 추구하기에는 주주들에게 성장할 수 있다는 사실을 보여줘야 하는 상황이기 때문이다. 미국 전체 물류 시장 규모는 8,000억 달러(약 1,068조 원)이다. 이 중 우버가 관리하는 화물 규모는 170억 달러(약 23조 원) 규모로 약 2.1%에 불과한 수준이다. 그동안 우버가 택시 산업을 어떻게 바꿨고, 그것을 숫자로 연결했는지를 생각하면 이 시장으로의 진입은 당연할 수밖에 없다.

　앞서 설명한 물류 업계의 이슈를 미국도 동일하게 겪고 있다. 우버 프레이트의 CEO인 라이어 론이 맥킨지 인사이트와 진행한 인터뷰에 따르면,[15] 현재 미국 내 물건 중 약 70%은 트럭으로 배송된다. 이를 조율하는 과정, 즉 화주와 차주간 조율 과정은 많은 부분이 팩스와 전화, 종

14) Uber: One Of The Smartest Long-Term Bets You Can Make In This Market, Gary Alexander, Seeking Alpha, 2023.9.24.
15) Logistics Disruptors: Replicating Uber's success in the trucking industry, Vik Krishnan, Mckinsey&Co., 2022.10.4.

345

이를 통해 이뤄지고 있다. 특히 트럭이 완전히 빈 채로 운행할 가능성은 30%에 달한다. 라이어 론은 트럭 한 대 이동을 위해 평균적으로 25번의 전화가 이뤄진다고 밝혔다. 이러한 비효율에 더해 트럭 운송 비용의 상승도 큰 이슈다. 운전사를 유치하고, 그들이 계속 일을 할 수 있게 해야 하지만 이 또한 쉽지 않다. 미국 내 트럭 운전사 평균 연령은 55세에 달한다.

SK의 티맵모빌리티와 KT(롤랩)의 사례처럼 우버 프레이트의 목표는 분명하다. 모든 공급망 인프라를 디지털화하고 프로세스를 더욱 단순하게 바꾸는 것, 빈 차량을 최소한으로 만드는 것이다. 그래서 화주와 차주 모두에게 편하고 환영받는 물류로 바꿔 나가는 것이 최종 목표다. 우버 프레이트는 전체 시장의 2.1%에 불과하지만 포춘 지 500대 기업부터 개인사업자까지 북미 전역에 170만 명의 트럭 운전기사를 확보하고 있다.

우버가 강조하는 것은 신뢰를 쌓는 것이다. 그리고 이를 '성과'로 쌓고자 한다. 다시 말해 불투명하고 불안했던 과거 방식을 벗어나 '정시성'과 '투명성'을 통해 물류를 개선해 나가겠다는 것이다. 우버 프레이트 CEO는 기존 매뉴얼 방식에 비해 우버 프레이트를 통해 소위 '펑크 난 물류'를 더 잘 복구할 수 있다고 맥킨지 측에 밝혔다.[16]

미국 내 트럭 기반 물류 운송의 경우, 날씨, 교통, 시설 대기 시간 또는 기타 이유로 인해 일일 배송의 약 15%가 취소되는 상황이다. 우버 프레이트는 이런 상황이 발생할 때 약 90%를 탄력적으로 수송할 수 있도록 지원한다. 다시 말해 우버 프레이트 플랫폼을 통해 새로운 차주가 배정되고, 운송 중단 없이 원활한 운송 처리가 가능해지는 것이다. 우버

---

16) Logistics Disruptors: Replicating Uber's success in the trucking industry, Vik Krishnan, Mckinsey&Co., 2022.10.4.

프레이트 CEO는 이를 통해 시장의 신뢰를 쌓고 있다고 주장했다.

다만 기술만으로 시장을 바꾸겠다는 접근 대신 우버 프레이트가 택한 해법은 이 시장을 잘 아는 사업자를 인수하는 것이었다. 시행착오를 통해 실패로 가는 대신 성공적인 연착륙을 위한 레슨 비용을 지불한 것이다. 2021년 11월 우버가 운송 관리 및 컨설팅 서비스 업체인 트랜스플레이스를 한화 약 2.6조 원에 인수한 것도 같은 맥락이다. 인수 당시 월스트리트저널은 우버 프레이트가 미국 내 8위 제삼자 화물 업체로 부상할 것을 예측했다.

우버 프레이트가 트랜스플레이스를 인수할 당시, 미국 내 미들마일 물류 시장은 파편화되어 있었다. 화주는 차주와 연결하기 위한 개별 플랫폼이 많았지만 동시에 그만큼 연결 측면에서도 부족한 부분이 있었다. 완벽한 디지털화가 되지 않았기에 운전기사들은 화물을 싣고 내리는 과정에서 매일 5~6시간씩 대기해야 하는 상황을 겪었다. 이는 주요 배달 플랫폼의 배달원이 음식점에서 기다리는 시간을 줄이기 위해 노력하는 것과 같은 맥락이다.

우버 프레이트가 트랜스플레이스를 인수하게 된 계기는 바로 가장 넓은 화주 풀을 가지고 있었다는 점이다. 화주 풀이 다양할 경우, 파편화되어 있는 시장 자체를 어느 정도 주류화할 수 있고, 시장을 선도할 추진력을 확보할 수 있기 때문이다. 여기에서 가장 집중한 분야는 바로 빈 차를 없애는 것이다. 마치 택시 호출 서비스가 빈차로 다니는 택시 숫자를 줄인 것과 비슷하다. 우버 프레이트가 이 과제에 집중하는 이유는 최근 인플레이션으로 인한 비용 상승으로 인해 실질 운행보다 공차 운행 비용이 더 발생하는 구조로 고착화되고 있기 때문이다.

미국 내 현재 마일당 비용(CPM)은 차주가 주행한 모든 거리를 기준으로 계산하지만, 실제로 차주들이 받는 돈은 '적재되었을 때' 뿐이다.

347

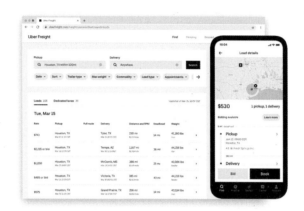

[그림 5] 우버 프레이트의 메인 화면(출처: Uber Freight)

미국교통연구소(ATRI, The American Transportation Research Institute)의 조사 결과에 따르면 전체 물류 차량의 주행 마일 중 15.4%가 빈차로 운행한 것으로 드러났다. 실질 매출이 발생한 마일당 비용(CPRM)은 마일당 2.54 달러였지만, 전체 주행 거리에 따른 마일은 2.49달러였다.[17] 운임이 올라가면서 실질적으로 돈을 벌지 못하고, 운전 기사들이 시장에 진입하지 않는 악순환이 계속되는 중이다. 우버 프레이트는 이러한 현실을 해결하고자 플랫폼이라는 해법을 들고 나온 것이라 하겠다.

어떻게 보면 우버 프레이트는 티맵 모빌리티나 KT의 미들마일 물류사업에 비해 섬세한 실행보다는 큰 그림을 그리고 기술 개발에 집중하는 모양새다. 다만 우버가 그리는 그림은 미들마일 물류를 연결해 주는 것에서부터 시작하되, 2027년까지 모든 차주와 화주, 그리고 모든 창고를 대규모로 연결하는 클라우드 기반의 엔드-투-엔드 물류 플랫폼까지 구상 중이다. 물론 우버 프레이트가 그리는 큰 그림의 목표는 명확하다. 모든

---

17) Are current spot rates sustainable?, Uber, 2023.7.13.

이해 관계자를 그들의 생태계로 모아 화주는 비용을 절감하고, 차주는 빈 차를 더 줄이고 수익을 높일 수 있게 만들어 간다는 것이다. 물론 이렇게 될 때 트럭 운전기사의 수급 이슈도 해결할 것으로 보고 있다.[18]

7. 대륙의 화주와 차주를 빅데이터로 연결하는 만방그룹

앞선 사례가 계획과 큰 그림 중심이었다면, 중국의 우버 프레이트라고 불리는 만방그룹(Full Truck Alliance)은 보다 더 구체적이다. 만방그룹은 지난 2021년 6월 미국 뉴욕 증권거래소(NYSE, New York Stock Exchange)에 상장했으며, 매 분기마다 실적 발표를 진행하고 있다. 좀 더 구체적으로 사업의 성공 여부를 알 수 있는 셈이다.

만방그룹은 2023년 8월 2023 회계연도 2분기 실적을 발표했다. 만방그룹 경영진은 같은 해 6월 발생했던 중국 내 이상 기후 현상에도 물류 운송의 감소는 없었다고 당시 실적 발표 컨퍼런스 콜에서 밝혔다. 오히려 견고하게 성장한 상황임을 숫자로 이를 증명했다. 만방그룹의 2분기 매출액은 2.84억 달러로 지난해 같은 기간과 비교할 때 매출은 23.5% 늘어났다. 당기 순이익의 성장세는 폭발적이다. 2분기를 기준으로 당기 순이익은 0.84억 달러를 기록했다. 이는 지난해 같은 기간과 비교할 때 무려 4,795.2% 늘어난 규모다.

이번 글에서 다룬 미들마일 물류 사업자는 공통적으로 3가지의 문제 의식을 가지고 있다. ① 수동적으로 입력되는 화물에 대한 정보, ② 파편화되어 있는 차주, ③ 기존 관행으로 이뤄지는 미들마일 물류 등이

---

18) Logistics Disruptors: Replicating Uber's success in the trucking industry, Vik Krishnan, Mckinsey&Co., 2022.10.4.

다. 중국 내 상황도 한국이나 미국과 크게 다를 바 없다. 다만 만방그룹을 주목해야 하는 이유는 아직까지는 사업 모델을 구체화하고 있는 다른 사업자와 다르게, 사업 모델이 매우 명확하게 구분되어 있기 때문이다.

만방그룹의 사업 모델은 크게 두 가지로 구분된다. 우선 화물의 매칭이다. 여기에는 화물 중개, 화물에 대한 리스팅 및 조회, 거래 수수료로 구분된다. 둘째, 부가서비스 사업이다. 신용 규모가 약한 차주들을 위해 지원을 하고 주유나 운송 관련 서비스를 부가서비스 개념으로 붙였다. 이는 마치 유튜버를 연예인처럼 관리해 주는 취지로 성장했던 샌드박스 네트워크와 같은 MCN 사업과 닮아 있다.

비중으로 놓고 보면 화물을 매칭해주는 매출 비중이 83.8%에 달한다. 부가서비스 매출 비중은 16.2%다. 처리 건수는 2분기 말 기준 4,020만 건이다. 중국의 코로나19 범유행으로 인한 봉쇄 정책이 풀렸다는 점을 고려하더라도, 중국 내 전체 화물 처리 건수 대비 높은 성장률인 44.5%를 기록했다. 이는 무려 취소된 주문, 접수는 되었으나 완료 처리가 되지 않은 주문을 제외하고 기록한 수치다.

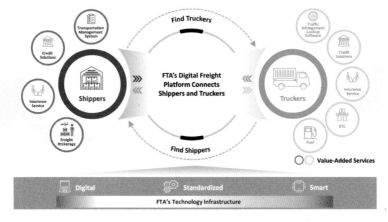

[그림 6] 만방그룹의 전체적인 업무 프로세스 및 제공 영역 (출처: 만방그룹)

　　화주와 차주가 계속해서 서비스를 이용한다는 점도 주목할 만하다. 만방그룹이 실적 발표를 통해 밝힌 플랫폼 내 활동 평균 화주 수는 2백만 개다. 이들 중 실질적으로 '이용 볼륨'을 이끄는 것은 688개의 파트너 화주다. 170만 개의 화주는 이용 빈도는 낮지만 적어도 실질적으로 이용하는 화주다. 이런 상황에서 만방그룹이 택한 전략은 내실 있는 신규 회원을 확보함으로써 훨씬 더 양질의 물량을 확보하고, 기존에 가입한 회원들에게는 유료 멤버십으로 전환을 유도하되, 더 많이 만방그룹의 서비스를 쓰게 하는 전략을 구사하고 있다. 화주의 증가율 측면에서 보면 유료 회원으로 분류되는 화주 숫자는 지난해 같은 기간보다 25% 늘어났다. 유료 회원은 아니지만, 서비스를 활용한 화주 숫자 또한 지난해 같은 기간보다 40% 늘어났다. 유료 회원의 12개월간 유료 회원제 유지율은 무려 80%에 달했다.

　　현재 만방그룹의 플랫폼에서 일간으로 활동하는 차주 숫자는 백만 명 정도이다. 만방그룹에 오면 돈을 벌 수 있다는 인식을 심어주고 차주들의 가입을 유도하는 전략을 쓰고 있다. 여기에 더해 각종 등급제를 설정하고 이에 맞는 인센티브를 줌으로써, 활동 빈도와 볼륨을 확장해 선순환 구조를 만들고 있다.

　　물론 이런 만방그룹의 움직임이 장밋빛만 가지고 있는 것은 아니다. 디지털 전환에 대한 요구가 미들마일 물류 내에서 강한 것은 사실이다. 그럼에도 국가가 많은 부분을 통제하고 주도하는 중국 경제 특성상, 수수료율을 중국 정부가 정할 때 수익성이 훼손될 여지는 분명 존재한다. 다시 말해 미들마일 물류상 디지털 전환의 속도 조절이 발생할 수도 있는 상황이다. 이는 양날의 검인 셈이다.

8. 어떻게 정리될 것인가?

앞선 사례를 종합하면 미들마일 물류의 디지털 전환은 아래와 같이 정리될 가능성이 높아 보인다.

우선 디지털화가 더욱 더 진행될 것으로 보인다. 2022년 11월 이후 전 세계, 전 산업군은 생성형 AI에 대한 수요 폭증을 경험하고 있다. 오프라인 중심의 '수기' 및 '매뉴얼' 방식의 데이터 입력이 디지털화될 경우, 그 데이터가 일정 수정 이상 축적될 때 화물 매칭이나 경로 최적화, 자동화가 더 가속화될 것으로 보인다. 본서에서 언급한 모든 사업자는 이를 준비하고 있다.

경로 자동화라는 특성, 그리고 배차된 차주가 업무를 하지 못할 경우 대체 차주를 구해 화주와 매칭시킨다는 점에서 현재 클라우드 컴퓨팅이나 소프트웨어 기반의 네트워크가 보여주는 탄력적(Resilient)인 미들마일 물류로의 진화가 예상된다. 물류가 더욱더 테크에 힘입어 활력적인 미들마일 물류로 진화하는 것이다.

여기에 더해 빈 차를 줄이려는 우버 프레이트의 노력이나 공동배송 등을 도입한 KT 롤랩의 브로캐리 사례처럼 '복합 운송'도 주류가될 가능성이 커 보인다. 때에 따라서 여러 운송 수단을 활용할 것이고, 비용 및 운용상 효율적인 방식이 도입될 가능성은 커 보인다. 현재는 단편적이지만, 이것으로 부가가치가 창출될 때 사업자들에게는 더 큰 기회가 열릴 수 있다.

무엇보다 중요한 것은 시대와 사업 환경, 자체 경쟁력의 냉철한 분석에 기반한 대응일 것이다. 아무리 훌륭한 서퍼라도 파도의 흐름을 거스른다면 물에 빠지기 마련이다. 상황과 잘 맞는 타이밍과 명확한 결정을 통해 뚝심 있게 전략을 세워 실행해야 할 것이다.

주유소 기능의 대전환 시대,
GS칼텍스의 대응

김동주
GS칼텍스 전략기획실 책임, djkim3375@gscaltex.com

GS칼텍스에서 12년째 근무중이며, 이 중 4년을 신사업 개발 분야에서 근무 중이다. 지난 4년동안 다양한 신사업 개발 업무를 수행했으며, 특히 드론/UAM/로봇을 주유소에서 활용하는 방법에 대해 다양한 방향으로 고민 중에 있다. 미래 주유소가 어떤 모습일지는 알 수 없으나 가장 먼저 그 변화에 대응하는 업계 종사자가 되기 위해 노력 중이다.

354

1. 시작하며

1) 주유소 사장 = 부자이던 시절은 옛말

한때 주유소를 운영하는 사람은 그 지역의 큰 부자라는 이야기를 듣던 시절이 있었다. 과거 차가 귀하던 시절 우리나라에서 주유소는 모든 지역에 다 있는 시설이 아니었고, 또 석유 제품 공급이 정부에 의해 통제되고 있었기 때문에, 말 그대로 주유소 자체가 그 지역의 중요한 에너지 공급처였기 때문이다. 하지만 이런 이야기도 옛말이 된 지 오래이다. 최근 기사를 조금만 검색하면 알 수 있겠지만, 폐업 주유소가 속출하고 있고, 심지어 폐업 비용이 부담되어 휴업 상태로 방치되는 주유소도 늘어나는 상황이다.

분명 정유사 실적이 좋다는 기사를 많이 본 것 같은데, 대체 왜 주유소는 문을 닫는 것인지 궁금한 분들이 많을 것이다. 이런 상황을 좀

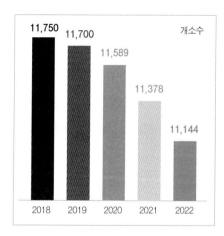

[그림 1] 전국 주유소 변화 추이
(자료 출처: 한국석유관리원)

더 이해하기 위해서는 국내 정유 영업 시장 구조에 대해 간단한 설명이 필요하다. 한국의 정유 영업 시장은 원유를 수입하여 정제한 후, 제품을 공급하는 역할인 정유사와, 정유사로부터 기름을 공급받아 고객에게 판매하는 주유소로 구성되어 있다. 주유소의 경우 정유사가 직접 운영하는 직영 주유소가 시장의 10% 수준이며, 개인 혹은 대리점이 운영하는 주유소가 시장의 90%를 차지한다. 국내 석유 유통시장의 가격 정보는 매우 투명하게 공개되고 있다. 인터넷에 오피넷(www.opinet.co.kr)을 검색하면 한국석유공사가 개별 정유사의 공급가격부터 전국 개별 주유소의 일간 판매가격까지 모두 소개해 가격 파악이 가능하다.

즉, 국내 정유 영업 시장은 4개 사가 과점하고 있지만 가격 구조는 매우 투명하게 공개되고 있다. 게다가 그 가격조차 국제 유류 거래가격과 연동되어 있어 사실상 국내시장에서 정유사가 얻을 수 있는 수익은 제한되어 있다. 또한 주유소의 경우도 이미 시장에서 자유경쟁에 가까울 만큼 숫자가 많고, 판매 가격이 모두 공개되고 있기 때문에, 주유소 운영인이 기대할 수 있는 수익이 한정된다. 이와 맞물려 인구 노령화와 내연기관차 연비 상승, 전기차 확대로 인해 국내 수요가 감소하고, 인건비를 포함한 주유소 운영 경비가 크게 상승하면서 주유소 폐업 건수가 급격히 늘어나고 있다.

355

2) 생존을 위한 고심

이런 상황을 타개하기 위해 정유사들은 주유소 네트워크를 다른 사업 목적으로 활용할 수 있는 방안을 고민하기 시작했다. 고민의 방향은 크게 두가지였다. 우선은 기존의 에너지 공급 기능을 유지하기 위한 방법이었다. 정유사가 가장 먼저 생각한 대안은 바로 EV충전기능 도입과 수소충전소 구축이다. 일단 주유소에 EV충전기가 도입되기 위해서는 EV충전기와 주유기의 이격 거리를 완화하는 내용의 위험물안전관리법 개정이 필요했다. 또한 단순한 EV충전기설치로는 사업화가 어렵기 때문에, EV충전기를 활용한 광고 수익 모델 및 EV충전 고객이 사용할 수 있는 카페 등의 부대 공간 활용 모델 등, 사업모델 구축이 필요했다.

이런 배경에서 GS칼텍스가 제시한 미래형 주유소 모델이 바로 에너지플러스 허브 삼방이다. GS칼텍스는 기존의 주유소라는 명칭이 석유제품 공급에 의미를 한정하기 때문에, EV를 포함한 복합 에너지 공급자라는 의미를 강조하는 목적으로 2020년부터 신규 복합 주유소 명칭을 에너지플러스 허브로 전환했다. 전환 프로젝트의 첫 번째 마중물인 에너지

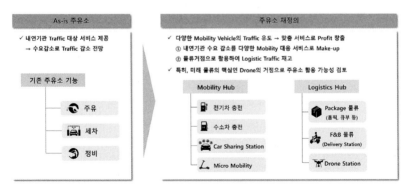

[그림 2] 기존 주유소 모델에서 GS칼텍스가 제시한 미래형 주유소 모델

플러스 허브 삼방은 신논현역 사거리에서 볼 수 있다. 국내 최고 수준의 초급속 충전시설과 광고 모니터, 쾌적한 카페 공간, 그리고 최신식 세차 시설을 구비한 말 그대로 새로운 형태의 주유소 모델이라 할 수 있다.

　또한 GS칼텍스는 수소충전소 구축에도 적극적으로 나서고 있다. 주유소와 LPG충전소, 그리고 수소충전소가 한 공간에 묶여 있는 강동수소충전소는 향후 수소모빌리티 시대가 본격화되었을 때, 전통적 에너지 공급기능과 뉴에너지 공급기능이 어떻게 어우러져야 할지를 보여주는 좋은 예시이다.

3) 주유소와 물류의 조합?

　GS칼텍스가 에너지공급기능 외로 주유소 네트워크를 활용할 수 있는 방안을 고심하던 중에 발견한 사업 분야는 바로 물류였다. 대부분의 사람들은 정유사와 물류사업의 연결고리가 잘 상상이 되지 않을 수 있다. 하지만 물류사업 참여자의 니즈와 정유사가 보유하고 있는 부동산 자산을 찬찬히 살펴보면, 정유사가 생각보다 훨씬 훌륭한 국내 물류 사업 파트너라 여길 수 있을 것이다.

　정유사와 물류사업 분야의 연결은 크게 세가지 가지로 분류할 수 있다. 첫 번째는 기존주유소 기능을 충분히 활용하여 물류 차량에 서비스를 공급하는 사업자 기능이다. SK에너지의 내트럭하우스가 이런 정유사와 물류사업의 연결고리를 보여주는 예시이다. SK에너지의 내트럭하우스는 대형트럭에게 편리한 진입로와 주차공간, 대형 주유소 시설, 각종 휴게시설을 보유하고 있어서, 대형트럭 기사에게 매우 유용한 공간이다.

　두 번째는 주유소를 배송 중간 거점으로 활용하는 방안이다. 주유소의 편리한 입지와 유휴공간, 그리고 관리 인력을 생각할 때, 주유소는 라스트마일(Last-Mile) 물류 거점으로 활용하기에 적합하다. GS칼텍스는 이런 점에 착안하여, 주유소를 물류 집하처, 픽업 포인트(Pick-Up Point), 드론/로봇물류 거점으로 활용하는 실험을 계속하고 있다.

세 번째는 주유소 부지를 주유소 외(外) 기능으로 활용하는 방안이다. 주유소 부지는 도로에 인접해 있고, 비교적 넓은 대지면적(300평 이상)을 보유하고 있다. 즉, 다양한 목적으로 개발하기에 적합한 조건을 가지고 있는 것이다. 실제로 최근 도심지 주유소는 상업건물로 개발되거나, 주유소 기능을 1층에 유지한 채 건물을 위로 올리는 복합 개발이 진행되는 경우가 많다. GS칼텍스는 주유소 부지에 MFC(Micro Fulfillment Center)를 구축하는 프로젝트뿐 아니라 물류 거점 기능을 포함하는 복합 건물 건설 프로젝트도 동시에 진행 중에 있다.

4) 새로운 주유소의 모습

앞서 설명한 내용을 볼 때 정유사들이 살아남기 위해 참 다양한 일을 벌이고 있다고 생각할 수 있다. 사실 에너지 전환의 대세적 흐름은 막을 수도 없고 또 막아서도 안 된다는 점에서 주유소 기능의 근본적 재검토는 피할 수 없는 사명이며, 앞서 언급한 사업은 그 흐름의 초입부에 불과하다. 사람들에게 전화를 받는 시늉을 하라 하면, 스마트폰 이전 세대는 두 손가락을 펴서 전화기처럼 손모양을 하는 것과 달리, 이후 세대는 손바닥으로 전화기 모양을 묘사한다고 한다. 같은 맥락에서 어쩌면 빠른 미래에 새로 태어나는 세대가 생각하는 주유소의 이미지는 지금과 아예 다른 공간이 될 수도 있다고 생각한다.

이번에는 격변의 시기에 전환의 첫 단추를 꿰고 있는 정유사 프로젝트에 대해 상세히 설명하고자 한다. 주유소의 변화 모습을 전달함과 동시에, 주유소 공간이 다양한 사업 협력 및 신규 사업 개발의 터전이 될 수 있음을 알리고, GS칼텍스가 생각하지 못한 새로운 사업 아이디어 및 협력 제안을 받고자 한다.

2. 주유소 드론물류 거점화 추진

1) 사업 배경

주유소에서 진행하는 다양한 프로젝트 중 어떤 프로젝트를 먼저 소개하는 것이 좋을지 고민하던 중 첫번째로 선택한 것은 바로 주유소 드론물류 거점화였다. 그 이유는 바로 독자들에게 '정유사가 이런 상상도 못할 아이템까지 고려하고 있었구나'하는 메시지를 전달하고 싶었기 때문이다.

주유소 드론물류 거점화는 주유소의 캐노피 공간을 활용하기 위한 GS칼텍스의 고심에서 시작됐다. 비록 주유소가 다양한 안전장치의 보호속에 안전하게 운영되고 있지만, 폭발 및 화재가 가능한 위험물을 다량으로 보관하고 있다는 점에서, 폭발 시 주변 안전을 보장하기 위한 목적으로 캐노피라고 하는 지붕 공간을 설치해야 한다. 도심지 주유소가 흔히 말하는 땅값 비싼 위치에 있다는 점에서, 캐노피 상부 공간을 그냥 비워 두는 것은 사실 낭비라 할 수도 있다.

이런 맥락에서 정유사들은 복합 개발이라는 명칭으로 주유소 위로 건물을 올리는 프로젝트를 다수 진행한 바 있다. 문제는 이런 프로젝트를 진행하기 위해서는 큰 투자금이 필요하다는 것이다. 앞서 언급한 것처럼 주유소는 엄연히 위험물 관리 시설이기 때문에, 상층부에 상업 시설을 구축하기 위해서는 까다로운 안전조건을 충족시켜야 한다. 즉 단순히 건물을 올리는 것보다 더 큰 투자를 수반하게 된다는 뜻이다. 이런 맥락에서 일반 건물대비 높은 건설비용을 빠르게 회수하기 위해서는 더 높은 임대 수익이 필요한데, 가장 큰 임대수익을 보장해야 하는 1층 공간에 주유소가 있어야 한다는 점이 문제가 된다. 도입부에서 설명한 것처럼 현재 주유소는 수익성 악화에 시달리고 있으며, 이런 경향은 시간이 지날수록 더욱 강해질 것이 명확하다. 따라서 주유소로 인해 1층 공간에 상업시설을 운영하거나 혹은 임대를 주지 못한다면, 복합건물 건설비 회수가 더 어려워진다.

이처럼 주유소 상층 공간은 무언가 쓸모는 있을 것 같은데, 제대로 사용하기 애매한 계륵 같은 공간이었다. 이 공간을 활용하는 방안을 고심하던 GS칼텍스는 아마존과 구글의 드론물류 프로젝트에 대한 스터디를 진행하던 중 '물류 드론의 이착륙공간으로 주유소 상층부를 활용할 수 있지 않을까'라는 아이디어를 얻게 된다.

2) 사업화 아이디어

프로젝트가 어느 정도 진행된 지금이야 주유소 상층부가 비행체 이착륙 공간으로 활용하기 좋다는 점에 업계 관계자들도 동의하고 있지만, 처음 사업 방안을 고안하던 단계에서는 '왜 여기를?' 이라는 내외부 질문에 시달리기도 했다. 이런 질문에 답변하기 위해 사업화 가능성 스터디를 진행했고, 주유소 상층부가 드론물류 거점으로 최적화된 입지라는 점을 알게 되었다.

우선 주유소 상층부는 안전상 목적으로 전깃줄과 같은 비행 장애물이 없으며, 반듯한 모양에 대형 드론 이착륙을 위한 최소 공간(5m×5m)

이 확보되어, 이착륙을 위한 기본 조건을 충족하고 있다. 물류 드론 업체들이 도심지 실증을 진행할 때 가장 고심하는 부분이 바로 이착륙공간 확보라는 점에서, 도심 곳곳에 완벽한 이착륙 공간을 보유하고 있는 주유소 네트워크는 매우 훌륭한 자원이다.

드론물류에서 가장 큰 제약점이 되는 점은 배터리 용량과 이와 연결된 비행 가능 거리이다. 보통 대형 물류 드론이 5~10kg의 배송체를 탑재했을 때, 비행 가능 거리가 10km 남짓이고, 왕복 비행을 수행해야 하기 때문에, 실제 배송 가능한 거리는 5km 수준으로 한정된다. 향후 기술 개선에 따라 비행 가능 거리가 늘어나겠지만, 비약적 비행 가능 거리 증가가 이루어지지 않는 이상, 배송 범위는 드론물류 상용화의 큰 제약조건이 될 것으로 예상된다. 주유소 캐노피 상층에서 드론이 이륙할 경우 이륙 고도차를 줄일 수 있어 초기 에너지 소모를 절약할 수 있다는 장점이 있으므로 주유소 캐노피는 드론물류 제약 조건을 해소하는 좋은 선택지이다.

361

드론물류 상용화 추진에서 또 다른 제약 조건은 관리 인력이다. 기본적으로 드론물류는 물류 목적 대형 드론 기체 가격이 수천에서 억 대까지 이른다는 점에서, 수익성이 매우 낮다. 이런 상황에서 드론 기체를 관리하고 배송 물품을 탑재해야 하는 인력을 별도로 사용해야 한다면, 사업 실효성은 더욱 낮아지게 될 것이다. 이런 점에서 주유소는 상주 인력이 항시 있고, 다수 주유소에 경정비 시설이 입점했다는 점에서, 드론물류 거점으로 강점이 충분하다.

다음 장점은 유휴 공간이다. 대형 드론의 경우 블레이드를 펼쳤을 때 폭이 2m에 달하기 때문에, 넉넉한 격납 공간을 필요로 한다. 주유소는 사무실 공간 등 별도시설 없이도 드론 격납이 가능한 공간을 보유하고 있다. 또 EV충전이나 하이브리드 드론 목적의 주유도 가능하기 때문에 물류용 대형 드론을 보관하기에 적합하다.

3) 사업 모델

주유소가 드론물류 거점으로 활용되기에 강점이 많다는 점을 확인한 이후, 어떤 사업 모델 적용이 적합할지 사내 스터디가 진행됐다. 현재 드론물류 상용화를 본격적으로 테스트하는 업체는 알파벳 자회사인 윙이 있다. 윙의 경우 호주, 핀란드, 미국에서 사업을 진행 중인데, 커피나 샌드위치와 같은 비교적 가벼운 배송물품을 9km이내 지역에 배송하며, 착륙 없이 상공에서 줄을 내리는 형식으로 제품을 전달하는 사업 모델을 갖고 있다. 문제는 윙의 사업 모델이 배송 거리가 상대적으로 짧고, 도심 밀집지역이 많은 한국 사정에는 적합하지 않다는 점이다. 기본적으로 한국은 라스트마일 배송 수단이 다양하고 비용이 저렴하기 때문에, 1개 소형 물품 배송 방식의 윙 사업모델 보다는 다양한 물품을 한 드론 기체에 탑재하고 다목적지에 배송하는 방식이 더 적합하다.

따라서 주유소를 드론물류 거점으로 사용하는 사업모델은 소형 드론보다는 대형 드론이 적합하며, 도심 지역은 도보 거리에 다양한 판매처가 있고, 또 저렴한 라스트마일 배송 수단이 많기 때문에, 도서산간 지역의 이동 약자층을 대상으로 구축하는 것이 적합하다는 판단을 내리게 되었다. 사실 GS칼텍스의 경우 GS리테일이 운영하는 편의점인 GS25가 주유소에 입점해 있거나, 인근에 입점한 경우가 많기 때문에, GS25의 제품을 배송하는 사업모델 구상도 용이하다는 장점이 있다.

이 부분에서 GS칼텍스가 드론물류 사업에서 어떤 역할까지 담당할 것인지 결정할 부분이 남았다. 드론물류 사업의 필수 참여자는 ① 드론 기체 운영사 ② 드론 배송전 물류 담당사 ③ 드론 격납 및 이착륙장 공간 담당사가 있다. 기본적으로 드론물류 배송이 아직 정착된 상태가 아니고 정부 보조금에 의존하는 구조이기 때문에, 드론 기술 전문 기업이 아닌 GS칼텍스가 현재 선택할 수 있는 역할은 공간 담당에 한정됐다. 하지만 미래에 해당 사업이 상용화 된다면, GS칼텍스가 물류사나 드론 운영사와 파트너십을 체결하고 본격적 사업 플레이어가 될 수 있을 것이라 생각한다.

정리하면 현재 GS칼텍스 주유소에서 진행되는 드론물류 사업의 사업 모델은 GS칼텍스가 제공하는 드론 이착륙거점에서 드론배송 업체가 물류업체로부터 배송 물품을 받아 고객에게 전달하는 구조라고 할 수 있다.

[그림 3] 주유소 드론물류 거점 도식화

4) 실증 사례 1 : 제주도 드론 비행 실증

GS칼텍스는 2020년부터 산업통상자원부 및 한국전자통신연구원과 협력하여 주유소 기반 드론물류 실증 사업을 진행하고 있다. GS칼텍스와 산업부가 사업 논의를 시작한 당시 산업부는 국내 물류 드론 제조 기술 개발을 위해 국책과제 사업을 진행 중이었다. 사업 모델이 공공 목적 위주로 구성되어 있어, 상업적 목적 사업 모델 구축을 희망하는 상황이었다. 이런 시점에 GS칼텍스가 주유소 기반 드론물류 사업 모델을 제안하자, 산업부는 GS칼텍스를 해당 사업의 수요처 등록을 즉시 허락하였다. 산업부 국책과제의 프로젝트 매니저(Project Manager) 역할을 하던 한국전자통신연구원(이후 에트리) 담당자의 후일담에 따르면, 당시 정부가 주로 고려하던 사업 파트너는 배송 사업을 진행 중이던 기업이었는데, GS칼텍스가 주유소를 다양한 사업자가 활용 가능한 배송 거점으로 활용하는 새로운 관점의 사업 모델을 제시하여 매우 신선하게 다가왔다고 한다.

산업부의 드론물류 국책과제의 수요처로 참여하는 것이 확정된 이후, GS칼텍스는 적합한 부지를 선정하는 작업에 돌입했다. 도심지 한복판에서 비행하는 것은 현실적으로 쉽지 않기 때문에, 도심과 적당한 거리로 떨어져 있으면서 5㎞ 안쪽으로 배송 수요자가 거주하고 있고, 또 배송 경로가 인구 밀집지역이나 도로를 지나지 않는 입지의 주유소를 찾는 것은 쉽지 않았다. 특히 이 시기는 코로나19가 가장 기승을 부리고 있을 때였기 때문에, 적합한 주유소와 더불어 적합한 수요자를 찾는 것도 매우 어려웠다.

여러 후보지를 검토하던 중 최종적으로 선정된 곳은 제주도였다. 드론은 바람에 취약하기 때문에, 제주도는 드론 배송에 난이도가 높은 지역이다. 그럼에도 제주도를 우선 후보지로 선정하게 된 것은 우선 지자체의 적극적 지원 의지가 있었으며, GS칼텍스 직영 주유소 중 비교적 넓은 부지를 보유한 주유소가 있었고, 정원을 보유한 개인 주택이 많아 대형 드론이 착륙 가능한 수요지가 많았기 때문이다.

실증 장소가 정해진 후에는 다양한 수요자 중 사업 목적에 가장 적합한 수요자를 선정하는 작업을 진행했다. 프로젝트 진행 당시 코로나19 상황이 매우 심각하여, 학생들의 등교도 쉽지 않은 시기였다. 이런 시기에 드론은 학생들에게 언택트 간식 배송을 하는 매체로 아주 적합해 우선적으로 주유소 인근 초등학교를 드론 배송 수요자로 선정했다. 다음 차례로 수요자에 선정된 곳은 농가 펜션이었다. 아름다운 귤밭 속에 위치한 이 펜션은 코로나로 인해 스몰웨딩을 진행해야 하는 신혼부부가 소규모로 가까운 가족 및 친지들과 결혼식을 진행하는 장소였다. GS칼텍스는 드론 배송 이벤트를 통해 코로나로 속상했을 신혼부부에게 작게나마 선물을 할 수 있다 생각해 해당 장소를 두 번째 수요자로 선정했다.

다음으로 배송 물품 조달 방식을 결정해야 했다. GS칼텍스는 드론 배송사업에서 다양한 드론 배송사업자가 활용 가능한 물리적 거점을 제공하는 사업자로 역할하고자 했기 때문에, 드론에 적재할 상품에 대한 유통을 맡아줄 파트너 확보가 필요했다. 이 상황에서 우선적으로 고려한 파트너는 바로 같은 그룹사인 GS리테일이었다.

앞서 설명한 것처럼 GS칼텍스 주유소에 GS25가 입점한 경우도 있고, 또 GS칼텍스 주유소 인근에 GS25가 입점한 경우가 많아 GS리테일은 주유소 기반 드론물류 사업의 가장 적합한 회사였다. 아울러 GS25는 제주도 실증의 주요 소비자인 초등학생들이 선호하는 캐릭터 콜라보 상품을 많이 보유하고 있어 타 유통기업 대비 더욱 큰 실증 시너지 효과를 기대할 수 있는 파트너였다.

다행히 당시 GS25는 당시 지역기반 라스트마일 배송 서비스 '우리동네 딜리버리'를 신규 런칭했다. 픽업 상품 주문 기능을 탑재한 자체 앱을 적극적으로 홍보하고자 했기 때문에 흔쾌히 사업 협력을 결정했고, 이후 제주도 드론물류 실증의 가장 중요한 파트너가 되었다.

드론물류 실증 개시를 알리는 행사는 당시 원희룡 제주도지사와 GS칼텍스 허세홍 대표가 참석한 가운데 두대의 드론이 초등학교와 농가 펜션을 향해 이륙하면서 시작됐다. 이 행사를 통해 GS칼텍스가 배운 점이 또 있었다. 드론 배송의 수요자로 학생들을 선정했던 것은 사업적으로도, 또 교육적으로도 매우 효과가 크다는 것이었다. 최근 드론을 활

[그림 4] 드론배송 실증 행사 뉴스 기사(출처: 채널A)

[그림 5] 드론배송 행사 현장 사진

용한 코딩 교육 등이 활성화되면서 학생들의 드론에 대한 관심과 이해도가 매우 높아졌다. 이런 상황에서 학생들이 쉽게 보기 어려운 대형 드론을 통한 물류 배송은 교육적으로 큰 효과가 있었다는 평을 얻었다. 실제로 학생들은 당시 드론 비행을 담당한 파일럿들에게 매우 적극적으로 질문을 하며 큰 관심을 보였다.

GS칼텍스는 이후 2022년 말까지 제주도에서 연 30회 이상 드론배송 실증을 수행했고, 이를 통해 제주도민에게 드론물류 배송 경험을 제공함과 동시에, 주유소가 드론배송 거점으로 적합하다는 업계 인식을 심어줄 수 있었다.

5) 실증사례 2 : 여수 드론배송 실증

2020년 상반기 제주도 기반 드론물류 실증을 시작한 이후, GS칼텍스는 새로운 드론물류 사업모델을 발굴하기 위해 스터디를 시작했다. 다음으로는 GS칼텍스 공장이 위치한 여수에서 2020년 하반기부터 신규 실증을 기획하게 된 것이다. 여수 실증과 제주 실증의 가장 큰 차이점은 드론 비행 형태와 수요자 특성이다.

비행 형태를 보면, 제주 실증이 전답과 나대지 위주 비행 코스로 진행되었다면, 여수 실증은 해상 비행 코스로 진행되었다. 해상 비행 코스를 선택하게 된 배경은 우선 비행 실패에 따른 인명/재산 피해 가능성이 낮고, 바다로 육상 교통이 불편하여 배송 시간이 오래 걸리는 소비자에게 드론 배송이 좋은 대안이 될 수 있어서다.

수요자의 경우 제주 드론배송이 주민을 대상으로 했다면, 여수 드론 배송은 여수산단 근로자, 즉 산단 깊숙이 위치한 GS칼텍스 기숙사에 거주하는 근로자가 대상이라는 점이 큰 차이이다. 여수산단의 경우 여수 시내와 차로 30분 이상 거리에 떨어져 있고, 그 중 GS칼텍스 기숙사는 산단 가장 안쪽에 입지하여, 마트나 식당과 같은 기본 편의시설과 접근성이 매우 낮은 상황이었다. 특히 뒤로는 산단 시설이 있고 앞으론 바다가 있는 사실상 섬과 같은 입지여서, 드론물류배송이 줄 수 있는 이점을 제대로 누릴 수 있는 곳이라 할 수 있다.

여수 드론물류 배송은 여수산단과 광양산단을 연결하고 있는 이순신대교에 입지한 GS칼텍스 주유소가 거점이 되었다. 해당 주유소는 넓은 부지를 보유하고 있고, 두 산단을 오고 가는 대형 차량이 이용할 수 있는 다양한 휴게시설을 보유하고 있어, 공장 근로자의 다양한 물품 니즈를 대응할 수 있었다. GS칼텍스는 해당 실증 사업을 통해 해상 지역 입지한 주유소 부지를 드론물류 거점으로 활용할 수 있음을 확인하였으며, 공장 및 회사 보유 부지에서 드론 활용 가능성을 확대하는 계기를 마련했다.

367

2. 주유소 공간 내 물류거점 시설 설치

1) 홈픽

앞서 설명한 드론 배송 물류가 주유소를 물류 모빌리티 거점으로 활용하기 위한 목적이었다면, 이제부터 설명할 사업들은, 주유소의 유휴공간에 물류 관련 기능을 추가하는 경우이다. GS칼텍스의 주유소 물류거점화 노력은 2018년 런칭한 홈픽 서비스부터 시작됐다. 홈픽 서비스의 사업모델은 대기업(GS칼텍스, SK에너지)의 기반 자산을 스타트업 물류업체가 활용하여 새로운 가치를 창출하는 구조로, 홈픽 이용자가 택배를 접수하면 물류스타트업 '줌마' 직원이 물품을 거점 주유소로 옮기고, 보관된 택배를 택배업체가 배송지까지 운송하는 시스템이다.

이는 퀵서비스와 같은 편리함을 보다 저렴한 가격으로 고객에게 제공한다는 점에서, 일종의 혁신 모델이었으며, 정유사 입장에서는 공정거래법상 위반 사항이 아닌 유류 판매업 이외 영역에서 경쟁사간 시

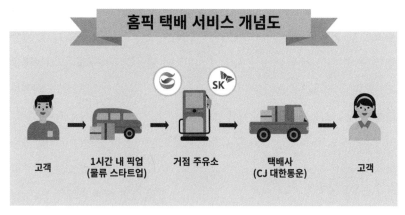

[그림 6] 홈픽 택배 서비스 개념도

너지 추진이 가능하다는 사실을 확인할 수 있는 기회였다. 또한 유류 판매, 세차와 같은 전통적 서비스에 한정되던 주유소 공간에 물류 허브 기능을 추가할 수 있으며, 이를 통해 추가 수익 창출이 가능하다는 새로운 관점을 물류 관계자들에게 각인시킬 수 있었다.

2) IKEA Pick Up Point(PUP) 설치

홈픽 서비스 협업으로 주유소 소규모 공간을 물류 목적으로 활용할 수 있음을 확인한 이후, GS칼텍스는 유휴 공간 규모에 적합한 물류 수요가 있을 파트너를 찾기 위해 노력했다. 그러던 중 발견한 파트너가 바로 IKEA이다.

IKEA는 창고형 가구 매장으로, 고객의 DIY 역할을 대전제로 하고 성장한 회사이다. 배송비용이나 설치 기사비용이 국내대비 상대적으로 높은 서구 시장에서 특히나 효과적인데, 반대로 말하면 한국 소비자에게는 조금 불편한 모델이라고도 할 수 있다. GS칼텍스는 주유소 공간을 픽업 포인트(Pick Up Point)로 활용하면, 한국 소비자 입맛에 맞는 IKEA의 새로운 사업모델이 될 수 있다고 판단하고, IKEA와 협업 논의를 시작했다.

IKEA와의 협업 모델은 다음과 같다. IKEA에서 고객이 온·오프라인으로 제품을 구매한 후 PUP서비스를 신청하면, IKEA는 고객이 지정한 거점 주유소까지 제품을 배송한다. 주유소는 사무실 공간 등 가구를 안전하게 보관할 수 있는 유휴 공간에 PUP 선반을 설치하고, 고객이 물건을 찾아갈 때까지 보관한다. 그리고 고객은 편한 시간에 주유소를 방문하여 본인의 제품을 수령하면 된다.

이 사업 모델은 IKEA가 제품을 배송하고 보관된 제품을 고객이

369

직접 찾아가는 구조로 작동하기 때문에, 주유소 운영인의 부담이 매우 낮다. 또 고객의 경우 진입이 편리하고, 잠시 차를 세워둘 수 있는 주유소에서 안전하게 제품을 받을 수 있어, 만족도가 매우 높을 것으로 기대됐다.

위 사업모델에 합의한 GS칼텍스와 IKEA는 2021년 10월, 11개 주유소에서 파일럿테스트를 시작했다. 서울, 경기, 대전, 대구 등 11개 직영주유소에서 건당 19,000원의 서비스 이용료를 받고 파일럿 테스트를 런칭했는데, 5개월의 파일럿 테스트 기간 동안 월 평균 430건 수준의 실적을 올렸다. 특히 실적 내용을 보면 대도시 비중이 50% 이상인 것을 확인할 수 있었다. 이는 밀집 거주형 도심지 위주의 한국에서 주유소 PUP를 통한 IKEA 한국화 모델이 효과적으로 작동할 수 있음을 보여주는 지표였다.

GS칼텍스와 IKEA는 파일럿 테스트 이후 주유소 PUP 사업을 공식 서비스로 런칭했다. 공식서비스는 전라, 충정, 경북 등 전국으로 거점을 확장하고, 개소수를 28개 이상으로 늘렸으며, 서비스 이용료를 9,000원으로 인하하여 주문건수 확대를 노렸다. 이를 통해 월 1,000건 이상의 실적을 기대 중이다.

3. 주유소 부지에 신규 시설 건설

1) 내곡 MFC 사업

다양한 물류 프로젝트로 자신감을 얻은 GS칼텍스는 이제 주유소 부지에 물류 전용 시설을 건설하는 프로젝트를 기획하게 된다. 도심지 주유소의 경우 도심외곽 주유소 대비 평수가 작기 때문에, 대규모 물류시설을 건설하기엔 어렵다. 하지만 물류수요를 고려한다면, 도심지 입

지 조건을 포기할 수 없었기 때문에, GS칼텍스가 우선적으로 고려한 것
은 작은 공간을 효율적으로 활용할 수 있는 옵션이었다. 그 결과 선택된
것이 바로 오토스토어라고 하는 로봇 창고 관리 시스템이다.

GS칼텍스는 정기적으로 노후 주유소를 전면 리노베이션하고 있
는데, 2022~23년도 후보지는 서울시 내곡동에 위치한 내곡주유소였다.
내곡주유소는 소규모 물품 배송의 주요 수요처인 강남지역과 인접해 있

[그림 7] 내곡MFC외관

[그림 8] 내곡MFC내부

371

고, 주유소 뒷편으로 대규모 아파트단지가 들어서 있어, 물류 수요가 많은 위치에 입지해 있다. GS칼텍스는 해당 부지가 본격적 주유소 물류 거점화를 테스트할 수 있는 적격 입지라 판단하고, 당시 스마트 물류 사업을 추진하던 서울시와 협업하여 '에너지플러스 내곡 스마트 MFC'프로젝트를 시작하게 됐다.

내곡 MFC는 앞서 언급한 것처럼 작은 부지를 효율적으로 활용해야 하기 때문에, 로봇으로 상자(Bin)를 쌓아 올려서 공간 활용성을 극대화하는 오토스토어 솔루션(Solution)을 도입했다. 이를 통해 내곡 MFC의 대지 면적은 30평이지만, 오토스토어 Bin 1,774개를 사용하면서, 약 120평 규모의 창고 효율이 가능해졌다. 또한 기존 물류 프로세스는 ①화주 발송→②물류센터입고→③거점분류→④라스트마일 분류→⑤고객배송으로 이루어졌는데, 오토스토어를 통해 ②~④과정이 한 장소에서 자동으로 처리됨에 따라 기존 프로세스 대비 운영 효율성이 개선될 것으로 기대하고 있다.

GS칼텍스는 해당 시설 전체를 물류 전문 스타트업인 PLZ에게 임대하여 운영할 예정이다. 이를 통해 GS칼텍스의 부족한 전문성을 보완할 뿐만 아니라, 새로운 형태의 물류 사업모델을 스타트업과 함께 만들어가는 상생 효과를 거두고자 한다.

2) 에너지플러스 서울로 사업

에너지플러스 서울로는 물류 목적의 재건축 프로젝트는 아니지만 정유사가 주유소 네트워크를 어떻게 변화시키고 있는지 잘 보여줄 수 있는 사례이므로 추가로 설명하고자 한다. 에너지플러스 서울로는 서울역 앞에 위치한 역전주유소를 전면 재건축하여 진행되는 프로젝트

[그림 9] 역전주유소

로, 기존 주유소 기능을 아예 배제하고, 전기차 충전 시설과 상업 건물 시설로만 구축하고 있다. 도심 한복판의 상징적 존재였던 주유소가 그 기능을 잃은 대신 새로운 기능을 찾아가는 가장 대표적인 사례라 할 수 있다. 독자 입장에서 더욱 흥미로울 부분은 초기 사업 기획에서는 소규모 주유 기능을 1층에 위치시켰으나, 이후 이 기능

[그림 10] 에너지플러스 서울로

을 아예 삭제하고, 전면 전기차 충전 기능으로 대체했다는 점일 것이다.

　　GS칼텍스는 에너지플러스 서울로를 GS리테일과 공동 투자하여 구축 중이며, 다양한 상업시설이입주한 건물을 서울로와 직접 연결하여 시민 접근성을 높이고자 한다.

4. 미래 주유소 모습

1) CES2021에서 GS칼텍스가 선보인 주유소의 미래

코로나19로 세상이 멈춰버린 2020년, GS칼텍스는 언택트 물류 모델로 주유소 기반 드론배송 사업을 세상에 선보였다. 이런 주유소의 혁신 모델을 보다 다양한 미래 파트너들에게 선보이고자, GS칼텍스와 산업부는 온라인으로 개최된 CES2021에 미래주유소 모델을 출품하였다.

GS칼텍스는 앞서 설명한 것처럼 향후 주유소가 다양한 에너지원의 충전공간으로 전환되는 미래를 예상하고 대비하고 있으며, 좋은 입지와 한정적 공간을 충분히 활용하기 위해 로봇을 활용하는 물류 시스템을 기획 중이다. 또 다양한 배송체가 화물을 적재하고 또 관리 받는 거점으로 주유소에 대한 새로운 인식을 심어가고 있다.

CES2021에 출품한 미래형 주유소 소개 영상은 이러한 GS칼텍스

[그림 11] CES 출품 영상

의 노력이 결실을 맺은 근미래의 모습을 보여준다. 영상 속에 등장하는 주유소는 더 이상 기름 냄새가 나고 주유만 하는 공간이 아니며, 상쾌하고 깨끗하며 편리한 공간이다. GS칼텍스가 그리는 미래 주유소 모습이 궁금한 독자들은 GS칼텍스 유튜브 채널에서 CES2021 영상을 검색해 보시기 바란다.

2) 개선 필요 사항

다양한 노력에도 불구하고 여전히 주유소에서 물류 사업을 진행하는 것은 쉽지 않은 일이다. 향후 주유소 부지가 물류 사업의 소중한 자산으로 더 활발하게 이용되기 위해서는 우선 위험물 안전관리법상 규제 개선이 필요하다. 현재 위험물 안전관리법상 주유소에서 주유 목적 외 사업을 진행하기 위해서는 까다로운 기준을 통과해야 한다. 물론 안전이 중요한 것은 부인할 수 없는 사실이지만, 주유 설비 성능이 크게 개선되었고, 운영인의 안전 인식이 높아진 상황이기 때문에 보다 유연한 부대사업 허용이 필요하다고 생각한다.

다음으로 필요한 것은 무인 배송체의 성능 개선이다. 주유소 운영인이 무인 배송체의 기본적 관리를 할 수는 있지만, 현 무인 배송체(드론, 로봇) 기술로는 여전히 전문가의 배석 없이는 배송이 불가능한 상황이다. 지금은 실증 수준이기 때문에 전문 인력의 인건비가 중요 사업 요인이 아니지만, 향후 상용화 단계에서는 전문가 인건비를 최소화하는 것이 매우 중요해질 것이다. 따라서 주유소 운영인이 업무 외 시간을 활용해 배송체를 쉽게 운영할 수 있을 수준으로 성능을 개선하는 것이 필요하다.

375

3) 그럼에도 불구하고 중요한 것은 에너지 전환

주유소만 운영해도 부자로 인정받던 시절에서 이제 주유소 폐업도 어려워 휴업을 해야 하는 시절로 상황이 바뀌면서, 주유소를 활용한 다양한 사업 기획이 이루어지고 있다. 그럼에도 불구하고 여전히 입지가 좋은 주유소는 훌륭한 영업 성적을 거두고 있으며, 사실 물류 업계에서 가장 탐낼 주유소 부지는 현재 잘나가는 주유소 부지이기 때문에 본격적인 물류 사업 도입이 이루어지지 않고 있다.

하지만 모빌리티 에너지 전환은 피할 수 없는 대세이고, 그 속도는 지금 우리 예상보다 더 빨리질 수 있다. 그렇기에 모두가 탐낼 입지의 주유소가 물류 사업을 위한 부지 후보로 등장할 날이 멀지 않았다 생각한다. 이런 날이 도래했을 때, 성공할 사업자는 먼저 경험해보고 면밀한 사업 계획을 수립한 업체일 것이다. 이런 맥락에서 GS칼텍스를 포함한 국내 정유사들은 다양한 신사업 테스트를 진행 중인 것이다.

이런 상황을 다시 말하면, 정유사들은 주유소 부지를 기존 주유 기능보다 더 수익성 있게 사용해줄 사업자 또는 파트너가 나타나길 기다리고 있다고 할 수 있다. 이 글을 읽는 독자들과 앞으로 참신한 사업 아이템을 갖고 파트너로 만나게 될 날을 기대한다.